La Maison mer

Marrakech express (*Hideous Kinky*), roman, traduit par Hugues de Giorgis, Éditions de Fallois, 1999, Le Livre de Poche, 2000.

Esther Freud

La Maison mer

roman

Traduit de l'anglais par
DOMINIQUE KUGLER

Fayard

Ce livre a été édité
sous la direction de Vaiju Naravane

Cet ouvrage est la traduction intégrale, publiée pour la première
fois en France, du livre de langue anglaise :

THE SEA HOUSE

Édité par Hamish Hamilton, Londres.

À mon père, Lucian

Chapitre premier

La maison de Gertrude était rose, de ce crépi typique du Suffolk, non dénué de virilité. Vue de devant, elle paraissait sombre et repliée sur elle-même. Max attendit un instant avant de frapper à la porte, se demandant à qui l'on devait cette hideuse véranda à toit plat, puis une ombre apparut derrière le verre dépoli. « Entrez, ENTREZ. » Gertrude parlait trop fort, incapable d'accepter le fait que Max n'entendît pas. Lui resta immobile sur le pas de la porte ouverte à observer les mouvements exagérés de ses lèvres.

Max Meyer venait à Steerborough dans l'idée de faire un tableau de Marsh End. C'était une invitation de courtoisie, sans doute une des dernières volontés de sa sœur Kaethe, mais il était tout de même touché par cette proposition et reconnaissant à Gertrude de s'être souvenue de lui. *Cher Max,* disait sa lettre, *je sais combien cette perte t'est douloureuse, combien Kaethe nous manque, à tous, mais accepterais-tu de faire un tableau de ma maison ? J'y serai tout l'été. Si tu t'en sens capable, fais-le moi savoir, je t'expliquerai quels trains prendre.* La lettre était datée du 29 mai et, se surprenant lui-même, en une semaine il avait emballé ses couleurs et ses pinceaux, un rouleau de toile et quelques vêtements, puis s'était rendu à la gare de Liverpool pour prendre le premier des trois trains qui devaient le conduire à destination.

Gertrude Jilks était psychanalyste d'enfants. Elle-même n'avait pas eu d'enfant, pourtant sur le pas de la porte, à côté d'elle, se tenait un petit garçon très blond. Gertrude ne le présenta pas à Max, et l'enfant resta là, fixant le bout de ses chaussures où il faisait aller et venir ses orteils. « ENTREZ », répéta Gertrude. Max se souvint, avec un coup au cœur, qu'elle ne l'aimait pas.

« Oui, bien sûr, merci. » Il inclina la tête et tous trois pénétrèrent dans l'aile principale de la maison, un salon dont les portes-fenêtres donnaient sur une pelouse, des meubles sombres qui se perdaient dans l'ombre quand on entrait, ébloui par le soleil. Max avança sur le parquet et sortit dans le jardin. Le gazon, vaste et bien vert, s'étendait jusqu'à un arbre unique, un grand pin dont les racines disparaissaient dans le sable. En marchant vers lui, sans avoir même posé son sac, Max imagina, derrière la très haute haie qui ceignait le jardin, une étendue de galets ininterrompue jusqu'à la mer. « Oui, murmura-t-il, je ferai un tableau de la maison, de l'arrière, en tout cas. » Il y avait un banc adossé à un mur, et les fenêtres du premier étage étaient grandes ouvertes sur le ciel.

« Voilà, la maison. » Gertrude l'avait suivi. « Alf, dit-elle en se tournant vers le petit garçon, tu peux partir. » Alf, âgé de sept ans, était le fils unique de sa femme de ménage, et Gertrude lui payait des leçons de piano. Il n'avait pas envie d'apprendre à jouer du piano, mais, estimant qu'il n'était pas convenable de lui donner de l'argent, Gertrude l'envoyait chaque samedi à deux heures et demie chez Miss Cheese, et Alf revenait lui dire comment s'était passée la leçon. Non, il ne progressait guère, expliqua-t-elle à Max. Pourtant, il n'y avait rien d'autre à faire que de persévérer.

« Je vois », acquiesça Max, quoiqu'il ne fût pas du tout sûr de comprendre. Gertrude ramassa son sac et le conduisit à sa chambre.

Toute sa vie, Max avait rêvé de maisons. Il n'avait pas besoin d'un psychanalyste, ni d'un pédopsychiatre, pour lui en expliquer la cause. Avant même son départ d'Allemagne qui l'avait vraisemblablement traumatisé, il rêvait déjà de sa maison, Heiderose. Dès l'âge de dix ans, il en avait dessiné un plan : le jardin, le parc, le bosquet et la forêt, la rivière et la route. Ce plan faisait partie des rares choses qu'il avait emportées en partant. Le plan, et aussi une lourde table en bois qu'il avait taillée lui-même dans un arbre de la propriété. Il ne savait toujours pas pourquoi il avait pris cette table, puisqu'il était persuadé de revenir. Mais il avait enfermé toute sa correspondance dans son unique tiroir très profond et l'avait expédiée en Angleterre par bateau. Max avait toujours la table, les lettres cachées dans le tiroir, mais le plan avait été égaré. Et il se rendait compte, à présent, en 1953, qu'il aurait pu le dessiner de mémoire, et même les yeux fermés.

Des maisons, des murs, des villages et des routes. Voilà de quoi étaient remplis ses rêves depuis le début de la maladie de Kaethe. Il voyageait, toujours au volant de quelque luxueuse voiture, lorsque, au sortir d'un tournant, il lui arrivait d'être surpris par un paysage. Parfois c'était un groupe de maisons, perchées sur un piton, d'où rayonnaient des sentiers plongeant vers la mer. Une autre fois, au détour d'un virage, il débouchait sur un paysage dégagé, longeait une barrière blanche et tombait sur la place d'un village qui n'était pas là auparavant. Mais la maison dont il rêvait dans la journée, jamais il ne la retrouvait. Elle était toujours située au-delà du prochain virage, inaccessible à sa vue, et parfois, sa quête se perdait au plus profond d'un tunnel ne menant à rien d'autre qu'à un arceau de ciel. Maintenant, il rêvait de la maison de Gertrude, de son gazon riche et épais, et du pin filiforme au feuillage si vaporeux, une tour de guet dominant la mer. Il commencerait par cet arbre, qui pouvait figurer au premier plan du tableau, sans pour autant masquer la vue.

Chapitre 2

Quelqu'un prenait en photo la maison de campagne de Lily, depuis la route. Celle-ci était tellement étroite, à cet angle de la Pelouse – le traditionnel lopin de verdure municipal – que le photographe avait dû reculer sur l'herbe et s'accroupir pour cadrer correctement. Lily avait loué cette maison par l'intermédiaire d'une agence, et la femme lui avait remis, avec la clef, un plan succinct dessiné à la main où figurait juste cette petite route qui longeait une rivière en direction de la mer, avant de bifurquer vers la Pelouse triangulaire.

« C'est bien Fern Cottage, celle-ci ? » demanda-t-elle, par acquis de conscience. Le photographe regarda sur son plan du village, qu'il retourna pour mieux lire le nom. Lily présuma qu'il prenait des photos pour le compte de l'agence, désireuse de donner à ses futurs clients une idée de l'aspect extérieur de la maison.

« Oui, c'est ça », lui cria-t-il de loin, et au moment où elle mettait la clef dans la serrure, elle entendit ronronner l'obturateur. Surprise, elle se retourna vers l'homme qui prit, très vite, trois clichés d'elle devant la porte.

« C'est vrai que la mienne aurait bien besoin d'un coup de peinture... » De l'autre côté de l'allée, une vieille dame en robe de chambre interpellait le photographe. « ... Mais ce n'est pas une raison pour faire comme si je n'existais pas ! »

Le photographe sourit. « Vous en faites donc pas, Ethel. Je m'occupe de vous juste après. »

Ethel continua de l'observer. Elle avait le visage rond, creusé de fossettes aux joues et au menton, et ses cheveux blancs, bouclés formaient un halo autour de sa tête. Les mains en appui sur sa petite barrière, elle suivit des yeux les mouvements de l'appareil qui balayait sa maison, les murs lépreux, le bois des fenêtres fendu de toutes parts.

« Un petit sourire ? » lui lança le photographe. Alors elle pencha la tête et sourit généreusement à l'objectif.

Toute la décoration du cottage de Lily était dans les tons bruns. Tapis chocolat, murs beige clair, canapé et chaises à rayures havane et ambre. Jusqu'aux rideaux, ornés de bouquets de fleurs noisette et sable. Dans le jardin mitoyen avec la maison voisine, un gros arbre occupait le centre de la pelouse de toute la rondeur de sa ramure. Du linge séchait sur un fil. Une serviette de toilette et deux paires de collants d'enfant, un jaune et un rose. Le premier étage consistait en une grande chambre. De son unique fenêtre on voyait la Pelouse, et au loin, posé sur l'horizon étrangement haut, comme dans les dessins d'enfant, un ruban de mer bleu foncé. Lily prit appui sur le rebord de la fenêtre et arrêta son regard sur la ligne ténue séparant le ciel de la mer. Toute la tension du voyage en voiture évacua son corps, et elle ferma les yeux pour ne plus penser au travail qui l'attendait. Juste derrière elle, il y avait des lits jumeaux dont les dessus-de-lit cachaient une pile de couvertures. Lily s'allongea un instant. Et lorsqu'elle se glissa sous la courtepointe, elle sentit la laine rêche lui picoter la peau et les bouts des plumes transpercer la taie d'oreiller.

Elle fut réveillée par un cri aigu et la vibration d'un objet jeté contre un mur. Elle se dressa sur son séant, ne sachant plus où elle se trouvait.

« Arrête ! » C'était une voix d'homme, grave et menaçante. « Laisse ça ! » Puis, dans l'alcôve, l'armoire trembla

14

et Lily entendit quelqu'un descendre quatre à quatre les escaliers. Elle se précipita vers la fenêtre, s'attendant à voir une bagarre éclater sur le pas de la porte, mais il n'y avait que deux petites filles, seules, qui se balançaient aux barres parallèles de l'aire de jeux.

Lily s'installa, pour travailler, sur la petite table carrée du séjour, couverte d'une toile cirée à damiers. Les mains nonchalamment posées sur cette matière plastique fraîche et un peu collante, elle s'interrogea : comment Nick réagirait-il dans cet endroit ? Pourrait-il s'y sentir comme chez lui et penser architecture au milieu de tout ce brun ? Elle se souvint, tout à coup, qu'elle avait promis de l'appeler pour lui dire qu'elle était bien arrivée à Steerborough. Mais elle alla d'abord chercher son ordinateur dans la voiture, disposa autour de lui ses dossiers et ses livres puis plongea la main dans un sac en plastique poussiéreux. Elle en sortit une pile de lettres qu'elle posa sur la table. Des lettres de l'architecte Klaus Lehmann, tout usées par le temps ; une correspondance de vingt ans conservée par sa femme. Et ses réponses à elle, que sont-elles devenues ? se demanda Lily, avant de partir à la recherche d'une cabine téléphonique.

Dans la vieille cabine rouge – un trésor national prétendument protégé – elle trouva un message sous un caillou. *Appeler le 999. Attendre près de la digue...* L'écriture hâtive et penchée commençait, dès la seconde ligne, à dégringoler en une cascade de vagues. Tout en triturant ce petit bout de papier, Lily attendait que Nick décroche. « Vous savez ce qu'il vous reste à faire... » disait le répondeur, mais elle n'en fit rien. D'un doigt, elle raccrocha, et le petit clic qui interrompit la communication la remplit d'aise.

Lily resta un bon moment dans la cabine, le nez collé à la vitre. C'était une erreur de ne pas avoir laissé de message, elle s'en rendait compte, et à présent, elle n'avait plus de monnaie. Elle poussa la lourde porte et sortit sur la Pelouse. La mer roulait ses vagues, juste derrière la ligne d'horizon, elle semblait appeler Lily de son grondement magnétique. C'est mon premier jour ici, se dit-elle. Il faut que je trouve mes repères. Elle s'engagea d'un pas tranquille sur un chemin cahoteux bordé d'une haie de ronciers. En contrebas coulait, paisible, une rivière qu'enjambait un pont de bois, puis le sentier montait brusquement à travers des dunes blanches. Lily avançait entre les herbes coupantes, ses pieds s'enfonçaient dans le sable. Plus elle s'en approchait, plus l'attraction était forte, si forte que lorsqu'elle se mit à courir pour gravir la dernière pente, son cœur tambourinait dans sa poitrine. Enfin, elle fut là, à ses pieds ; immense, bleue, haletante, s'étendant jusqu'aux confins du monde. Le vent fouettait les oreilles de Lily, comblait d'air pur ses yeux et ses narines, soufflait en rafales qui soulevaient des jets de sable cinglants. Lily resserra sa veste autour d'elle et descendit en courant jusqu'à la grève. C'était plus calme, en bas ; elle s'accroupit afin de moins sentir le vent, palpa le sable humide où des galets et de minuscules coquillages transparents lui glissèrent entre les doigts comme de petits crapauds. Puis elle marcha le long de la plage et parvînt au goulot noir d'un estuaire. À quel moment l'eau douce devient-elle salée ? se demanda-t-elle, en suivant des yeux un solide bateau à moteur qui rentrait en pétaradant. Elle prit ensuite un sentier surplombant la rivière, où elle chemina, longtemps, jusqu'à ce que le village fût loin derrière elle.

À son retour, il était trop tard pour se mettre au travail. Il faisait froid et sombre dans la maison, et les abat-jour bruns tamisaient trop la lumière. Elle sortit dans le petit jardin et chercha la soute à charbon de Fern Cottage. Quelques gouttes annonçaient l'imminence d'une averse. Elle jeta un coup d'œil vers les fenêtres éclairées des voisins, se demandant s'ils n'avaient pas oublié leur lessive encore étendue dehors. Quand elle souleva la trappe en fer de la soute, du charbon se déversa autour de ses chaussures. Elle s'agenouilla pour le remettre dans le seau et chercha à tâtons, dans l'obscurité, les morceaux noirs tombés autour de ses pieds. C'était une réserve de charbon considérable pour une si petite maison. Dans le placard, sous l'escalier, il y avait – la liste était affichée – du papier journal pour allumer le feu, du petit bois et même une boîte d'allumettes, à l'intention des citadins qui n'auraient pas pensé à en emporter. Lily tint une page de journal au-dessus de l'ouverture du poêle et attendit qu'elle s'enflamme. Il fait déjà plus chaud, pensa-t-elle, en se balançant sur ses talons. Ce bol d'air l'avait fatiguée. Le papier prit feu dans un ronflement, lui échappa et se mit à danser dans la pièce. Elle tapa dessus avec un tisonnier et le repoussa dans le foyer, mais même après qu'il fut étouffé, il restait en suspension dans l'air de petites virgules de papier calciné.

Une fois pelotonnée sur le canapé, Lily regarda du coin de l'œil la pile de lettres qu'elle avait sortie aussitôt en arrivant, pleine de bonnes intentions. Finalement, la mauvaise conscience la poussa à se lever pour aller chercher la première de la pile et la lire douillettement installée près du feu. Elle fit glisser la lettre hors de son enveloppe mince et jaunie mais doublée d'un fin papier de soie violet. Cet éclat de couleur réveilla un peu Lily. Elle se redressa et commença à lire.

Meine Liebe... Les lettres étaient écrites en allemand. Elle avait beau être prévenue, ce fut tout de même un choc. *Ma chère, ma chérie ?* Son regard glissa jusqu'à la fin de la lettre. *À toi pour toujours. L.*

Ces lettres lui avaient été confiées par un parent de Klaus Lehmann qui habitait un appartement de Belize Park, au nord de Londres. Elle avait eu l'idée de chercher dans l'annuaire et était tombée sur cet homme, dès le deuxième appel. « Vous ne voulez vraiment pas que j'en fasse des photocopies ? » lui avait demandé Lily lorsqu'il lui avait tendu le vieux sac en plastique contenant les paquets de lettres. « Non, jetez-y d'abord un coup d'œil. Elles ne présentent sûrement aucun intérêt pour qui que ce soit. Et dans le cas contraire...

– Oui ? avait dit Lily pour l'inviter à poursuivre.

– Vous n'aurez qu'à les remettre à l'Association des architectes. C'est tout. » Il s'apprêtait à refermer la porte.

« Merci. » Elle aurait voulu en savoir davantage. « Et vous le connaissiez ? Enfin... » Elle comptait sur ses doigts : était-il assez âgé pour être le fils de Klaus Lehmann ? Impossible à dire.

« Vous lisez l'allemand, je suppose ? demanda-t-il en guise de réponse.

– Oui.

– Tant mieux. » Il lui fit un signe de tête et ferma la porte.

Dans la première lettre datée de 1931, il y avait le plan d'une pièce rectangulaire. *Ici, à Francfort, j'attends l'acceptation des plans et il y a du retard comme toujours.* Lehmann avait une écriture fine, fluide. Les traits d'encre noire s'effilaient en coups de griffe lorsqu'il escamotait les boucles des L et des K. *Te rends-tu compte, ma douce, du nombre de jours que je vais passer loin de toi ? Quoique, ma renommée allant grandissant, je pourrai bientôt leur demander de loger aussi ma femme. Mais cette situation a de bons côtés. Ainsi, j'ai vu de très jolies chaussures, bien moins chères que tu ne pourrais les trouver chez nous. Dois-je les acheter ? J'espère que tu vas me dire oui, car j'en ai déjà fait mettre deux paires de côté dans ta pointure. Écris-moi tout de suite pour me dire de les prendre.*

Lily se surprit à sourire. En fait de plans et de maquettes, Lehmann n'avait qu'une idée en tête : acheter des chaussures. *Il n'y a rien d'intéressant dans cette pièce,* poursuivait-il. *Hormis une table vide sur laquelle j'ai posé ta photo. Alors, que vois-tu de là ? Un lit en bois, pas très confortable, une chaise d'une laideur peu commune, et une grande fenêtre à petits carreaux.* Lily se laissa glisser sur le sol et s'allongea tout près du poêle, en s'appuyant sur un coude. *Si seulement tu étais ici, mon ange... mais tu t'ennuierais, et j'en serais encore plus malheureux que je ne le suis déjà. Tu écris de mieux en mieux, sais-tu ?*

Lily se rassit brusquement. Elle avait oublié de rappeler Nick. Il lui fallait des pièces de monnaie. Elle fouilla toutes ses poches, mais ne trouva que le bout de papier de la cabine. *Appeler le 999... Attendre près de la digue.* Elle le relut attentivement pour essayer d'y découvrir un sens caché, mais, une fois encore, elle n'aperçut que cette ligne de vagues qui s'évanouissait. Elle ouvrit le rideau et mit ses mains en œillères pour voir dehors. Il faisait nuit. Pas un seul réverbère. Seule la faible lumière de la cabine téléphonique brillait, comme l'étoile du berger. *J'attendrai demain,* décida-t-elle. Puis elle monta faire son lit.

Chapitre 3

« Penses-tu commencer bientôt ? » lui demanda Gertrude une semaine plus tard, pendant le petit déjeuner. Jusqu'alors, Max n'avait fait qu'arpenter le jardin pour mesurer la distance entre la porte-fenêtre et le pin. « Oui, oui », dit-il. Puis levant les yeux, il demanda : « C'est pressé ? »

Il voulait vraiment s'y mettre, mais, chaque matin, il se réveillait en proie à une agitation qui ne se dissipait que lorsqu'il regardait n'importe quelle autre maison de Steerborough. Incapable de les contempler franchement, il devait faire celui qui passait juste par là. Il se disait que c'était par convoitise qu'il les regardait ainsi à la dérobée. Tous les matins, il se mettait donc en route, nez au vent et, après avoir parcouru la grand-rue dans les deux sens, il changeait brusquement de direction et jetait un coup d'œil furtif à travers une haie d'arbres. En vérité, il avait peur de commencer. Cela faisait trop longtemps qu'il n'avait pas peint. Quant à sa réputation de dilettante prometteur, il ne la devait qu'à une période de création intense qui s'était achevée presque quinze ans plus tôt. Il avait fait un assez bon portrait de Kaethe, exposé à la vue de tous, dans leur vestibule, à Londres, et selon Max, si les visiteurs venant pour la première fois s'arrêtaient devant, c'était moins pour l'admirer que pour le commenter. Il y avait eu d'autres portraits, de Helga surtout, durant leurs années de fiançailles, mais plus il essayait de la peindre, plus les contours de son visage devenaient flous, à tel point que sa dernière tentative s'était réduite à un banc, une branche de lilas et une première ébauche maladroite de sa chevelure.

Max étala du papier sur la table ovale de Gertrude et entreprit d'esquisser toutes les maisons qu'il avait vues. Sa préférée, d'abord, en haut de la Pelouse : un cottage tout en longueur, coiffé d'un toit rouge. Il survola ensuite le village, dessinant les maisons qui lui venaient à l'esprit – l'église, la mairie – puis se souvint d'un curieux bâtiment biscornu, une construction expérimentale en bois et en verre, à l'angle de Mill Lane. Qu'est-ce que c'est, cette maison ? voulut-il demander à Gertrude. Mais il était tellement habitué au silence que les mots expirèrent dans sa tête. Il préféra en dessiner une version miniature. Une porte d'entrée en arcade, des fenêtres double-hauteur et un toit très pentu au bas duquel s'avançait une terrasse entourée de piquets blancs. Max imagina que les habitants de la maison y montaient, la nuit, pour écouter la mer.

Son crayon toujours à la main, il alla faire un tour dehors.

« Tu pensais peindre à l'aquarelle ? » Allongée dans un transat, Gertrude lisait un opuscule sur les phobies infantiles. Max pensa qu'elle devait brûler d'envie de l'analyser, d'établir un diagnostic expliquant pourquoi il hésitait à se lancer.

« Non, répondit-il. À l'huile. »

Le paysage dans son ensemble était déjà une aquarelle qui n'avait nul besoin de ses coups de pinceau. Il se demandait, pourtant, s'il était vraiment réaliste de prétendre représenter cette côte de l'extrême est de l'Angleterre avec des huiles. Celui qui essaierait parviendrait-il à rendre l'infinie transparence du ciel ? Même par temps couvert, la voûte céleste était tellement immense qu'il y avait toujours quelque interstice dans les nuages, par où le soleil pouvait glisser un rayon et tracer, au sol, un rai de lumière. Elle donnait à l'herbe un vert surnaturel, aux flaques un bleu alpestre, et rappelait à Max les ciels de la peinture religieuse italienne qu'il avait étudiés, les chérubins potelés, les doigts de lumière divine.

Max s'éloigna de Gertrude pour contempler la scène : la maison, la chaise longue, la couverture sur ses genoux. Une peur soudaine le saisit et le força à s'adosser à l'arbre.

« Gertrude » – les mots résonnèrent dans sa tête plus puissamment encore que d'habitude –, « c'est Kaethe qui t'a donné l'idée de me faire venir ? »

Gertrude le dévisagea un instant. Bien sûr. Bien sûr que c'était Kaethe qui le lui avait demandé, le lui avait fait promettre, juste avant la fin.

« Non », répondit-elle, espérant que cela l'aiderait. Elle sourit. « L'idée venait de moi. »

Trois jours plus tard, Max décida de retourner chez lui. Sous prétexte d'aller y chercher du matériel dont il avait besoin. Il fut presque soulagé de monter dans le petit train qui partait de Steerborough, de s'autoriser enfin un moment de détente, sans plus avoir à observer, à réfléchir. Dans un grondement, le train traversa un terrain vague, brinquebala sur le pont enjambant la rivière. À certains moments, les ajoncs masquaient la vue, à d'autres on voyait les marais s'étendre jusqu'à la mer. Une odeur douceâtre flottait dans l'air, un parfum de miel écœurant venu on ne savait d'où. Il abaissa un peu la vitre pour regarder dehors. Il y avait une autre tête à la fenêtre voisine, une tête toute blonde qui se penchait dangereusement.

« Salut, Alf », cria Max. Il vit que les cheveux du petit garçon étaient agglutinés en touffes que même l'énorme appel d'air provoqué par la vitesse du train n'avait pu ébouriffer. « Où t'en vas-tu ? » lança-t-il, toujours très fort, mais à cet instant le train ralentit. Nul panneau indiquait la proximité d'une gare, pourtant ils s'immobilisèrent. Alf se pencha aussi loin qu'il put, et Max, suivant son regard vers l'avant du train très court, vit le chauffeur descendre de la cabine. Il avança à grands pas et disparut dans un buisson d'où il ressortit peu après avec un lapin gris-brun qu'il tenait par les oreilles. L'animal donna un vague coup de reins, comme s'il se savait perdu. Peu après, le train se remit en route et, tandis qu'il accélérait en haletant, Max pensa au lapin mourant, les yeux blanchis par la peur.

Assis à présent face à lui, Alf tambourinait le sol du bout de ses orteils. D'une main il tenait une boîte contenant un instrument de musique, et ses genoux semblaient avoir été vigoureusement frottés. Alf ne bougea pas quand le train s'arrêta à Great Wrasham, et pas davantage lorsque la porte de leur wagon s'ouvrit d'un seul coup et qu'une grande femme mince lui tendit la main pour le presser de descendre.

« Viens vite, dit-elle. Sinon, nous serons en retard pour notre audition. » Et d'une forte poigne, elle le souleva pour le faire sortir.

Max continua jusqu'à Ipswich et prit la correspondance pour Londres. Il inspira profondément lorsqu'ils s'éloignèrent de la mer pour bifurquer vers l'intérieur des terres, laissant derrière eux, dans la courbe de l'estuaire, les essaims de bateaux, toutes voiles dehors, telles des mouchoirs blancs, une armada miniature parée pour l'invasion. Et il pensa à la gare de Liverpool Street et à cette odeur de Londres, suffocante de prime abord, à laquelle on s'habituait en moins de deux minutes.

Immobile dans son étroit vestibule, Max leva les yeux vers le portrait de sa sœur, oblong, arrogant, accroché trop haut dans le tournant de l'escalier. Il avait oublié ce qu'il allait ressentir en revenant dans cette maison où elle n'était pas, où pas un objet n'avait été touché depuis qu'il était parti. Personne pour lui dire de se peigner, de lisser ses sourcils en broussaille, d'acheter de nouveaux lacets pour ses chaussures. Assis maintenant au pied de l'escalier, il se demandait s'il avait le droit de se trouver là, s'il y avait une seule chose dans cette maison qui n'eût pas été mise en place par Kaethe. Tout à coup, il se souvint de sa table et monta au premier, dans la chambre d'amis. Le plateau était en chêne verni, un bois fortement veiné. Max ouvrit le tiroir : ses lettres étaient là, attachées par un ruban rouge.

Il possédait trente-sept inestimables lettres du peintre Cuthbert Henry. Certes, Max l'avait payé pour les lui écrire, mais après plusieurs années de correspondance, ils s'étaient trouvés liés d'une amitié qui, elle, n'avait pas de prix. C'était son père qui avait eu cette idée, en 1927, au retour d'une exposition de Henry : plutôt que de prendre des cours classiques, Max enverrait ses peintures à Londres et, moyennant rétribution, Henry lui prodiguerait de précieux conseils pour progresser. Max joua le jeu et envoya trois dessins, des croquis à la plume et au crayon, essentiellement des paysages vus de ses fenêtres, accompagnés d'une liste de questions. Une liste interminable, il s'en souvenait maintenant. Il y déversait pêle-mêle ses doutes, ses hantises, ses peurs étrangement teintées d'espoir, et attendait la réponse avec une impatience sans précédent.

Henry était un maître sévère. *Non*, commentait-il souvent ou, plus rarement, *Assez bien*. Et une fois, hors de lui : *Comment voulez-vous que je commente quelque chose d'impossible à voir ?* Il joignait à son envoi du papier de bonne qualité, reprochant à Max de dessiner sur des supports médiocres, alors que − savait-on jamais ? − son travail pouvait aussi bien ne pas l'être. *Un peu sourd ?* répondit-il lorsque Max lui fit cette confidence. *Qui vous dit que vous avez besoin de vos oreilles pour peindre ?*

Les lettres étaient rangées par ordre chronologique. Max dénoua délicatement le vieux ruban et saisit la première.

Cher Meyer,
Vous ne pouvez comprendre les choses qu'en les dessinant.
Si vous renoncez à dessiner une chose parce qu'elle vous
échappe, jamais vous ne la comprendrez. Et si vous attendez
de savoir dessiner à la perfection, alors vous pouvez aussi bien
attendre jusqu'à l'heure de votre mort.

Max sourit en retrouvant ce ton sévère. Il aurait aimé
avoir sous les yeux ses croquis, pour voir à quel défaut
particulier Henry faisait référence, mais, restés à Heiderose, ils avaient dû moisir au fond de la vieille commode
de sa chambre d'enfant.

On a toujours quelque chose à apprendre. Il faut que vous
sachiez ce que disait un grand artiste, à l'âge de quatre-vingts
ans. « Tout ce que j'ai fait avant trente ans était sans intérêt,
à soixante ans j'ai commencé à appréhender les formes des
plantes et des animaux, maintenant que j'ai atteint quatre-
vingts ans, je commence vraiment à dessiner, et à quatre-
vingt-dix, je dessinerai bien. Si je vis jusqu'à cent ans, chaque
trait et chaque point que je tracerai aura un sens. »

Max s'assit tout raide sur ses talons. Il se sentait déjà vieux,
alors qu'il avait à peine quarante-deux ans. Il feuilleta les
autres lettres, tâta du bout des doigts le papier porteur de ces
conseils comme un texte en braille. Il les palpait une à une,
puis les mettait de côté. Ces manipulations firent naître en lui
des images de son père, ce père tout heureux d'avoir trouvé le
moyen de garder à la maison son fils infortuné, atteint de surdité. Chaque lettre, chaque compliment de Henry était une
nouvelle raison de ne jamais le laisser partir. Il pourrait vivre
de ses rentes et peindre à Heiderose jusqu'à la fin de ses jours.
Max ouvrit plus grand le tiroir pour tâter le fond. Il avait
subitement espéré y retrouver le plan qu'il avait dessiné,
enfant. Son plan, et aussi le Renoir dissimulé par son père, là,
sous le plateau. Mais ses doigts ne rencontrèrent que le bois,
les quatre angles parfaitement droits, bouvetés et assemblés
au prix de longs calculs et de beaucoup de patience, selon la
technique enseignée par son père.

Chapitre 4

Le lendemain matin, Lily se réveilla tard : lorsqu'elle ouvrit les yeux, le soleil inondait la chambre. En s'étirant, elle pensa à Nick qui devait être inquiet de ne pas avoir de ses nouvelles. Elle s'habilla en hâte et courut à la cabine. Elle remarqua d'emblée, en composant le numéro, que le message avait été remplacé par un autre morceau de papier blanc réglé, identique, déchiré autour des mots. Lily l'examinait attentivement pour essayer de comprendre, lorsque Nick décrocha.

« Je suis vraiment désolée », bredouilla-t-elle, car elle craignait que Nick ne se mette en colère. Mais il était déjà au travail, à l'agence.

« Il pleut, là-bas ? » lui demanda-t-il. Elle l'imagina basculant sa chaise en arrière. « Chez nous, il tombe des cordes.

– Cet endroit est un vrai paradis. » Lily se laissa emporter par son enthousiasme. « Tu sais, Lehmann, eh bien dans le village où il... »

Au même instant, le second téléphone de Nick sonna, et il répondit, tout en gardant Lily sur l'autre ligne. « Oui, mais vous ne comprenez pas : ce n'est pas un dallage d'extérieur. Il est beau, d'accord, mais il suffira d'un hiver froid pour qu'il se fissure... »

Lily regarda ses pièces de monnaie tomber une à une. « Excuse-moi », fit-il quand il eut enfin terminé.

« C'est tellement beau ici, le ciel, l'espace... J'aimerais bien... »

Maintenant, c'était son assistant qui lui parlait. Nick devrait s'en trouver gêné, se disait Lily. Mais non, il éclata de rire. « Tu n'as qu'à leur dire de...

— Bon, je te laisse », lança-t-elle d'un ton glacial.

Nick essaya, mais trop tard, de la retenir : « Ça a été, sur l'autoroute ?

— Hein ? Ah, oui... Bon, je te rappellerai. » Et elle raccrocha, bien consciente de la puérilité de sa réaction.

Il avait dû pleuvoir toute la nuit. Une odeur de terre flottait alentour. Lily allait rebrousser chemin, lorsqu'elle s'aperçut qu'elle avait obliqué vers un sentier menant à la rivière. Un chemin de terre, bordé de haies que parsemaient des milliers de gouttes de pluie étincelantes comme des diamants. Des toiles d'araignées aussi résistantes que du fil de nylon retenaient, elles aussi, de minuscules gouttelettes d'eau.

Si je continue à suivre ce chemin, se disait-elle, en regardant les éclats de soleil dans les flaques, je tomberai peut-être sur la maison de Lehmann. Elle imaginait un chef-d'œuvre d'architecture moderne, avec de gigantesques parois de verre s'élançant vers le ciel.

Le chemin n'était plus qu'un bourbier, à présent : deux rangs de flaques ridées, alignées comme les perles d'un collier de part et d'autre d'un monticule herbeux. Lily, qui continuait de descendre lentement, arrivait en vue de l'estuaire, plat et noyé de ciel. Des bateaux étaient amarrés à une succession de pontons de bois ; tout le long, des pancartes avertissaient qu'on les empruntait à ses risques et périls. Lily longea la rivière du regard, hésitant à sauter sur ses berges boueuses, et, comme elle se tournait à demi, elle aperçut une maison calée dans l'arrondi du chemin. Une construction en briques, tout en hauteur, avec deux longues fenêtres flanquant la porte d'entrée. Devant, une rangée de sacs de sable alignés comme des petits cochons formait, sur un mètre de haut, une sorte de muret qui délimitait le jardin. Au passage, Lily jeta un coup d'œil par les grandes fenêtres éclatantes de propreté puis, voyant que le chemin ne menait nulle part, elle fit demi-tour. Les carreaux, dépourvus de rideaux, lui renvoyèrent son reflet. Mais avant que les convenances ne l'eussent obligée à détourner le regard, elle remarqua, entre une des fenêtres et la porte, une ligne verticale tracée à la craie qui allait jusqu'au-dessus de la poignée. Une date était griffonnée à côté : 1953.

À cet instant, elle entendit le son rauque de la cloche de l'église. Elle s'arrêta pour l'écouter, tout en comptant les goélands posés sur un alignement de piquets en bois. Au dernier coup, comme s'il s'agissait d'un signal convenu, les oiseaux s'envolèrent d'un même élan, tournoyèrent pour se rassembler et partirent en décrivant un grand arc de cercle. Il fallait qu'elle rentre et se mette au travail. Si elle tardait trop, elle n'aurait jamais fini à la fin du trimestre. Elle aurait déjà dû prendre des notes sur la manière dont Lehmann utilisait la lumière et l'espace, lire toutes ses lettres, y déceler des indices significatifs de l'évolution de son œuvre.

Elle avait choisi Lehmann à cause de cet immeuble situé dans le nord de Londres, un bâtiment tout délabré, en granit et en verre. Une œuvre que Nick avait tenu à lui montrer, le soir où ils s'étaient rencontrés. Alors qu'elle le raccompagnait chez lui au sortir d'une fête, il lui avait fait faire un détour. Lily avait été surprise par son assurance et par la façon dont il l'avait invitée à tourner à droite, en lui posant la main sur l'épaule. Il lui avait demandé de se garer un instant pour qu'ils puissent admirer les balcons, la courbure des fenêtres, le contraste entre l'éclat du métal et les panneaux de bois. Ils étaient descendus de la voiture, s'étaient immobilisés sous la bruine, et on eût dit qu'à toutes les fenêtres, sur un simple signal de Nick, les lumières s'étaient allumées. Oui, il fallait avouer que c'était un beau bâtiment, dans lequel elle n'avait vu jusqu'alors qu'un vulgaire champignon gris gigantesque surgi d'une mare de béton. Mais pour Nick, le simple fait qu'elle l'eût remarqué semblait concluant.

« Tu serais étonnée de savoir le nombre de gens qui ne savent pas regarder », lui dit-il. Comme pour la remercier d'avoir le sens de l'observation, de s'arrêter sur les choses qu'il aimait, il l'avait attirée à lui pour déposer sur ses lèvres un tout petit baiser.

Ma chère Elsa... Lily fit courir ses doigts sur le papier que nul n'avait touché, pensait-elle, depuis 1931. *Me voici en Palestine, où je commence à travailler près d'une plage, au milieu des ruines d'une ville antique. Comme tu me l'as demandé, je vais te décrire la vie que nous aurions ici. Au bord de la mer, ou dans les montagnes, ou dans la vallée du Jourdain, à plusieurs centaines de mètres au-dessous du niveau de la mer, dans un climat tropical. Mais je crois qu'un jour, nous pourrons vivre entourés d'agriculteurs ou au sein d'une communauté religieuse. Nous pourrons avoir des domestiques juifs ou chrétiens, ou plus probablement arabes. À propos des amies que tu souhaiterais emmener, est-ce à dire que je devrai les épouser, elles aussi ? Était-ce le sens de ta question sur la polygamie ? Et de qui s'agit-il ? Combien sont-elles ? Tu sais que je suis partisan d'avoir beaucoup d'enfants et plusieurs épouses, mais cela ne se fait plus guère depuis l'époque des patriarches. Non, sérieusement, j'espère que nous vivrons assez simplement et généreusement pour avoir toujours de quoi héberger quelques hôtes.*

Lily interrompit un instant sa lecture pour regarder Ethel qui sortait de chez elle. Douillettement drapée dans sa robe de chambre, elle salua d'un aimable signe de tête tous ceux qu'elle rencontra, avant de traverser la Pelouse.

Mais, ma chérie, s'il te plaît, relis encore une fois les passages de ma lettre qui ne te paraissent pas clairs, et demande-

moi de te les expliquer. Ce serait un crève-cœur de ne pas se comprendre, faute d'être sur la même longueur d'ondes. Je ne puis croire que nous parlions deux langages aussi radicalement différents. Si nous étions mariés – ce qui sera BIEN-TÔT le cas –, penserais-tu vraiment (puisque c'est là ce qui t'inquiète) que le fait d'être ma femme te diminuerait et que je ne serais plus vraiment le même ? Non, le seul vrai danger, c'est que je risquerais de trop t'aimer.

Lily replia la lettre en quatre. Si seulement le téléphone n'avait jamais été inventé ! Elle aurait pu écrire à Nick dès son arrivée, en gardant présente à l'esprit l'image de lui qu'elle préférait, sans que le ton de sa voix ne vienne tout gâcher. Peut-être lui aurait-il répondu par retour du courrier, lui racontant sa journée en détails, la suppliant de ne pas rester trop longtemps loin de lui. Ainsi, elle n'aurait jamais su qu'il était capable de l'interrompre aussi souvent pour des histoires de dallage.

Chapitre 5

« Déjà de retour ? » Gertrude n'était pas mécontente de le voir, juste un peu étonnée. « Tu dois être fatigué d'avoir fait un aussi long trajet dans la journée. » Elle sourit à Max pour lui signifier qu'elle n'était pas fâchée et alla voir s'il restait quelque chose qu'elle pourrait lui réchauffer. « As-tu trouvé ce dont tu avais besoin ? » lui lança-t-elle depuis la cuisine, tout en remuant les pâles volutes d'un potage au céleri. Puis, se souvenant qu'il devait lire sur les lèvres, elle retourna sur le pas de la porte. Max avait pour tout bagage un porte-documents en cuir qui pouvait tout juste contenir quelques tubes de peintures. Elle le vit l'ouvrir furtivement pour jeter un coup d'œil à l'intérieur. « Veux-tu que j'apporte du pain ? » demanda-t-elle, plutôt que de répéter sa première question. Max sursauta, surpris sans doute par les vibrations de sa voix.

« Samedi – Gertrude s'était assise face à lui, tandis qu'il mangeait –, j'espère que tu seras encore là, j'ai invité des gens à dîner.

– Ah bon ? » Max sentit une vague d'appréhension serpenter dans son estomac.

« Si ça se trouve, tu les connais », dit Gertrude dans un sourire.

À chaque cuillérée que Max avalait, le goût du produit à polir l'argenterie l'emportait presque sur celui du potage. « C'est peu probable, j'ai à peine...

– Klaus Lehmann, l'architecte ? l'interrompit Gertrude.

Je me suis dit que tu l'avais peut-être rencontré à Hambourg... avant... vous auriez pu fréquenter les mêmes cercles.

– J'ai entendu parler de lui, évidemment...

– Eh bien, ils ont une maison ici. Il est marié à une très belle femme, enfin, elle a été très belle, à ce qu'on dit, mais elle doit avoir une quarantaine d'années, maintenant. » Gertrude agita son index. « Promets-moi seulement que vous ne parlerez pas allemand. Sinon je me sentirais vraiment exclue.

– Bien sûr. » En puisant au fond du bol la dernière cuillerée de potage, Max fit une grimace pour ne pas être ébloui par le reflet éclatant de l'argent. « Merci beaucoup. » N'avait-elle pas remarqué ? Pas un mot d'allemand n'avait franchi le seuil de ses lèvres depuis 1941. Il remporta son bol à la cuisine et le lava méticuleusement.

« Tu as tout ce dont tu as besoin, maintenant ? » Gertrude ne voyait pas d'inconvénient à ce que Max habitât chez elle, mais elle était surprise d'avoir cette autre personne auprès d'elle, habituée qu'elle était à passer le plus clair de son temps seule.

« Oui. » Max aurait voulu être sûr qu'il disait bien la vérité. « Je n'ai plus besoin de rien à Londres, maintenant. »

Dès qu'il fut dans sa chambre, il glissa la main dans son porte-documents pour en extraire les lettres, les enveloppes vides d'un côté, de l'autre les pages de texte soigneusement lissées.

Le défaut de ce dessin est un de vos défauts. Cela ressemble trop à une carte, on ne dirait pas une vraie chaise, dans une vraie chambre, avec un vrai seau à charbon. Il y a deux sortes de dessinateurs. Les mauvais, qui n'ont rien à dire, et les bons, ceux qui ont quelque chose à dire. Exprimez-vous et faites exister les choses.

Aussitôt endormi, Max rêva de maisons. Tout un village, dont les intérieurs étaient à ciel ouvert. Les tables,

les chaises, les seaux à charbon, les gens qui épluchaient des pommes de terre, qui faisaient la vaisselle. Des hommes et des femmes, sans aucun mur pour faire paravent, en train de jouer aux cartes, de faire la cuisine et de travailler, de bavarder avec les passants. Et ce qui l'attristait surtout était que ce village se trouvait juste de l'autre côté de la rue, à Londres, en face de la maison qu'il habitait avec Kaethe. Et s'il avait appris son existence, s'il en avait entendu parler, il n'aurait pas eu à passer ces six derniers mois dans la solitude.

Gertrude voulait surprendre ses invités en leur préparant un dîner européen. Elle se rendit à bicyclette jusqu'à Eastonknoll et s'arrêta devant la bibliothèque. Elle craignait que, depuis la guerre, tout ce qui avait trait à l'ennemi ne fût banni du fonds de la bibliothèque. Il restait pourtant un ouvrage, un grand livre rouge foncé, qui avait dû être oublié. Il s'intitulait : *Das Beste aus der Welt.* Ce qui signifiait, pensa-t-elle, que la cuisine allemande était la meilleure au monde ; mais, soudain consciente des sérieux préjugés dont elle ne s'était pas défaite, elle admit qu'il pouvait très bien s'agir d'une sélection des meilleures recettes de cuisine du monde. Elle le feuilleta : chaque page exhalait une odeur d'humidité et de moisi. Pendant la guerre, en travaillant aux côtés de Kaethe, elle avait appris quelques mots d'allemand, mais pas assez, c'était évident à présent, pour confectionner tout un repas. Elle reconnut les termes pomme de terre, encore, et poulet, mais ne saisit aucune des subtilités qui avaient inspiré le reste du texte.

Elle finit par abandonner. En remettant l'ouvrage à sa place, elle tomba sur un petit livre vert. Il était écrit en anglais mais contenait des recettes tchécoslovaques, allemandes et polonaises. Le livre s'ouvrit à la page du goulasch. Il y avait deux recettes, et une fois de plus, Gertrude se dit que l'on trouvait vraiment de tout dans la petite ville d'Eastonknoll. Goulasch. Le mot à lui seul donnerait à cette soirée une note exotique. Quand elle avait dîné chez les Lehmann, on lui avait servi une anguille que Klaus avait fumée lui-même dans sa remise, puis un riz délicieux – quoiqu'il n'eût pas un goût très prononcé. Du risotto, avait annoncé Elsa, mais le visage d'Elsa Lehmann était d'une beauté si impénétrable qu'il était impossible de deviner si c'était à elle que l'on devait ce savoureux plat de riz.

Gertrude s'enferma très tôt dans la cuisine. La première des deux recettes, la polonaise, nécessitait une longue liste d'ingrédients, dont de la choucroute et de la vodka ; dans la seconde, hongroise, la seule chose qui sortait de l'ordinaire était le paprika, dont on devait saupoudrer la viande. Il lui avait tout de même fallu presque une journée entière pour s'en procurer et, lorsqu'elle en eut enfin dégoté dans la cuisine d'une veuve de guerre, elle se mit aussitôt au travail. Tandis qu'elle faisait revenir la viande, elle lut la note de bas de page : « Le mot goulasch signifie berger, et ce mode de cuisson est idéal pour préparer le repas tout en surveillant un troupeau de vaches ou de moutons. »

Gertrude sourit. « En fait de bétail, je vais m'occuper du dessert. » Et comme elle ne voulait pas avoir l'air de faire la leçon à ses hôtes en ne leur servant que des mets étrangers, elle opta pour une tarte tatin, que l'on pourrait accompagner de lait, à défaut de crème.

Max étala une feuille de papier sur la table et ferma les yeux pour vérifier qu'il avait bien en mémoire toutes les maisons de la grand-rue de Steerborough. Il y avait la vieille masure de guingois, avec des poutres qui penchaient d'un côté, la chaumière au toit vert mousse blottie contre une rangée de maisons en silex et en briques, dont les portes en ogive s'ouvraient, à l'arrière, sur des jardins.

Max croqua le salon de thé, avec son toit rouge, très bas, tendu au-dessus d'un alignement de lucarnes comme un nappage de gelée de groseilles sur un gâteau, et la minuscule fenêtre de la chambre de bonne qui pointait sous le lierre. À sa grande surprise, il sentit quelque chose cogner contre sa jambe. Alf sortit de sous la table et hissa son corps fluet sur une chaise.

« Où habites-tu, Alf ? »

Le petit garçon jeta un coup d'œil au plan de Max. D'un doigt, il descendit la grand-rue, longea la Pelouse, contourna l'estuaire et revint le long du marécage. Max se souvint d'un petit groupe de maisons blanches en bois, sur pilotis. Le pouce d'Alf revint jusqu'à la rivière et s'arrêta sur la berge d'où partait le bac. Gertrude lui avait expliqué qu'avant la guerre, un bac partait du ponton et embarquait tout ce que l'on voulait. Un écriteau affichait encore les prix, mais il fallait s'en approcher pour arriver à le déchiffrer : *Pour tout mouton, agneau, chèvre, cochon, etc. – 2 pennies.* Les habitants de Steerborough, comme ceux d'Eastonknoll, étaient persuadés que le bac risquait de servir aux Allemands, si bien qu'on l'avait démantelé dans les toutes premières semaines de la guerre. Et maintenant, comme cela avait été le cas au siècle passé, pendant de nombreuses années, et même bien avant, un passeur attendait dans sa petite barque à rames les passagers qui voulaient traverser. Il ramait vite dans le courant jusqu'à un certain point, au mitan des deux rives, puis, se servant d'une des rames comme d'un gouvernail, il laissait la rivière guider l'embarcation jusqu'à la berge opposée. Alf lécha son doigt et le fit courir à nouveau sur la feuille, pour lui signifier, c'est du moins ce que Max imagina, que sa famille avait déménagé.

« Avant, vous habitiez au bord de la rivière ? » risqua Max, et Alf acquiesça. « Et ensuite ? »

Au fond d'une cuvette, sur la dernière étendue d'herbe avant la mer, Alf marqua un tout petit point.

Max dut plisser les yeux pour le voir. « Vous êtes venus vivre ici ? » La nouvelle maison se trouvait juste en-dessous du pub. C'était pratique : si on en sortait éméché, on n'avait pas loin à tituber pour rentrer chez soi.

La porte s'ouvrit brusquement et la mère d'Alf entra, une pile de linge dans les bras.

Honteux de sa dernière pensée, Max se tourna vers elle : « Alf vient de me montrer où vous habitez. »

Mrs Wynwell eut l'air surpris. « Oui, dit-elle, Mon pauvre Harry avait l'habitude de dire que nous ferions mieux de déménager avant d'être emportés par la mer, alors on a transporté la maison, les briques, les poutres et tout, mais c'est à ce moment-là qu'il a été emporté quand même. » Les coins de sa bouche s'affaissèrent, et elle leva le menton, comme pour empêcher ses larmes de passer par-dessus bord. « Une vague a fait chavirer son bateau. »

Il y eut un silence et tous regardèrent fixement les murs. « Et maintenant – Mrs Wynwell hocha la tête – Alf prend des cours de piano.

– Oui. » Max posa une main sur la tête du petit garçon, et ils restèrent ainsi jusqu'à ce que, obéissant à un brusque sursaut d'énergie, Mrs Wynwell se mît à battre les doubles-rideaux avec un balai.

Gertrude enfourna la tarte. Le goulasch mijotait depuis plus d'une heure, et en épaississant, la sauce prenait la couleur brunâtre d'un sirop. L'oignon était bien fondu dans le bouillon, et le paprika, pourtant plus très frais, exhalait son parfum si caractéristique. Mrs Wynwell arriva en fronçant le nez.

« Alors, qu'est-ce que vous leur mitonnez, Mrs J ? » Lorsque Gertrude lui décrivit le bœuf coupé en dés, l'oignon, la cuillère à soupe de paprika délayée dans la sauce, le visage de Mrs Wynwell s'enfla, ses yeux roulèrent dans leurs orbites. « Mais ils sont tous juifs, ils ne voudront pas manger de viande ! s'écria-telle, catastrophée.

– Et pourquoi donc ? » Gertrude se sentit rougir d'indignation. Elle alla ouvrir la porte-fenêtre et regarda dehors. Max, qui avait fabriqué une sorte d'établi avec deux chaises et une planche, était en train de tendre une toile sur un cadre en bois blanc. Il avait joué de la scie, du mètre et du marteau toute la journée. Ça y est, il est enfin prêt, se dit-elle.

« Eh bien, reprit Mrs Wynwell, avec assurance, parce qu'ils n'ont pas le droit de tuer des êtres vivants, même pas une mouche. C'est pour ça qu'ils ne se sont pas défendus... vous savez, pendant la guerre.

– Mais non ! » Gertrude fit volte-face. « Ça n'a rien à voir ! Vous confondez avec les Hindous ou les Jaïns. » Elle s'aperçut qu'elle criait. « Et que vouliez-vous qu'ils fassent ? Vous êtes allée au cinéma. Vous avez vu les actualités. Un interminable défilé, ils n'avaient plus que la peau et les os...

– Oh, pardon, Mrs J. Moi, ce que j'en disais, c'était pour vous rendre service. » Et dans un petit hochement de tête outragé, elle s'en fut astiquer la vitre de la porte d'entrée.

Gertrude tremblait. Les images de ces silhouettes rayées étaient gravées dans sa mémoire, et elle se demanda si Hitler avait consulté un psychologue, ou s'il savait qu'en habillant les gens en pyjama on en fait des enfants que l'on peut doublement asservir.

Chapitre 6

Cher Nick, écrivit Lily, *l'unique cabine téléphonique du village est en panne.* Elle se mordit la lèvre, un peu honteuse, et retourna la carte postale aux couleurs criardes pour la regarder plus en détail. Coucher de soleil sur la côte du Suffolk. La photo avait dû être prise d'un bateau. La mer, la plage, le ciel, tout se fondait dans un bain doré. Elle espérait que cela le ferait sourire, mieux encore, que cela l'inciterait à sauter dans sa voiture pour venir. *Je travaille beaucoup, j'avance bien,* poursuivit-elle. *Calme et silence. Moyenne d'âge, ici : 82 ans. Couleur dominante : beige.* Pourquoi lui dire cela, si elle voulait qu'il vienne ? Nick détestait tout ce qui était terne et morne, tout ce qui lui donnait l'impression que sa vie tirait à sa fin. Lily l'imagina dans le salon de thé de Steerborough, où les vieilles dames étaient trois fois plus nombreuses que les hommes. *Nous pourrions louer des vélos* – elle était subitement pleine d'optimisme – *et faire une promenade architecturale lehmannienne. S'il te plaît, écris-moi. Je t'embrasse. Lily.*

Lily scruta le ciel à travers les carreaux, se demandant si elle pouvait risquer d'aller à Eastonknoll sans sa veste, lorsqu'elle vit deux têtes sautiller au ras de l'appui de la fenêtre. Elle s'approcha, sur la pointe de pieds pour jeter un coup d'œil à l'extérieur. Les deux fillettes de la maison voisine s'étaient installées devant chez elle.

« Bonjour ! » Elle tambourina à la vitre. Aucune réaction. Les petites étaient en train d'aligner, sur le muret, des cailloux qu'elles disposaient comme des sentinelles. Lily vit l'aînée prendre une grosse pierre et essayer de la faire entrer de force dans la palissade. Lily avait une vue plongeante sur leurs têtes penchées, leurs cheveux séparés par une raie saupoudrée de sable, leurs nattes poussiéreuses attachées avec des élastiques.

« Bonjour », répéta-t-elle, cette fois en ouvrant la fenêtre. Deux paires d'yeux bleu pâle se levèrent vers elle. « Voulez-vous un biscuit ? » Lily s'apprêtait à leur passer le paquet par la fenêtre, mais alors qu'elle fourrageait dans la huche à pain, la porte d'entrée s'ouvrit, et les deux fillettes entrèrent au pas de charge. Elles attendirent, sagement, derrière elle, et lorsque Lily sortit le paquet de sablés au chocolat à demi entamé, chacune en prit un très solennellement, puis alla s'asseoir sans un mot dans le salon.

Lily regarda l'heure. Presque midi. Si elle voulait aller à Eastonknoll, il fallait qu'elle attrape le dernier bac de la matinée qui allait bientôt partir ; après, la mer serait trop basse. Elle prit elle aussi un sablé, se planta sur le pas de la porte et observa les fillettes en train de manger.

« Vous vous plaisez ici ? demanda-t-elle, tout en grignotant son biscuit. Les deux petites filles eurent un hochement de tête affirmatif.

— Oui », marmonnèrent-elles, la bouche pleine. Suivit un silence, pendant lequel toutes trois regardèrent tomber à terre une fine pluie de miettes.

« Quel âge avez-vous ? » risqua cette fois Lily.

L'aînée enfourna le dernier sablé. « Moi j'ai sept ans. Je m'appelle Em. (Elle pointa son index vers sa sœur.) Et Arrie a cinq ans. » Arrie avait le visage en cœur et un petit corps potelé qu'on avait envie de prendre dans ses bras. Elle regarda Lily bien en face et, contre toute attente, lui

42

sourit, mais n'en resta pas moins obstinément assise sur sa chaise, et continua à balancer ses jambes.

« J'allais descendre prendre le bac », dit Lily après un nouveau silence et quelques regards échangés. Elle prit sa veste, ainsi que la grande et unique clef de la maison. Voyant qu'elle attendait, les fillettes sortirent l'une derrière l'autre. Lily ferma bien la porte, sourit, et se dirigea vers l'estuaire. Mais les fillettes lui emboîtèrent le pas. Elle se retourna et leur adressa cette fois un sourire plus insistant, assorti d'un petit hochement de tête d'adieu, mais dès qu'elle reprit sa marche, elle entendit leurs pas derrière elle. Elle se résolut alors à les attendre, et toutes trois se remirent en route, côte à côte. Il était midi dix. De la jetée, elles virent la passeuse amarrer son bac sur l'autre rive. Lily lui fit signe, au cas où elle aurait bien voulu faire un dernier passage et gagner trente pence de plus, mais la jeune fille se contenta de répondre à son salut et enfourcha sa bicyclette pour aller déjeuner. Lily prit le temps de contempler Eastonknoll, son phare d'un blanc éclatant, comme sur un tableau, ses habitations, pointillés désordonnés sur le dévers de la colline. On pouvait, bien sûr, s'y rendre par la route ; le lendemain de son arrivée, Lily était allée faire des provisions en voiture, mais il fallait rentrer de sept ou huit kilomètres à l'intérieur des terres, afin de contourner l'estuaire et de retrouver un terrain carrossable, c'est-à-dire la route qui rejoignait la rive opposée. Lily ne voyait pas l'intérêt de rouler pendant quarante minutes dans le bruit, alors que la ville était là, tout près, de l'autre côté du bras d'eau.

« Il y a un pont. » Em la tira par la manche et pointa l'index vers l'amont de la rivière.

Lily mit sa main en pare-soleil au-dessus de ses yeux. Elle ne voyait que le ruban d'eau tranquille qui décrivait, à l'horizon, une courbe vers la droite.

« Bon, à tout à l'heure, peut-être », dit-elle en empruntant le chemin qui longeait la rivière, après avoir contourné

43

les piles de bois vermoulu de la jetée. D'un coup d'œil lancé par-dessus son épaule, elle constata que les fillettes ne l'avaient pas suivie. Elles s'étaient arrêtées sur le môle, pour pêcher des algues avec de longues perches.

Des bateaux étaient amarrés le long de la rivière, certains délabrés, d'autres tout neufs. Le tintement de leurs drisses agitées par la brise donnait l'impression de traverser une forêt de carillons éoliens. La lumière dévalait la rivière, la teignant au passage en bleu ciel, et se répandait aussi, de l'autre côté, dans les flaques du marécage, où elle éblouissait les vaches en train de paître. Lily avança les yeux mi-clos, en mesurant ses pas sur le sentier cahoteux, et parvint au détour d'un méandre d'où l'on découvrait enfin le fameux pont. Il se profilait, tout noir, contre l'horizon, et tandis qu'elle grimpait dans sa direction, Lily essaya d'imaginer l'époque où les trains à vapeur passaient en hoquetant sur ses rails. Le pont trembla d'un bout à l'autre aussitôt qu'elle s'engagea dessus, et à chacun de ses pas, une volée de goélands s'élevait en spirale. Juste au-dessus d'elle, sur le terrain communal, se dressait un château d'eau de sinistre allure avec ses longues pattes d'animal préhistorique et sa grosse panse ronde où l'eau était stockée. On apercevait, dans un de ses pieds, une petite porte, et Lily se demanda s'il en sortait un gigantesque flot d'eau lorsqu'on l'ouvrait.

Le samedi était jour de marché à Eastonknoll. Autour du monument aux morts, des étals sur tréteaux avaient été installés dos à dos sur les pavés. On y proposait des nappes, des gants de ménage et des cageots de plantes hideuses. Impatientes aux feuilles épaisses et caoutchouteuses, marguerites naines et fuchsias hérissés de boutons violets turgescents. Lily flâna un bon moment, avant d'acheter du liquide vaisselle à moitié prix. Son sac en papier kraft dans les bras, elle risqua un coup d'œil dans les salons de thé qui servaient à déjeuner à des clients tous âgés et taciturnes. L'idée de joindre sa solitude à toutes les autres lui était insupportable. Aussi descendit-elle vers le front de mer. Il y avait là un petit kiosque où l'on vous proposait, avec tout le raffinement d'un grand hôtel, du thé dans une théière en porcelaine, avec un pot de lait et un pot d'eau chaude, des sandwiches coupés en triangles et saupoudrés de cresson. Et sur la table en plastique blanc trônait un minuscule bouquet de fleurs sauvages. Recroquevillée dans sa veste, Lily regarda les vagues rouler sur la grève et le soleil se battre contre un nuage. Elle était seule à se trouver dehors, hormis quelques irréductibles retraités qui se promenaient le long de la mer.

Cher Nick... Elle sortit sa carte postale pour la relire. Elle avait pensé acheter une enveloppe pour la protéger des facteurs indiscrets, mais il n'y avait rien de très intime dans ce mot. *Moyenne d'âge, ici : 82 ans. Couleur dominante : beige.* Elle écrivit l'adresse, ajouta un baiser et colla un timbre.

Lily prit garde de ne pas manquer le dernier bac qui partait à seize heures. Elle grimpa à bord et s'installa, en même temps qu'un couple de Scandinaves, avec un enfant et deux bicyclettes. La passeuse commença à ramer. Ses mains et ses bras robustes et nerveux contrastaient avec son visage doux et juvénile, qu'elle avait coiffé d'un chapeau. Elle rama à contre-courant jusqu'au mitan de la rivière, puis, estimant d'un œil exercé qu'elle prenait le bon angle, elle releva les rames et laissa l'embarcation dériver vers la jetée de Steerborough. La barque heurta l'appontement dans un petit sursaut qui fit se fermer le livre que Lily avait sur les genoux et arracha un sourire crispé au couple, obligé de tenir plus fermement les bicyclettes.

Enfin chez moi, pensa Lily en ouvrant sa porte. Elle se jeta sur le canapé marron et rit intérieurement de la facilité avec laquelle elle avait pris possession des lieux.

Chapitre 7

Max avait terminé son cadre. Comme souvent par le passé, il se demanda si ce n'était pas là ce qu'il préférait dans le travail : la fabrication du châssis. La seule chose qu'il fut convaincu de savoir bien faire. Seulement, une fois le cadre assemblé et la toile clouée derrière, il faudrait inexorablement s'embarquer pour l'étape suivante : l'esquisse du tableau. Il avait scié les montants du cadre en ayant présentes à l'esprit les dimensions de la cheminée de Gertrude. Il savait bien qu'on ne devait pas procéder ainsi, qu'un tableau n'était pas un meuble, que Henry en eût été outré, mais malgré tout, Gertrude l'hébergeait, le nourrissait, l'avait aidé à fuir les derniers souvenirs de Kaethe, et il voulait, autant que possible, lui témoigner sa gratitude. Avec précaution, il emporta le cadre dans la maison et le posa, face contre le mur.

Lorsqu'il se releva, Gertrude se tenait devant lui.

« Max », dit-elle, et alors seulement il remarqua qu'une enivrante odeur de cuisine flottait dans la maison tout entière et que la table, débarrassée de ses esquisses, était couverte d'une nappe en dentelle. Autour de chaque serviette pliée en éventail, un rond en bois portait une étiquette blanche. Elsa, Max, Gertrude, Klaus.

« Tu n'as pas oublié que les Lehmann arrivent à sept heures, j'espère ? » lui demanda Gertrude.

Max sortit de la pièce, lentement, à reculons.

« Je vais essayer de te trouver des fleurs », lança-t-il, avant de se précipiter dans le jardin et de se glisser par le petit portail.

Il s'engagea d'un pas pressé dans la grand-rue, en direction de l'église ; il redoutait de voir le passé refaire surface, au détour de la conversation. Ses pieds frappaient le pavé, comme pour écraser les questions que l'on menaçait de lui poser. Il essayait aussi de se remémorer ce qu'il savait des Lehmann, comment et quand ils étaient partis, quels membres de leur famille avaient fui. Et pourquoi ici plutôt qu'ailleurs ? Mais à cet instant, il tomba sur sa vue préférée. C'était une échappée entre deux maisons, une composition de verts et de bleus. Il avait mis du temps à la remarquer, tant il focalisait son attention sur l'architecture, et puis un jour, par hasard, un coup d'œil de côté lui avait révélé cette longue allée de lumière. Parfois, Max se contentait de la guigner subrepticement, comme pour mordre dedans et remâcher les couleurs en chemin. Mais cette fois, il s'arrêta à l'entrée du sentier. Le sol était boueux, les champs tout luisants de pluie. Max regarda ses souliers en cuir fin et, conscient qu'il répondait à une impulsion saugrenue, s'y engagea pourtant. C'était une voie étroite qui délimitait une propriété privée, un somptueux jardin et un court de tennis, avec son grillage métallique et sa terre battue soigneusement ratissée. Les haies projetaient leurs ombres noires sur le chemin, mais plus loin, il y avait toujours, happant son regard, ce chevauchement de rayures bleues et vertes.

Il était tard lorsqu'il rentra.

« Je suis vraiment désolé. » Figé sur le pas de la porte, le pantalon trempé, sans ses chaussures qu'il avait abandonnées dans l'entrée, Max regarda la table, sa place vide et les autres convives déjà installés. « J'ai été retardé.

– Ce n'est pas bien grave... » Gertrude essayait de poser une cocotte sur un dessous-de-plat, en tenant les anses avec un torchon. « Je te présente Klaus Lehmann et son épouse, Elsa. Voici Max, Max Meyer. »

Klaus Lehmann, un bel homme, quoique assez petit, très soigné de sa personne, le salua d'un signe de tête ; Elsa, en revanche, se leva pour venir au devant de lui.

« Bonsoir. » Elle lui serra la main puis, regardant son pantalon imbibé d'eau jusqu'aux genoux : « Avez-vous fait une belle promenade ? »

Sa main était légère comme du papier, et une boucle de cheveux pendait sur sa joue. Max rougit. Sa beauté, absolument saisissante, l'avait cloué sur place. Il était incapable de détacher d'elle son regard, et pendant un instant, il lui sembla avoir perdu l'usage de la parole. Il sentit que les autres l'observaient, vit les lèvres d'Elsa s'entrouvrir en un sourire, puis il y eut un lointain déclic dans son cerveau.

« Je ferais bien d'aller me changer », articula-t-il enfin au prix d'un courageux effort puis, du pas très lent d'un échassier, il gagna l'escalier. Gertrude allait-elle leur dire, se demanda Max en ôtant ses vêtements mouillés, allait-elle leur dire qu'il était... infirme, ou bien les laisserait-elle s'en rendre compte par eux-mêmes ?

Max prit la place qui lui était destinée, juste en face d'Elsa mais loin d'elle, puisque toute la longueur de la table les séparait. Même s'il avait tendu les doigts vers elle, et elle vers lui, ils ne se seraient pas touchés. Ces pensées lui étaient si peu familières qu'il mit du temps à comprendre qu'elles devaient être bannies.

Gertrude servit le goulasch et, chaque fois qu'il portait une cuillerée à sa bouche, Max faisait en sorte de ne pas perdre Elsa de vue, guettant les mouvements de ses lèvres, au cas où elle lui aurait adressé la parole. Mais sa simple présence, la luminosité de ses yeux en amande, ce bleu pareil à celui des iris en fleurs, le réduisaient au silence.

« Alors Max, Max... » C'était Gertrude qui s'efforçait de capter son regard. « Je parlais à Klaus du projet de tableau. Je lui expliquais que tu y as déjà beaucoup réfléchi et que... (elle le pressait de poursuivre) que tu es sur le point de commencer. »

Lehmann afficha un sourire complice. Entre artistes, on se comprend. Encore qu'il n'ignorât probablement pas que Max, lui, n'était pas un professionnel.

« Oui, finit par répondre Max, en accentuant exagérément le mot. Je l'espère, en tout cas. »

Heureusement, il n'eut pas à en dire davantage, car Klaus se lança dans des explications détaillées sur une nouvelle bibliothèque dont il venait d'achever les plans. Ce contrat, s'il le décrochait, serait l'occasion pour lui de redorer son blason, de regagner sa réputation perdue en chemin.

« Quand j'ai rencontré mon mari, dit Elsa, c'était déjà une célébrité. Une étoile au firmament. J'étais éblouie. (Elle sourit à Klaus.) Mais il faut avouer que j'avais dix-sept ans.

– Et aujourd'hui ? Tu n'es plus éblouie ? demanda Klaus les yeux rivés sur elle.

– Si. (Elle lui pressa la main.) Même au bout de vingt-deux ans. »

Max observait Klaus en train de parler. Les mots formés par ses lèvres se distordaient lorsqu'il mâchait, pivotaient sous l'effet de son accent, sans compter ceux qui échappaient à Max chaque fois qu'il abaissait le regard pour piquer de la nourriture avec sa fourchette. À la fin du repas, il avait reconstitué l'image invraisemblable d'une piscine suspendue, éclairée par des lustres et entourée, à mi-hauteur de coursives circulaires, sur lesquelles s'alignaient des étagères pleines de livres. Cette vision suffit à le faire sourire et, voyant ses yeux noirs s'illuminer, c'était si rare, Gertrude se dit qu'elle aurait dû inviter des gens plus tôt.

Après le dîner, ils s'assirent près de la baie vitrée ouverte. Un feu brûlait dans l'âtre, et tous quatre contemplaient les essaims de moucherons se détachant de l'obscurité.

« Alors, vos chemins ne se sont jamais croisés ? » risqua Gertrude, bien que Max lui eût déjà dit qu'ils ne se connaissaient pas.

« Si. (Elsa se pencha vers lui.) Je crois que votre famille avait une maison de vacances non loin de la nôtre. Vous ne vous souvenez sans doute pas de moi. (Elle posa sur lui ses yeux lumineux, fardés de noir.) Mais moi, je me souviens de vous.

– Hiddensee ? » C'était presque un murmure. C'était à Hiddensee qu'il avait pensé pendant sa promenade.

« J'y ai passé tous mes étés, dès l'âge de trois ans, et je me souviens particulièrement de vous... » Il y eut un silence, comme s'il s'agissait là de quelque conversation intime, dont les autres étaient témoins malgré eux. « Parce que vous étiez toujours seul.

– Elsa... fit Klaus, voulant l'interrompre.

– Et puis, un été, je vous ai vu avec une jeune fille, une jeune fille en robe verte... (Elsa rit.) Je vous ai vu l'embrasser dans une de ces petites cabines, sur la plage.

– Elsa... » Klaus s'étira et se leva. « Je crois qu'il est grand temps de partir.

– C'était ma première rencontre (elle regarda son mari) avec l'amour.

– Je ne sais comment prendre ça, dit Klaus en croisant les bras. J'espérais avoir eu l'exclusivité de cette première fois. »

51

Tout le monde rit, mais Max remarqua la froideur qui passa dans le regard furtif de cet homme.

« Oui. » Max prit conscience du caractère formel de cette langue étrangère, comme s'il utilisait une sorte de code. « C'était l'été de mes fiançailles.

– Et aujourd'hui.... (Elsa se penchait vers lui.) Votre femme ? Elle est... ?

– Nous ne nous sommes jamais mariés. » Il aurait voulu ajouter quelque chose de plus nuancé, pour éviter de la décevoir, mais il n'y avait rien à dire de plus.

« Pardon. » Elsa le regarda. « J'espère que je ne vous ai pas blessé ? » Elle se pencha vers lui, toucha ses doigts du bout de ses doigts veloutés.

« Non. »

Helga. Il prononça mentalement ce prénom : « Pas du tout. »

Évidemment, une ombre n'a pas de forme en soi. Je ne parle pas d'une ombre projetée sur une surface plane, mais de celle qui indique à quel endroit un objet solide se détourne de la lumière. Max lisait fébrilement. Si seulement il avait pu écrire à Henry, aujourd'hui. *Rappelez-vous*, lui avait-il dit, *que seul l'objet entier a une forme, que c'est cette forme qu'il faut dessiner et non pas l'ombre elle-même.*

Cette nuit-là, Max déambula dans les pièces de Heiderose. Il passait à travers des murs, suivant les notes du piano, dans le salon bleu avec sa table ovale, par les hautes portes-fenêtres qui donnaient sur la terrasse où sa mère aimait s'asseoir. Puis il montait l'escalier, passait devant la salle de bains avec son énorme chaudière poussive qui geignait et vibrait tellement fort qu'elle le réveillait la nuit, passait devant la chambre de Kaethe, si propre, si bien rangée, avec le lit aux draps blancs impeccablement bordés. La lumière filtrant par les rideaux dessinait des zébrures sur le bureau. Il sortait son carnet de croquis et l'ouvrait sous les yeux de sa sœur. Kaethe, appela-t-il, et toujours dans son rêve, il se souvenait que c'était elle qui lui avait dit d'arrêter. « Cela te fait trop souffrir », et dès son arrivée en Angleterre, elle lui avait trouvé un travail de comptable. Il était bon en calcul, ses doigts couraient habilement sur les colonnes. Et puis, c'est comme en peinture, lui avait-elle dit, il n'est nul besoin d'entendre pour faire des multiplications et des soustractions.

Chapitre 8

Lily fut réveillée par un fracas et un bruit de verre brisé. Elle resta allongée, immobile, les yeux ouverts, le sang battant à ses tempes et se demanda si elle avait bien fermé la porte à clef. Tout était silencieux, à présent. Elle n'entendait plus que son propre souffle et attendait, pétrifiée, que quelqu'un surgisse d'un coin de la chambre pour se jeter sur elle. Elle n'osait ni s'asseoir ni tourner la tête, et c'est alors, juste au moment où cette attente lui était devenue insupportable, que s'élevèrent des éclats de voix suivis d'un hurlement. Lily se leva d'un bond. Elle tourna sur elle-même, ne sachant que faire, et entendit alors un bruit sourd, comme si quelque chose de lourd heurtait le mur.

« Je ne veux pas le savoir ! » C'était la voix suraiguë de la femme et, plus sourde, celle de l'homme, grognant de rage : « Je te l'avais bien dit ! Je t'avais prévenue ! »

Instinctivement Lily se protégea le visage et il y eut de nouveau ce hurlement, un autre fracas, puis le bruit affreux de quelqu'un qui tombe dans l'escalier. Lily dévala son propre escalier très escarpé et se figea dans l'obscurité de la cuisine. Devant sa fenêtre passa, comme un éclair, une silhouette fonçant tête baissée dans la nuit. La barrière s'ouvrit dans un bruit sec puis se referma, et Lily entendit le toussotement d'une voiture qui démarrait.

Elle n'avait pas bougé, figée sur ses pieds qui se refroidissaient lentement, se demandant que faire. Les petites filles étaient toujours à l'intérieur de la maison, et elle les imaginait dans leur lit, les yeux grands ouverts, trop effrayées pour parler.

Très lentement, Lily ouvrit la porte. La nuit était constellée d'étoiles qui pendaient du ciel en grappes étincelantes. Une rafale de vent la caressa, et elle prit conscience du bruit ambiant. Il lui parvenait de derrière la maison, après avoir franchi les dunes de sable et survolé la pelouse : c'était le grondement de la mer. Lily oublia pourquoi elle était sortie. Elle ouvrit le petit portail et avança jusqu'au milieu de l'allée. Le fracas se faisait plus fort, maintenant. Une vague sonore succédant à l'autre. Ce bruit était-il toujours présent ? Était-elle simplement trop occupée, dans la journée, pour y prêter attention ? Si l'on n'était pas du coin, on aurait pu penser qu'il s'agissait de camions roulant à toute allure sur une autoroute proche, mais en écoutant, elle imaginait l'eau qui reprenait son élan pour venir se briser sur la grève. Lily se retourna pour jeter un coup d'œil vers chez elle et vit une silhouette s'allumer à la fenêtre de la maison voisine. C'était l'homme qui s'appuyait contre la vitre. Puis, subitement, la lumière s'éteignit et il disparut. Elle frissonna, fit demi-tour et se hâta de rentrer. Elle ferma la porte avec une précipitation qui la surprit elle-même et tendit l'oreille pendant quelques secondes. Non. Rien. Le silence. Ni cris d'appel ni gémissements, et elle se demanda s'il était possible que les petites filles n'aient pas été réveillées par la dispute.

Elle le revit le lendemain matin. Il se trouvait dans la cour en train de scier un rondin de bois entre deux chaises. Jusqu'alors, Lily n'avait vu que les enfants, et une ou deux fois l'épaule de la femme en train d'étendre du linge dehors. Elle découvrait maintenant le père, de profil, vêtu d'un vieux pull et coiffé d'un bonnet de laine. Elle se pencha pour mieux le regarder et, juste au moment où elle collait son visage au carreau, la bûche se sépara en deux et il se tourna pour rattraper le morceau le plus court avant qu'il ne tombe. Lily recula. Sa tasse de thé à la main, elle alla s'asseoir à la table où elle avait étalé ses dossiers de travail, choisit une lettre et se plongea dedans. En traduisant les mots d'allemand en anglais, à mesure qu'elle les comprenait, elle se laissa emporter par la prosodie de cette langue étrangère.

Dans ce train obscur et froid, écrivait Klaus à Elsa en 1932, *j'ai craint, tout d'abord, de ne pas t'avoir suffisamment montré combien je t'aime. Mais qu'y puis-je, puisque c'est toi la plus aimante ? Je n'ai eu qu'à t'ouvrir les bras et à accepter. À 1 h 30 ce matin, j'étais encore couché dans ce wagon, toutes mes pensées tournées vers toi, incapable de dormir. Les jours que nous avons passés à Hiddensee étaient-ils aussi beaux en réalité qu'ils le sont dans mon souvenir ? Et combien d'autres y en aura-t-il avant que nous ne soyons vieux ?*

Lily entendait toujours le voisin scier. Mais quand elle jetait un coup d'œil derrière elle, par la fenêtre de la cuisine, elle n'apercevait que le va-et-vient de son épaule.

Chérie, je suis tellement content que la petite plume que je t'ai envoyée t'ait fait plaisir. Ce sont, depuis des années, mes plumes préférées, et voir celle-ci atterrir sur ma page en tournoyant m'a semblé de bon augure. Tu vas sûrement me trouver ridicule si je te propose encore une paire de chaussures. Elles sont noires, à bouts ronds, très jolies et bien finies. Il n'en reste qu'une paire en 37. Comme des bottes montantes ! Je t'entends déjà rire. Qu'y a-t-il de si drôle dans mon empressement à t'acheter des chaussures ? Sincèrement, je crois que nous n'en trouverons pas d'aussi belles avant longtemps. Ma chérie, je souhaite que d'ici mon retour, tu ne sois entourée que du vide de mon absence.

À cet instant, Lily vit le facteur passer devant sa fenêtre, se leva, le cœur battant, pour courir à la porte. Si Nick ne lui écrivait pas bientôt, il faudrait qu'elle lui téléphone pour lui signaler que la cabine avait été réparée. Mais, après tout, cela pourrait attendre un jour de plus. Le facteur hésita un instant avant de s'arrêter. Lily le vit sortir une enveloppe de sa sacoche, mais au lieu de venir vers chez elle, il traversa l'allée et franchit la barrière de la maison d'en face. Ethel ouvrit aussitôt la porte. Elle prit l'enveloppe qu'elle déchira d'un coup de pouce, avec un grand sourire. Lily, qui l'observait, vit ses sourcils se froncer puis son visage s'éclairer lorsqu'elle lut ce qui était écrit.

« Bonjour ! » Ethel l'avait vue. Gênée, Lily répondit à son salut par un signe de tête et rentra bien vite chez elle.

La lettre suivante avait été postée à Dahlem.

Je n'avais jamais osé espérer une lettre de toi, surtout un dimanche. Maintenant, il n'y a plus aucun doute quant à savoir qui est le plus aimant de nous deux. Et n'est-ce pas toi aussi qui vas nous donner un enfant ? Ici, où je travaille, les cloches sonnent tous les matins à 7 h 30, et dans un demi-sommeil je crois entendre Elle, Elle. Ellie, Elle. Alors je m'éveille en pensant à toi. Tu me manques, mon El.

L, XXX.

Lily reposa son stylo et sortit. Depuis quelques jours déjà, elle prenait la Pelouse pour un prolongement de son jardinet : se plantant au beau milieu, elle leva les yeux vers le ciel et lança un regard courroucé à la cabine téléphonique, comme si elle était réellement en panne. Puis, pour mieux sentir la chaleur du soleil sur son visage, elle s'allongea dans l'herbe. Cinq nuages blancs, fins comme de la laine cardée, s'effilochèrent, s'étirèrent avant de se regrouper sous l'effet de la brise. Lily laissa tout son corps peser sur le sol, sa tête, ses jambes, ses talons, puis ferma les yeux et prêta l'oreille à la mer. Elle ne grondait plus à présent. Lily n'entendait qu'un doux murmure, un clapotis paisible, pareil à un long bourdonnement d'abeille.

« Eh, ça va ? » Debout au-dessus d'elle, quelqu'un faisait écran au soleil, projetant une ombre fraîche sur la moitié de son visage. Elle ouvrit les yeux et tressaillit. C'était le voisin qui, de toute sa hauteur, la regardait. Les pointes de ses cheveux blonds dépassaient de son bonnet. Lily se redressa rapidement, en s'aidant de ses mains. « Bon, fit-il en hochant la tête, je me suis dit qu'il valait mieux vérifier », et il retraversa la Pelouse, suivi d'un chat noir et blanc. « Psst ! » fit l'homme en se retournant vers lui. Queue dressée, le chat avança plus vite mais toujours de ce pas délicat, comme s'il avait marché sur du goudron.

Lily se retourna, gênée, espérant que le type n'avait pas remarqué sa frayeur et, aperçut, au loin, sur le pont, une silhouette en peignoir de bain blanc qui marchait vers la mer. Elle la suivit, soulagée d'avoir un but. Descendre l'allée, longer la rivière, franchir le pont de bois, escalader les dunes de sable, patauger dans les flaques, grimper encore jusqu'à la plage et atteindre enfin la mer. Ethel se tenait là, près de l'eau, à la frontière spongieuse entre sable sec et sable mouillé. Elle ôta ses sandales qu'elle eut soin de poser en sûreté et se défit de son peignoir qui révéla un maillot de bain au bustier rembourré, orné, devant et derrière, de deux grosses marguerites orange. Lily s'approcha, s'assit sur le sable. Une brise fraîche balayait la plage, et les vagues, bien que petites, étaient coiffées d'écume. Ethel resta une minute les pieds dans le clapot, puis avança jusqu'à avoir de l'eau à mi-cuisses. C'était l'instant critique, celui où le corps tremblait le plus, comme pour vous supplier de lui épargner cette souffrance, mais Ethel s'accroupit et se mit à nager, d'une manière à la fois puissante et raffinée. Elle nagea vers l'horizon, jusqu'à n'être plus qu'un point blanc ébouriffé, et fit demi-tour sitôt parvenue à son repère habituel. Elle offrit son visage au soleil et adressa un signe de la main à Lily qui se leva immédiatement pour lui répondre et la regarder revenir. Ethel nageait désormais avec moins d'acharnement, comme si le plus dur était fait. Elle se laissait ballotter par les vagues qui l'éclaboussaient et mouillaient les pointes de ses cheveux. Elle sortit bientôt de l'eau. « Bonjour », lança-t-elle, tandis qu'un mélange de sable, de coquillages et de gouttes d'eau tombait en pluie de ses bras.

« Vous vous baignez tous les jours ? demanda Lily.

– Quand je peux, oui, répondit Ethel en se drapant dans son peignoir. Je l'ai fait presque tous les jours, depuis que nous sommes ici. C'est comme ça qu'on reste jeune. Vous y allez aussi ?

– Je n'ai pas de maillot. » L'une et l'autre promenèrent leur regard sur la plage déserte et sourirent.

« Bon, je ferais mieux de rentrer. » Ethel noua la ceinture de son peignoir, gravit les dunes et redescendit de l'autre côté, en soulevant du sable à chaque pas.

Bien sûr, elle irait se baigner. Elle pouvait même y aller sans rien. Mais à peine avait-elle commencé à se déshabiller qu'elle pensa à l'escadron de pêcheurs qu'elle avait vu un jour : cirés kaki, bottes en caoutchouc kaki, on aurait dit un alignement de tentes de l'armée. Et s'ils surgissaient au sommet de la colline lorsqu'elle avait le dos tourné ? Et s'ils étaient plantés là-haut, tel un peloton d'exécution au moment où elle s'apprêterait à sortir de l'eau, nue ? Elle ôta lentement son jean, se félicitant d'avoir un soutien-gorge et un slip vaguement assortis, puis jaugea du bout d'un orteil la température de l'eau. Elle était tellement froide qu'elle brûlait. Lily essaya avec l'autre pied. « Bonté divine ! » L'eau étreignit son pied dans un étau glacé, lui planta des couteaux dans les os. Elle recula vivement. Si seulement elle avait pu s'y jeter tout de suite, d'un seul élan ! Mais il n'y avait pas assez d'eau. Il lui faudrait parcourir au moins huit cents mètres pour en avoir jusqu'à la taille. Elle réitéra, chercha des poches d'eau chaude puis, en désespoir de cause, avança. « Mon Dieu, mon Dieu, mon Dieu, mon Dieu », balbutia-t-elle pour s'empêcher de crier. Elle pensa aussi à cette femme de quatre-vingts ans sortie vivante des eaux de l'Arctique et se dit qu'elle avait donc toutes les chances de survivre. L'eau lui arrivait maintenant aux genoux. Elle inspira profondément et regarda autour d'elle. Rien ni personne en vue. « Bon. » Elle fit demi-tour et ressortit en courant. Ses jambes bouillantes, écarlates, la picotaient des pieds aux genoux. J'aurais dû plonger d'un seul coup, songea-t-elle en se rhabillant. Demain, se promit-elle, ou après-demain, et elle rentra par le chemin le plus long, celui qui passait devant la digue, longeait la maison sur pilotis isolée au milieu d'un champ de galets, montait sur la crête et redescendait vers le pub. Ethel devinerait, du premier coup d'œil, la lâcheté de Lily. Elle essaya d'imaginer tout son corps embrasé comme l'étaient ses jambes. Parvenue à l'angle de l'allée, elle accéléra le pas et rentra bien vite chez elle, par la porte de service.

Chapitre 9

« Je te gêne ? demanda Gertrude, ravie de trouver Max devant son chevalet, en train d'esquisser les contours de sa maison.

– Oui, répondit Max, et il vit que, bien sûr, il l'avait vexée.

– Bon, très bien. » Son livre dans une main, Gertrude traîna, de l'autre, sa chaise longue jusqu'au bout de la pelouse. « Je vais changer de place. »

Max aurait voulu lui expliquer que la forme humaine l'embarrassait, lui faire comprendre que si elle restait là, fût-ce sur les marges de son champ de vision, il se sentirait obligé de l'intégrer au tableau.

« Voilà, c'est très bien ainsi », dit-elle lorsque, à eux d'eux, ils furent maladroitement parvenus à déplacer cette chaise longue branlante.

« C'est vrai que j'aurais peut-être pu dessiner en faisant abstraction de toi... » Max respirait mieux, maintenant qu'elle était hors de sa vue. Mais Gertrude, levant les yeux, lança avec brusquerie :

« Je te dis que c'est bien ainsi. »

Max faisait son ébauche avec un crayon gras à grosse mine. Il voyait, à présent, que la beauté de Marsh End ne provenait pas de son architecture proprement dite, mais bien de sa situation sur le terrain. La texture du gazon, cette très vieille terre, le banc, si étroitement adossé au mur qu'il semblait y être incrusté. La maison était presque carrée, et Max commença à se déplacer peu à peu latéralement pour mieux appréhender l'angle, et la voir de côté.

Gertrude leva instantanément les yeux de son livre. Où allait-il ? Il avait laissé sa toile en plan et s'éloignait en avançant de biais. Elle poussa un profond soupir et laissa retomber ses épaules. Ils avaient encore jusqu'à la fin de l'été. Qu'est-ce que cela pouvait bien faire ? S'il avait besoin de se promener pour se distraire de son chagrin, elle devait être la première à le comprendre.

Max examinait le verre grené de la véranda. Il en était certain, à présent : c'était Lehmann qui l'avait construite. Qui avait dénaturé la silhouette originelle de la demeure avec ses lignes futuristes. Eh bien, Max allait la dessiner pour lui montrer, noir sur blanc, combien elle était ridicule. Il rentra chercher du papier. Toutes les feuilles qu'il avait apportées étaient passées dans ses plans de Steerborough. Il parcourut du regard la salle de séjour. Gertrude devait bien avoir du papier quelque part et, comme il ne voulait pas la déranger, il ouvrit le secrétaire en châtaignier, inspecta casiers et tiroirs, ne trouva qu'une boîte à couture et des réserves de sucre et de sel. Quant au bureau à cylindre, il ne contenait que du papier à lettres, trop petit et trop fin pour son usage, et même le garde-manger qu'il ouvrit en dernier lieu n'avait rien d'autre à offrir que des bocaux de chutney et de fruits au sirop. Refusant d'en rester là, Max tira d'un coup sec sur la poignée d'une petite porte, sous l'escalier. Un rouleau de papier en tomba, comme s'il attendait sa venue, et se déroula à ses pieds. Il s'agissait d'un papier d'apprêt, poussiéreux sur les bords, piqueté de jaune à l'extérieur parce que tombé en désuétude, mais il était solide, simple, parfait. Max prit une planche comme support rigide et retourna vite dehors. Mais n'ayant ni couteau ni ciseaux pour couper le papier, il dégagea le premier tronçon immaculé et laissa le reste du rouleau basculer par-dessus le bord de la planche, tomber en cascade le long de ses jambes et se dérouler sur le gazon. Il esquissa rapidement la façade ancienne de la maison, avec la même facilité qu'un petit garçon dispensé d'école, en prenant plaisir à tracer chaque trait de crayon. *Dites quelque chose.* Il pensa à Henry et sourit à l'idée que, pour une fois, il avait quelque chose à dire.

Max était tellement content de son croquis qu'il retourna en catimini dans le jardin de derrière, en évitant de regarder Gertrude toujours plongée dans sa lecture. Il ramassa discrètement sa boîte de couleurs, prit un jeu de brosses, sa palette et un flacon puis, ne laissant que la toile sur son chevalet et son sac de peintures à l'huile, il rebroussa chemin, sur la pointe des pieds. Cette façade, il allait la dessiner dans les moindres détails, y faire figurer chaque brique, ou l'empreinte de chaque brique, chaque tuile roussie, chaque feuille de lierre accrochée au mur. Il travailla pendant toute l'heure du déjeuner et tout l'après-midi, jusqu'à ce qu'il n'y eut plus rien à ajouter que l'affreuse véranda à toit plat. Il l'adjoignit à la maison d'une manière aussi incongrue qu'elle l'avait été dans la réalité. Se rendant compte, tout à coup, que la nuit commençait à tomber, il rentra avec son dessin toujours attaché au rouleau, monta au premier étage et le posa par terre, près de son lit.

On dirait le travail laborieux d'un homme lassé de ce qu'il fait. Il connaissait par cœur les lettres de Henry. *Vous dites que cela vous a pris quatre heures ? Il eut mieux valu faire quatre petits dessins, que vous imposer une telle épreuve.* Mais la façade de la maison de Gertrude n'avait rien d'ennuyeux. Il s'allongea sur le lit d'où il la voyait parfaitement, étalée par terre, scintillant encore dans la lumière et, stupéfait par sa propre endurance, il sombra dans un sommeil sans rêves.

Gertrude était en train de préparer le dîner quand les nuages crevèrent au-dessus de la mer. En allant fermer les fenêtres, elle s'aperçut que le chevalet de Max était resté

dehors, la toile toujours tournée face à la maison.
« Max ! » appela-t-elle, sachant pourtant qu'il n'entendrait
pas, puis s'élança finalement sous la pluie battante pour
aller chercher la toile.

Juste au moment où Max descendait en bâillant, le ciel
fut entaillé par un éclair qui mit en lumière le jardin, la
plus haute branche de l'arbre, et Gertrude en train de se
débattre sous la pluie. « Laisse, je vais le faire. » Max sortit
précipitamment par la porte-fenêtre pour l'aider à libérer
la toile du chevalet. Il y eut un coup de tonnerre, et un
autre éclair menaçant comme un trident. Gertrude sursauta et, un très court instant, ils se fixèrent l'un l'autre,
les yeux écarquillés par la peur.

« Rentre ! » cria Gertrude. Max regagna la maison d'un
pas chancelant, sa toile serrée contre lui. Pendant que Gertrude se battait de toutes ses forces avec le vent pour fermer les portes-fenêtres, Max jeta un coup d'œil à son
esquisse, honteux qu'ils aient risqué leur vie pour quelques
traits de crayon. Il s'empressa de la poser face contre le
mur.

« Un fameux orage, et il est juste au-dessus de nous, en
plus. » Au moment où Gertrude se dirigeait vers la fenêtre,
on entendit une nouvelle salve de coups de tonnerre. Max
sentait bien qu'il l'avait terriblement déçue. Il la rejoignit
et ils contemplèrent tous deux les branches qui se balançaient, tressaillant à chaque éclair. Mais l'orage commençait à s'éloigner, les éclairs se faisaient de plus en plus
espacés et, sous leurs yeux, les nuages noirs repartaient
vers la mer. Soulagée, Gertrude se détourna de la fenêtre
et proposa de dîner. Max, affamé, approuva avec enthousiasme, lui prit le torchon, insista pour l'aider, si bien
qu'ils se bousculèrent autour du placard de la salle à
manger.

Sur la table, il y avait des fleurs dans un petit vase en
céramique typique de la région. Max avança la main et la
posa sur sa partie ventrue.

« Mrs Lehmann. » D'un geste du menton, Gertrude désignait les fleurs. « C'est elle qui les a apportées cet après-midi. »

Max retira sa main. Comment avait-il pu ne pas la voir ? Il avait été assis près de la porte tout l'après-midi. Pour dissimuler son trouble, il examina les fleurs : au milieu d'une gerbe de blé, un coquelicot écarlate, pétales tremblants, tige fine et sinueuse. Max se souvint qu'enfant, il décortiquait les boutons, rabattait les bogues vert pâle et suçait les grains qui contenaient un jus suave comme du lait, rappelant celui des faines.

« Oui, j'étais en train de lire un chapitre sur le pouvoir de l'incontinence, sur la manière dont certains enfants en usent comme d'une arme, expliqua Gertrude, et à ce moment-là j'ai levé les yeux et j'ai vu Elsa Lehmann qui se faufilait à travers la haie. Elle revenait d'une promenade dans les marais salants et passait simplement dire bonjour.

– Je ne pensais pas qu'on pouvait cueillir les coquelicots sans les abîmer. » Max effleura du doigt le duvet soyeux de la tige. Au même instant, comme pour lui obéir, un pétale moite, aussi léger que du papier, s'en détacha et tomba dans sa main.

Ils dînèrent sans un mot. De temps en temps, Max regardait Gertrude à la dérobée, se demandant si elle craignait, elle aussi, qu'Elsa n'eût été surprise par l'orage et que, bloquée quelque part, tremblante, harcelée par la pluie, il lui fût impossible de rentrer chez elle.

Mais Gertrude, elle, pensait à Alf. Ne serait-il pas préférable, de proposer, au lieu des leçons de piano, une aide de nature plus thérapeutique ?

La première chose que vit Max en s'éveillant le lendemain matin, fut sa peinture étalée sur le sol, à côté de son lit. Elle n'était pas aussi bonne que dans son souvenir, elle avait perdu de son brillant, et soudain, sans prévenir, une image de son père s'imposa à lui. Il s'en trouva si profondément abattu qu'il dut se laisser glisser par terre. Il fallait qu'il continue à bouger, sinon il s'effondrerait et ne parviendrait peut-être jamais plus à se relever. Lentement, très lentement, il rampa jusqu'à l'autre bout de la chambre. Les lettres de Henry étaient là, dans leur portedocuments posé debout contre le mur. Il s'en saisit, serra contre lui l'étui de cuir, le huma, le pressa contre son visage, en mordilla les coins avachis.

Oui, lut-il, lorsqu'il put enfin se redresser suffisamment pour en extraire une lettre. *C'est vraiment beaucoup mieux. Continuez comme cela, et plus rien ne vous retiendra.* Où peut bien se trouver ce tableau aujourd'hui, se demandat-il. *Meyer...* Henry avait pris un ton sérieux. *Cela n'a aucun sens de demander à d'autres comment représenter les choses. Comment dessine-t-on le sol? Dans quelle direction l'herbe pousse-t-elle? Ce qui m'intéresse, c'est de voir comment VOUS allez résoudre ces problèmes.*

Rester allongé sans bouger, songeait Max, et ne plus jamais se lever. Il se força pourtant à ramper jusqu'à la fenêtre et, s'agrippant à son rebord, ouvrit la croisée, se pencha au dehors. Une journée exquise. Un matin jaune pâle ourlé de bleu. L'orage avait emporté quelque chose dans son sillage, et l'espace d'un instant, Max se sentit plus léger, plus pur, mieux à même d'oublier. Très vite, avant que son moral ne redégringole, il s'habilla. Il roula sa peinture et, sans attendre le thé trop infusé de Gertrude, prit ses aquarelles et s'engagea dans l'allée.

Il marcha d'un pas résolu vers l'église, passa devant la maison de guingois, l'ancienne ferme et la boîte à lettres au sceau royal rouge vif. Il continua sans s'arrêter jusqu'à la dernière habitation, avec sa véranda treillissée peinte en blanc et ses trois chiens assis. Au-delà du petit jardin carré entouré d'une barrière, il n'y avait que la lande, à perte de vue. Max s'assit sur ce qu'il restait du pilier d'une grille en fer arrachée dans un élan patriotique, pour les besoins de la guerre. Il déroula son rouleau de papier. Apparut la maison de Gertrude, à côté de laquelle attendait un espace vide, vierge. Heath View. Cette maison lui faisait penser à des pommes, le bois peint en vert très pâle, les fenêtres comme des pépins, les briques veinées de rose. Max s'approchait pour voir la teinte exacte du bois, lorsqu'une femme apparut sur le seuil. Elle avança de quelques pas en le fixant d'un air méfiant, puis tourna les talons, rentra et verrouilla sa porte.

Chapitre 10

Lily, triomphante, mordit dans son toast, plia la lettre de Nick pour la glisser dans sa poche et courut jusqu'à la Pelouse. Elle avait gagné. Elle l'avait forcé à lui écrire, et pas n'importe quelle lettre, une lettre d'amour.

Mais enfin, Lily, il doit bien y avoir une autre cabine quelque part ? Ou alors donne-moi le numéro de celle-ci, je ferai une réclamation. Désolé de remettre ça sur le tapis – son écriture devenait plus petite et moins lisible à chaque ligne –, *mais pourquoi es-tu la seule personne au monde à ne pas avoir de portable ? Tu me manques, voilà tout... On a un boulot d'enfer, à l'agence, mais je ne te dirai rien de plus, tant que tu n'auras pas enfourché ton vélo ou ta mule, ou Dieu sait quel moyen de transport tu utilises là-bas, pour dénicher une cabine. Je veux entendre ta voix.*

Tout en composant le numéro, Lily sortit des pièces de son porte-monnaie. Des pièces de 10 et de 20 pence, deux de 50 pence et une d'une livre. Elle en fit de petites piles, près du galet et du bout de papier qui était toujours là. *Appeler le 999. Attendre près de la digue...* Lily regarda attentivement le papier jauni et marbré, déjà, par le soleil et l'humidité, se pencha pour en examiner les bords déchiquetés, mais le message de Nick l'interrompit. « Vous savez ce qu'il vous reste à faire. »

Cette brusquerie la désarçonnait à chaque fois. Il ne s'y serait pas pris autrement s'il avait voulu dissuader les gens de rappeler.

« C'est moi. » Entendre sa propre voix la troubla, et elle eut soudain conscience qu'elle n'avait pas prononcé un mot depuis plusieurs jours. « Écoute, merci pour ta lettre. Bon... je vais essayer de te joindre à l'agence. »

Mais Nick n'y était pas.

« Il est sorti... C'est Lily ?

– Oui.

– Ah, alors écoute, il... Ne quitte pas une seconde. » Elle entendit Tim, son assistant, remplir la bouilloire, elle entendit l'eau couler dans le récipient métallique. « Oui, il est allé à Paris pour vérifier... » Un autre téléphone se mit à sonner, et Tim avait dû s'éclabousser. « Oh, putain !

– Ça ne fait rien, cria Lily pour se faire entendre malgré le bruit, j'ai laissé un message sur son portable » et, dépitée, elle raccrocha.

Elle rangea les pièces dans son porte-monnaie et prit aussi le petit galet. Il était rond, bien poli, veiné d'ivoire et de doré, et ses anneaux de couleur étaient rayés et délavés, comme s'il datait d'un million d'années. Elle le fit rouler dans sa paume et, sans trop savoir pourquoi, le glissa dans sa poche, laissant à la place une pièce de deux pence.

Lily prit le chemin le plus long pour aller à l'épicerie. Elle allait d'un bon pas, respirait à pleins poumons, humait au passage les douces odeurs d'herbe, les effluves sucrées d'un parterre de fleurs blanches. À l'angle d'une petite rue, une forte odeur de groseille la stoppa dans son élan. Cela lui rappelait Londres, l'odeur incongrue de la nature dans une rue de la ville. La poussière, l'humidité, la pisse de chat et le parfum acide de la sève des tiges. Lily arracha une feuille vert foncé qu'elle pressa entre son pouce et son index. Ses nervures étaient rouges comme celles de la rhubarbe, sa sève, amère, exhalait la senteur forte et piquante du fruit. Il y avait un groseillier, au coin de la rue où elle avait grandi. Souvent, en attendant que sa mère rentre du travail, elle s'arrêtait près de cet arbuste pour finir ses bonbons et humait son odeur âcre qui lui parvenait par bouffées. Lily rouvrit la main pour libérer la feuille, enveloppa soigneusement le caillou dedans et fourra le tout dans la poche de son jean.

Chez Stoffer, l'épicerie du village, on trouvait tous les produits de première nécessité, fruits, légumes et fromage, pain et conserves, aliments déshydratés, mais aussi des ballons de plage, des épuisettes, des seaux et des pelles. Il y avait tout un rayon de gâteaux secs et, juste en face de la caisse, à hauteur d'yeux des bambins, un assortiment de bonbons. Deux enfants étaient accroupis, des pincettes en plastique à la main, et au moment où la porte se refermait bruyamment derrière elle, Lily reconnut Em et Arrie, tenant chacune un petit sac en papier. Penchée par-dessus le comptoir, Mrs Stoffer les surveillait, et, quand Lily parvint à capter son regard, elle y lut une grande méfiance.

Lily s'intéressa aux cartes postales. Vues des curiosités de cinq ou six villes et villages des environs. Ports, châteaux, couchers de soleil, églises en ruines. Et, sur un présentoir à part, les « artistes locaux ». Lily examina chacun de ces paysages en demi-teintes. La plage déserte, la plage avec des gens barbotant à marée basse. Il y avait des aquarelles du bac, avec et sans la file des passagers, et un dessin de la maison en bois sur pilotis entourée d'eau sur trois côtés, là où l'estuaire décrivait une boucle pour rejoindre la mer. Sur toutes ces peintures, le ciel occupait les quatre cinquièmes de l'espace. La terre, du coup, paraissait insignifiante, comme si elle manquait de moyens. Lily, si elle avait dû peintre ce paysage, n'aurait représenté que le ciel, et elle sourit en s'imaginant soudain dans la tenue adéquate, avec ses sandwiches et son chevalet planté dans le sable. À une aquarelle, elle préféra une vue du phare d'Eastonknoll, dont le poste de guet à croisillons faisait penser à une pièce montée coiffée d'un dôme de crème fouettée.

« Douze pence... » la dame comptait les bonbons qui tombaient un à un de la pince en plastique dans le sac en papier de Arrie. « Quinze, ça fait vingt-sept pence. »

Em plongea la main tout au fond de sa poche. Son visage était froncé par l'inquiétude lorsqu'elle en extirpa ses pièces. Mrs Stoffer tenait les petits sacs comme si elle s'attendait à devoir les reprendre, comme si elle avait déjà vécu cette situation exaspérante.

« Douze, treize, seize. » Laborieusement, Em comptait son argent à côté de Arrie, sombre et soucieuse. « Vingt-deux ? » proposa-t-elle, pleine d'espoir. Lily leva les yeux juste à temps pour voir le mouvement de tête négatif de Mrs Stoffer.

« Bon, laissez, je vais compléter », dit-elle en poussant ses cartes postales vers l'épicière et en claquant une pièce de deux livres sur le comptoir, avec l'aplomb d'une dame richissime que son chauffeur attend dehors.

Elles repartirent toutes ensemble vers la Pelouse municipale. « Pas d'école, aujourd'hui ? » leur demanda-t-elle. Les deux fillettes lui expliquèrent que leur mère avait pris la voiture. « Il n'y a pas de bus, tu comprends, alors... certains jours on ne peut pas y aller, c'est trop loin, à pied.

— Où est-elle, votre école ?

— À Thressingfield. » Et, se tournant vers la route principale, elles désignèrent vaguement l'horizon. « Quelquefois, Mr Blane nous emmène en voiture, mais il n'y allait pas, aujourd'hui.

— Ah bon ? fit Lily, tandis qu'elles redescendaient tranquillement par le village. Espérons qu'elle reviendra bientôt, alors. »

Em baissa la tête et Arrie, de ses doigts sales, fourra dans sa bouche une pieuvre verte.

« Je ne voulais pas dire... » Lily se mordit la lèvre. « Enfin, je suis sûre que...

— De toute façon, coupa Em, Papa va acheter une voiture neuve.

74

– Non, pas une voiture neuve, corrigea Arrie, une nouvelle voiture. »

Em offrit un bonbon à Lily. Une sorte de nounours en gélatine, mais beaucoup plus dur à mâcher. D'une curieuse forme aplatie, il était caoutchouteux et collant. Impossible de parler pendant un bon moment.

Il n'y avait personne sur la Pelouse. Lily s'assit sur une des deux balançoires et regarda Em s'élancer de plus en plus haut dans le ciel bleu. Arrie, elle, astiquait le toboggan : se servant de ses fesses comme d'un chiffon à poussière, elle remontait la pente en la frottant sur toute sa superficie, jusqu'à ce que l'acier brille impeccablement. Enfin, elle annonça que le toboggan était prêt et, après une petite révérence, descendit comme une comète et décolla légèrement à l'arrivée. Elle atterrit dans un tas de copeaux de bois sales et Lily remarqua, lorsque la fillette se releva, que son collant était usé aux fesses.

« Elle fait souvent ça ? demanda-t-elle à Em.

– C'est son travail. Moi, je ramasse les détritus et Arrie astique la rampe. On a demandé à Alf si on avait le droit, et il a dit oui.

– Qui est Alf ?

– Alf ? » Em dévisagea Lily comme s'il était impossible de ne pas savoir qui était Alf. « Eh bien... c'est... » Elle fit presque un tour complet. « Il est sur le... il est au... euh, c'est le chef, quoi. »

Arrie avait fini de faire des glissades et tournait à présent autour de Lily. « Tu veux que je te montre... (Elle s'approcha)... un secret ?

– Oh oui, je veux bien, répondit Lily.

– Arrie ! » Em interrompit sa culbute et foudroya sa sœur du regard pour qu'elle arrête.

– « Quoi ? »

Suivit un instant de silence, pendant lequel elles échangèrent des coups d'œil appuyés.

75

« Oh, bon vas-y, si tu y tiens, » et, tout en lorgnant Arrie d'un air de défi, Em prit Lily par la main. Elles descendirent le long du chemin qui menait à la mer, mais au lieu de franchir le pont, elles bifurquèrent pour prendre un sentier plus étroit bordé de hautes herbes, sur lequel il fallait esquiver les ronces qui vous agrippaient au passage. Le chemin descendait en serpentant entre la rivière, d'un côté, et, de l'autre, des marécages et des mamelons herbeux. Elles furent bientôt parvenues au marais salant. Des flaques d'eau étincelaient entre les touffes de carex que parcouraient de minuscules passages en terre durcie, où l'on ne pouvait cheminer qu'en file indienne. Les carex, qui arrivaient à hauteur d'homme, balançaient doucement dans la brise leurs têtes blanchies par le soleil du dernier été. Elles passaient parfois devant une parcelle où l'on avait cisaillé ces grandes herbes pour en faire du chaume, et ces espaces évoquaient une coupe en brosse. Ensuite, le paysage était tout plat et silencieux jusqu'à la mer. Dans ce marais vivaient des oiseaux, des campagnols et des ragondins, des rats d'eau et des butors, pourtant Lily n'avait pas encore entendu le moindre son. De loin en loin, elles traversaient des bras d'eau en faisant des détours par les planches encastrées dans la berge.

« Où m'emmenez-vous ? » demanda-t-elle, étonnée que l'on puisse trouver aussi aisément son chemin, et, au même instant, Em faisait un crochet pour prendre un autre pont.

« Là-bas », dit Arrie. À l'horizon se profilaient les ruines d'un moulin. On eût dit un château de sable abandonné, dépourvu de toit et dont tout un pan s'était effondré à l'intérieur. « Chut, il est hanté. »

Em se retourna, et à son sifflement, un couple de grands oiseaux noirs surgit des hautes herbes. Ils s'envolèrent à tire-d'aile, en ligne droite, pattes repliées, et allèrent se poser au bord de la rivière, sur deux pieux plantés là. Ils étendirent voluptueusement leurs ailes et les laissèrent ainsi déployées, à la manière des chauve-souris, comme pour les faire sécher. Lily les observa et sentit qu'eux aussi l'observaient.

« Viens », lui dirent Em et Arrie. Elle se retourna et leur courut après, en direction du moulin.

« Vous ne venez pas ici toutes seules, j'espère ? » leur cria-t-elle en vain.

De l'entrée du moulin, une courte volée de marches disparaissait dans une mare d'eau stagnante, à la surface de laquelle flottaient quelques bouts de bois et une chaussure rouge à haut talon.

Toutes trois passèrent la tête par l'ouverture. « Hou-hou ou...ou...ou... » Em laissa l'écho de sa voix résonner entre les murs, et elles levèrent les yeux : au-dessus du cône de briques éboulé se dessinait un disque de ciel pâle.

« Qui dit qu'il est hanté ? » demanda Lily. Au même moment, une ombre fondit sur elles, et l'air se refroidit. Arrie agrippa le bras de Lily.

« C'est rien, c'est juste un nuage », dit Em en se cramponnant tout de même à l'autre bras de Lily.

Elles contournèrent le moulin et s'assirent sur un bloc de granit incrusté de coquillages. Elles ne disaient rien, attendant que le soleil réapparaisse. Les deux fillettes scrutaient le ciel, comme si leur vie en dépendait. Lily, elle, laissait son regard errer le long de la côte. Il y avait quelques maisons blotties dans la première anse, une multitude de bateaux couchés sur la grève et juste après, un gigantesque dôme argenté.

« Qu'est-ce que c'est, ce bâtiment ? » demanda-t-elle à Em. Mais Em avait toujours les yeux cloués au ciel.

« C'est là où papa travaille, lui répondit Arrie.

– Travaillait. » Em s'arracha à sa contemplation. « Plus maintenant. C'est une centrale nucléaire. Ils fabriquent du courant.

– Non, corrigea Arrie, l'air soucieux. Ils fabriquent des saucisses.

« – Ah oui, c'est vrai. » Em acquiesça gravement. « Et des saucisses. »

Il était midi passé à leur retour sur la Pelouse, et la première personne qu'elles y virent, en bas de l'aire de jeux, était le père d'Em et Arrie. Les deux fillettes se lancèrent un coup d'œil furtif, et Arrie glissa discrètement : « On ne t'a pas montré le secret ! »

Mais Lily accélérait le pas. « Je suis désolée, lança-t-elle. C'est ma faute. Elles étaient avec moi.

– Ce n'est pas grave, dit-il. Je n'étais pas inquiet. » Pourtant, ses yeux paraissaient fatigués d'avoir cherché.

Em inclina la tête et la colla au bras de son père, tandis que Arrie se tortillait contre lui pour réclamer une caresse.

« Je m'appelle Lily, nous n'avons pas vraiment fait connaissance... Je loue la maison voisine de la vôtre... »

Étaient sous-entendues, dans sa phrase restée en suspens, les conséquences de ce voisinage. Les murs peu épais, le bruit de chute dans l'escalier.

« Grae », annonça-t-il avec un léger mouvement de tête et, dans les yeux, l'ébauche d'un sourire. Sa main retomba pour ébouriffer les cheveux de Arrie.

Chapitre 11

« Alors, comment s'est passée ta leçon ? demanda Gertrude. Miss Cheese allait bien ? » Alf restait planté devant elle. « Toujours pas de progrès ? » insista-t-elle. Elle fut bien étonnée de le voir alors lever les mains et faire virevolter ses doigts sur un clavier imaginaire. Ils cavalaient sur les touches d'ivoire, montaient, descendaient puis repartaient dans un impétueux crescendo. Pour un peu, elle aurait presque entendu le cliquetis des notes aiguës suivis de rebonds tonitruants, lorsqu'ils dégringolaient jusqu'à l'autre extrémité. Médusée, Gertrude se penchait en avant, à tel point que sa chaise longue bascula et que ses livres tombèrent dans l'herbe.

« Eh bien, je... c'est fantastique ! » Elle se mit à applaudir. C'était le premier signe de vie qu'elle voyait chez lui, depuis la tempête. « Viens t'asseoir, reprit-elle en tapotant la place laissée vacante par ses livres. Alors, ça te plaît, maintenant, de prendre ces leçons ? » Il vint timidement se jucher près d'elle. « Je suis très contente », dit-elle en le regardant. Ses cheveux blonds comme du beurre et brillant de mille reflets lui rappelaient le petit garçon dont elle s'était occupée à la crèche, pendant la guerre, cet enfant dont la mère avait dit qu'elle ne viendrait plus jamais le voir s'il pleurait.

« Pas pleurer, pas pleurer », marmonnait-il en s'accrochant à son lambeau de couverture, « pas pleurer ». Lentement, au fil des semaines et des mois, cette consigne s'était si fortement imprimée en lui qu'il n'en restait plus qu'un petit sourire crispé.

« Alf ? » Elle lui toucha le bras, mais il était énervé, pressé de partir. « Tu peux t'en aller, si tu veux. »

Alf se leva d'un bond. Il galopa jusqu'au fond du jardin, se faufila à travers la haie et disparut.

Gertrude reprit sa lecture. Un ouvrage sur les cauchemars des enfants et la peur du noir. On y rapportait le cas d'un petit garçon auquel on avait dit que le croquemitaine viendrait le chercher s'il continuait à se masturber au lit. Personne ne semblait comprendre que, si cet enfant avait encore peur, c'est que le croquemitaine était déjà là, dans son imagination ; alors, autant continuer.

Il faisait chaud. Trop chaud pour un début de mois de juin. Gertrude se força à se lever pour rentrer. Elle tituba quelques secondes, presque aveuglée par le passage du soleil à l'obscurité. Elle avança à tâtons jusqu'à la cuisine, ouvrit le robinet pour se rafraîchir un peu, jeta un regard oblique à la toile de Max toujours tournée contre le mur. Cela faisait une semaine qu'il avait commencé le tableau, et aussi longtemps qu'il n'y avait pas travaillé. Désormais, son hôte s'éclipsait avant le petit déjeuner pour ne revenir que tard dans la soirée. Si elle avait quelque chose à lui dire, elle devait courir le village à sa recherche, regarder à tous les coins de rue, explorer les venelles jusqu'à ce qu'elle le trouve, assis sur un antique tabouret à traire, affublé d'une blouse maculée de peinture. Il avait pris l'habitude de porter un vieux chapeau de feutre marron tout cabossé et il s'installait là où bon lui semblait, indifférent au qu'en-dira-t-on, avec son rouleau de papier d'apprêt, ses couleurs et ses pinceaux, ses palettes et ses pots. Il avait déjà peint cinq maisons et entamait la sixième. Chacune était très fouillée : les nuances de rouge des briques d'argile, les toits en tuiles flamandes, le chaume, les jardins et les arbres, tout y était. Combien de maisons y a-t-il dans le village ? se demanda Gertrude, et en faisant le calcul, elle comprit qu'il y serait encore au printemps suivant.

« Quand je mourrai, lui avait dit Kaethe, en s'efforçant de sourire comme s'il ne s'était agi que d'une hypothèse, d'un aparté dans une conversation amicale, j'ai peur que Max ne soit... (elle avait voulu respirer mais n'avait émis qu'un son râpeux)... ne soit perdu. »

Gertrude lui avait étreint la main. « Je suis sûre que... » Mais Gertrude n'avait pas la moindre idée de ce qu'il adviendrait de Max. Pendant toutes les années de son amitié avec Kaethe, il s'était toujours montré distant. À son égard. À l'égard de tout le monde. Sa surdité lui avait servi d'alibi pour rester à l'écart, elle en était certaine.

« Ce qu'il aime, c'est faire des choses pour les autres, avait poursuivi Kaethe. Chez nous, il passait des journées et presque des nuits entières à peindre, pour faire plaisir à notre père, et quand il est arrivé en Angleterre, il a arrêté, uniquement pour moi. Si personne ne lui demande rien, je crains qu'il ne... » La voix de Kaethe s'était brisée, et elle s'était détournée.

« Je l'inviterai à la campagne, dit en souriant Gertrude. Je lui demanderai de faire un tableau de ma maison.

– Oui, c'est cela, approuva Kaethe d'un signe de tête en relâchant sa main, épuisée. Ainsi, il fera quelque chose pour toi. »

Mais Kaethe se trompait. Personne n'avait demandé à Max de peindre un panorama de Steerborough. Personne ne comprenait pourquoi il était là qui perturbait la circulation de l'unique rue du village, lorgnait à travers les fenêtres, examinait les plates-bandes, choisissait la prochaine maison qu'il allait peindre. Il avait fait un croquis du chat de Molly Cross en l'appâtant avec de menus déchets, en lui jetant des miettes de gâteau pour qu'il se tienne tranquille, et au dernier moment, trouvant qu'il ressortirait mieux sur le vert de la haie, il avait transformé son pelage noir en pelage roux. Il avait peint le terrain vague des Woollard, seule verrue du village, avec ses poules, ses ressorts de sommier, ses vieilles bicyclettes rouillées entassées dans un buisson d'orties d'un mètre de haut. Sur la vitrine de Mrs Stoffer figurait même l'affiche de *La Nuit des Rois*, avec, en lettres minuscules, la date de la représentation et le bandeau indiquant que Mrs Stoffer reprenait (étonnant contre-emploi) le rôle d'Olivia.

Gertrude s'aspergea le visage. Était-ce que son hôte abusait de son hospitalité ? Ou, au contraire, n'était-il pas assez présent ? Elle s'immobilisa pour s'observer, écouter sa respiration et son pouls. Elle se regarda dans le miroir, et ses traits s'adoucirent lorsqu'elle sourit. Oui, c'était bien ce qu'elle soupçonnait. Le fait de l'avoir chez elle ne la dérangeait pas. Ce qui l'exaspérait, c'était d'être en compagnie de quelqu'un qui eût si peu besoin de son aide.

Cette nuit-là, Max rêva qu'il prenait des mesures. Il arpentait le parc de Heiderose, griffonnant des chiffres sur un bout de papier qui s'envolait tout le temps, et à peine avait-il fini et rangé ses fiches dans sa poche qu'il se retrouvait entouré d'une famille agglutinée devant la porte d'entrée. La mère, grande, échevelée, et ses quatre enfants aux cheveux blonds filasse. Le père déchargeait des cartons d'une voiture. « J'étais justement en train de mesurer », les informait Max, mais nul ne le vit, nul ne remarqua sa présence.

Max s'attarda longtemps à la table du petit déjeuner. Il était exténué, incapable de contrôler le tremblement de la main dans laquelle il tenait une lettre de Henry.

« C'est ton jour de repos ? lui demanda Gertrude en s'asseyant pour se verser une tasse de thé.

— Oui, répondit Max, comme s'il venait précisément de s'en souvenir. C'est bien possible. » Il posa sa lettre à côté de son assiette.

« Des nouvelles importantes ? » demanda-t-elle. Max souleva très solennellement la première page et la posa entre les mains de Gertrude.

Je ne sais s'il est bien utile, commençait la lettre, *de se lancer dans une discussion aussi galvaudée, mais pour moi l'Art se définit simplement comme la façon dont sont reçues et assimilées les impressions du monde extérieur.* Gertrude leva les yeux pour capter le regard de Max, mais il avait tourné la tête. *Bien entendu, il est intéressant de se demander si certains artistes ont su choisir l'art qui leur convenait pour s'exprimer. Ou si un talent spécifique ou un concours de circonstances peut vous guider vers telle ou telle forme d'art. Mais l'important, je crois, est de ne pas s'arrêter. J'imagine que lorsque l'on cesse de nager pendant longtemps, les muscles s'ankylosent. Eh bien, si vous arrêtiez le dessin, c'est la tête, la main, les yeux qui finiraient par rouiller. Au bout d'une assez longue période, peut-être seriez-vous incapable de vous y remettre. Cela dit, je connais un homme qui dessinait, pas très bien mais d'intéressante façon, et qui est allé vivre dans une ferme, en Amérique du Sud, pendant six ou sept ans ; lorsqu'il est revenu, il s'est remis au dessin. C'était sans doute plus fort que lui.*

« *Cuthbert Henry,* lut-elle. Oui, J'ai vu une exposition de ses œuvres, une fois. Est-il encore... »

Mais Max lui montrait la date. *Le 15 mai 1938.*

« Je vois... » 1938, c'était de l'autre côté de l'histoire. À une époque où l'on pouvait espérer, au moins, que les hommes dont on était sans nouvelles vivaient encore.

« Alors, comment sont tes muscles ? Très rouillés ?

– Oui. » Il caressa la lettre avec une tendresse telle qu'elle irradia vers son visage. « J'ai passé de très nombreuses années en Amérique du Sud. »

Sur le carton d'invitation, les lettres étaient entrelacées avec des violettes et si joliment calligraphiées que l'on eût dit de la dentelle.

« J'avoue que c'est vous prévenir un peu tard. (Klaus Lehmann se tenait sur le pas de la porte.) Mais si vous n'avez rien de prévu...

– Non, dit Gertrude. Ce sera avec grand plaisir.

– Dans ce cas, à demain ? » Il la salua d'un petit hochement de tête et redescendit l'allée.

Gertrude examina l'invitation. Voilà une femme qui doit singulièrement manquer d'occupations, songea-t-elle. Elle posa le carton en évidence près de la pendulette.

Elle était curieuse de voir si Max le remarquerait. Il rentra à sept heures, juste au moment où la lumière commençait à changer et les ombres à s'allonger sur la pelouse d'hermine. « As-tu passé une bonne journée ? » lui demanda-t-elle. Il ne parut pas l'entendre. Il posa son rouleau de papier, son porte-documents en cuir, son sac de couleurs et alla droit à la cheminée, comme un automate. *Mrs Elsa Lehmann a le plaisir d'inviter Max et Gertrude à un déjeuner qui sera pris dans le jardin.*

Max se retourna. Son visage était figé dans l'interrogation, au point que Gertrude pensa qu'il allait lui demander la permission de s'y rendre.

« J'ai déjà accepté, dit-elle. J'espère que cela ne te dérange pas.

– Oui. » Max secoua la tête. « Enfin, je veux dire, non. » Il rit de sa confusion. Non. Cela ne le dérangeait pas.

Les Lehmann habitaient la maison biscornue à l'angle de Mill Lane. Cette construction que Max avait admirée le premier jour, avec un grand pan incliné en bois sombre et en verre dépoli. Au bas de cette pente avançait la terrasse entourée de piquets, telle un jardin posé sur un plateau, et sur la terrasse, Elsa guettait leur arrivée, retenant son chapeau d'une main. Dès qu'elle les vit, elle l'ôta, les salua de loin et disparut presque aussitôt. L'instant d'après, elle leur ouvrait la barrière et prenait la main de

Max, pour le conduire triomphalement dans le jardin, où la table était dressée, à l'ombre de trois arbres plantés en quinconce. Des fleurs étaient tressées autour de chaque set de table, et au centre, des pétales flottaient dans une coupe. Lorsque Max se tourna vers Elsa, il lui suffit de voir la forme que prenait sa bouche pour savoir qu'elle allait parler en allemand.

« Bonjour, soyez les bienvenus. » Klaus sortit de la maison d'un pas énergique. Aussitôt le visage d'Elsa se referma, elle ravala ses mots. « Venez, je vais vous faire visiter. » Klaus posa sa main sur le bras de Max, et Elsa adressa à celui-ci un petit signe d'encouragement. « Bitte », dit-elle dans un souffle lorsque Klaus l'emmena.

La maison n'avait pas la même odeur que Heiderose, pas exactement, mais il en émanait, malgré tout, un parfum familier. L'encaustique avec laquelle on cirait les meubles : était-ce à cause de cela que cette maison sentait comme toutes les autres maisons allemandes ? Il s'immobilisa, jusqu'au moment où il s'aperçut que Klaus attendait de lui un commentaire. « Ah oui, c'est vraiment étonnant ! » s'exclama-t-il, comme au sortir d'un rêve, et il suivit son hôte dans l'escalier à claire-voie qui laissait dévaler, entre ses marches, des flots de lumière. En haut, il jeta un regard furtif vers une chambre au parquet doré recouvert d'un tapis blanc, puis ils sortirent sur la terrasse d'où l'on découvrait, comme il l'avait imaginé, un large bandeau de mer bleue.

« Hiddensee. » Gertrude se pencha vers Max. « Était-ce une île ? Cet endroit où Elsa et vous... ne vous êtes jamais rencontrés ? »

Max acquiesça et ferma les yeux pour visualiser l'endroit. Hiddensee. Son île-hippocampe, la queue toute fine et la tête, un rocher en dos d'âne.

« Vitte. » Elsa prononça le mot, et il comprit qu'il avait gardé les yeux clos trop longtemps. « Je suis presque sûre de savoir quelle était votre maison. » Tous les regards se tournèrent vers Elsa qui se mordait la lèvre. Son visage était un miroir, ses yeux une carte, et Max resta comme suspendu, le temps qu'elle eût remonté jusqu'au bout la rue la plus longue et fût parvenue devant chez lui. « Elle se trouvait bien près de la boulangerie ? », dit-elle alors puis, étendant les mains à la manière d'une voyante : « Il y avait un poirier, un gigantesque poirier devant la grille. »

Max referma les yeux : l'image de la maison s'imposait à lui, et aussi le sentiment qu'Elsa, de l'autre côté de la table, était membre de quelque société secrète.

« C'est vrai ? Il y avait un poirier ? demanda Gertrude impatiente. Devant Vitte ?

– Non, non, intervint Klaus. Vitte, c'était le village. Les maisons n'ont pas de nom, là-bas. N'est-ce pas, mon El ?

– Juste des marques. » Max éleva la voix. « Chaque pêcheur avait son emblème qu'il gravait dans le mur de sa maison. » Du bout du doigt, Max dessina un X, sur la nappe. Puis il traça un trait au sommet du X et ajouta un minuscule gribouillis à l'une de ses jambes. Ce signe resta imprimé dans la nappe une seconde avant de disparaître. Klaus sortit de sa poche un stylo à plume et un carnet qu'il tendit à Max.

« Tenez, continuez, dit-il, c'est vous l'artiste. »

Le stylo à plume était doux au toucher et, son encre noire fluide comme du vin. Les emblèmes en sortirent tout seuls. Des X et des Z pourvus de fourches, de langues et d'accents circonflexes, des A et des R entourés de tortillons et de volutes. L'un ressemblait à un éclair, un autre à un cheval. Jadis, il avait étudié tous les insignes des maisons de Vitte. Et, à sa grande surprise, ils revenaient aujourd'hui se bousculer dans sa mémoire.

« Ma parole (Gertrude les regarda attentivement), c'est plus compliqué que d'apprendre à lire et à écrire ! »

Avec application, Max dessina un A très aplati, d'où partait ce qui pouvait faire penser au bras d'un bourreau. « C'était celle-ci, notre maison. Elle appartenait à une famille de pêcheurs, les Gau. » Helga, pensa-t-il, sans toutefois prononcer son nom. « Et en effet, reprit-il en regardant Elsa, nous étions près de la boulangerie. » Il revoyait sa gouvernante balançant à bout de bras un carton à pâtisseries. « Nous partagions la maison avec les Gau. Il y avait juste une porte de séparation, et nous occupions la moitié la plus ensoleillée.

– Vous ne vous êtes jamais demandé, l'interrogea Elsa, s'ils s'étaient installés dans votre moitié, après votre départ ?

– Elsa ! » Klaus la regarda. Gertrude rit.

« Ce qu'il y a d'étrange, constata Max en hochant la tête, c'est que je n'y ai pas repensé une seule fois jusqu'à aujourd'hui.

– Si ça se trouve, avança Gertrude, c'était convenu ainsi. Ils ne louaient ces pièces-là que l'été.

– Nous avons toujours considéré que c'était chez nous. » Pourtant, Max n'avait jamais rêvé de cette maison. Et ses parents ne s'étaient pas sacrifiés pour la garder jusqu'à son retour.

« Et vous, Elsa ? demanda Gertrude. Votre maison se trouvait-elle près de là ? »

Klaus répondit pour elle :

« Il y avait des nazis, dans la montagne, à Kloster. Et au sud, des nudistes. Vitte était le seul endroit fréquentable pour une charmante famille d'artistes comme celle d'Elsa.

– Des nudistes ? s'exclama Gertrude, stupéfaite.

– On nous interdisait d'y aller, coupa Max. Mais n'empêche que...

– Eh bien... » Gertrude hocha la tête. « Steerborough doit vous paraître bien insipide, en comparaison.

– Non. Pas du tout. »

Max se demanda si Elsa avait vu passer cet équipage d'hommes ivres, dont les insignes scintillaient au rythme des cahots de la carriole dans laquelle ils traversaient Vitte. Sa mère jouait aux boules avec deux amies et lui, assis sur les marches, dessinait les boules de bois lorsqu'elles atterrissaient lourdement sur le sol. Il était en train de noircir le papier à la mine, pour représenter les nuages de poussière, lorsque la carriole s'arrêta à sa hauteur. Les hommes se penchèrent en le montrant du doigt. « Ce garçon – pour un peu, ils seraient tombés par-dessus bord – a bien une tête de petit Juif. » Max s'était tourné vers sa mère juste à temps pour la voir rougir jusqu'aux oreilles.

« C'était une sorte de paradis, expliquait Klaus à Gertrude. Sans voitures. Rien que des chevaux, des bicyclettes et des bateaux.

– Vous vous souvenez des gens qui passaient leur temps à chercher de l'ambre sur la plage ? » Elsa riait, à présent. « Et de Ringelnatz, le poète, qui avait mis une affichette : *Perdu ambre sur la plage. Le rapporter à Ringelnatz, SVP.*

– Oui, dit Max avec un sourire. Oui.

– Et l'arrivée du vapeur, deux fois par jour ? » Elle ne s'adressait plus qu'à lui. « Il y avait le *Swanti* et le *Caprivi*. » Elsa prononça ces noms avec la même tendresse que si elle avait évoqué des amis depuis longtemps disparus.

« Le *Swanti* et le *Caprivi*, répéta Max, se souvenant qu'il avait parfois attendu des heures, sur le port, pour voir lequel des deux arriverait.

– Nous avons failli construire une maison là-bas, quand nous étions jeunes mariés, dit Klaus. Nous avions même choisi l'emplacement et dessiné des plans. » Suivit un silence durant lequel tout le monde garda le nez dans son assiette. « Mais, qu'importe Hiddensee quand on peut être ici. Voilà au moins une chose dont nous pouvons nous féliciter. Merci, Adolf, de nous avoir forcés à rester à Steerborough, où la mer est infiniment plus vivifiante, les étés pleins de... oserai-je dire "suspense" ? » Klaus leva son verre. « Monsieur Hitler, merci encore ! »

Max le regarda fixement.

« Qui veut du café ? » demanda Gertrude en se levant, bien que ce ne fût pas à elle de le proposer.

Mais déjà Elsa ramassait les assiettes. « Ne bougez pas, je l'apporte. » Et elle disparut dans la maison.

Chapitre 12

Dès qu'elle levait les yeux, désormais, Lily voyait Grae. Elle supposait que, n'ayant plus de voiture, il rapportait son travail chez lui. Le jardin mitoyen se transformait en atelier. Un établi y était monté en permanence, et il y avait des planches et des constructions à moitié finies debout contre la remise. Par tous les temps, Grae portait la même veste à carreaux et le même bonnet. Un soir que Lily allait remplir son seau à charbon, il lui donna une cagette de petites chutes de bois blanc pour allumer le feu. Sous la pluie, à la tombée de la nuit, il continuait à scier et à mesurer, sans jamais s'interrompre, même quand Em et Arrie l'appelaient, par la porte de service, parce qu'elles avaient faim.

Nick avait décidé de venir passer avec elle le week-end du premier mai. « Bon, dit-il. J'ai un stylo. Je sors de Londres par où ? » Dans la cabine, Lily soupesait le galet. Il était marron, très ordinaire, sans doute pour dissuader quiconque de le remplacer, comme elle l'avait fait, par une pièce de deux pence. « Ah, la, la, soupira Nick, qu'est-ce que tu ne me fais pas faire !

— Bon, alors, commença Lily. Tu prends la M25... et tu vas vers l'est... tu vois... pas vers Heathrow, dans l'autre direction.

— Vers l'est... Pas... vers... Heathrow, marmonna Nick en inscrivant les indications.

« – Et, Nick..., le prévint-elle aussi gentiment que possible, prends des vêtements chauds... et pas de... pas de pantalon blanc.

– Pas de pantalon blanc. » Il se tut, le temps de noter aussi cette consigne, et ils éclatèrent de rire en même temps. L'année précédente, ils avaient passé une semaine en Cornouailles, et n'ayant emporté que deux T-shirts, pas de pull et un seul jean beige clair, Nick s'était vite trouvé à court de vêtements de rechange. « Je ne pouvais pas deviner ! avait-il protesté. Je suis un citadin, j'ai passé toute ma vie à Sheperd's Bush. Oui, je sais. (Il l'avait regardée.) Toi aussi tu vivais dans les quartiers chics de Londres, mais tu dois avoir du sang de baroudeuse dans les veines. C'est dans les gènes, ça.

– Alors... » Lily n'osait croire qu'il allait vraiment venir. « À ce soir, donc ? Vers neuf heures ? »

Nick s'était montré exceptionnellement attentionné depuis son retour de Paris. Il lui avait même envoyé une carte postale. Notre Dame, le Louvre, le Centre Pompidou et la Seine. *Tu vois,* avait-il écrit, *on pourrait faire une virée architecturale, ici. On se déplacerait en taxi. Mais pense aux économies qu'on ferait en louant des vélos !*

« Oui, je t'appellerai de la voiture... Ah, merde !.... C'est vrai, tu n'as pas de téléphone.

– Désolée de te priver du plaisir de m'appeler pour me dire que tu es sur le point d'arriver.

– Très drôle.

– Bon, allez, à tout à l'heure. Sois prudent. » Elle n'avait presque plus de monnaie.

« Lily...

– Oui ? » Mais la dernière pièce tomba dans la boîte en faisant un bruit sourd.

À l'épicerie, Lily flânait entre les rayons, perplexe : qu'allait-elle bien pouvoir faire à dîner ? Tout ce qu'elle avait trouvé appétissant jusqu'alors lui semblait à présent immangeable. Crêpes roulées, bacon, salami sous vide, jambon. Il y avait aussi une tarte sablée et un pudding à la mélasse dans une barquette en aluminium, une tomate trop mûre, un chou-fleur, un filet d'oignons et trois poireaux. Elle préféra louer une des bicyclettes qu'on trouvait devant le magasin et aller à Eastonknoll, par la route de derrière, celle qui enjambait la rivière. Elle longeait des pâturages séparés les uns des autres par des fossés, et était bordée par endroits d'énormes buissons d'ajoncs couverts de fleurs jaune vif. Lily franchit le pont de Bailey dans un gros bruit de ferraille, puis fila en direction du parcours de golf qui se trouvait juste avant le château d'eau, en levant la tête au passage pour vérifier qu'aucune balle n'allait couper sa route. Elle déboucha sur le terrain communal, amorça le grand virage et piqua vers la mer. Sur la promenade, un vent violent obligeait les retraités à se tenir fermement à la balustrade, soulevait leurs imperméables beiges, ébouriffait le poil de leurs chiens. Lily poussa sa bicyclette le long du front de mer et prit un thé au kiosque, où les chaises étaient empilées trois par trois pour mieux résister au vent. Quand elle s'assit, elle eut l'impression d'être sur une chaise de bébé : ses jambes se balançaient à quelques centimètres du sol. La femme qui tenait le kiosque ferma les volets. Lily remarqua au-dessus d'elle, en haut d'un petit escalier très raide, une figure de proue qui saillait du mur d'une grande maison.

« Je crois que je vais fermer », dit la serveuse du kiosque en se plantant devant Lily. Son tablier et ses manches claquèrent au vent quand elle commença à rentrer les tables.

Lily monta sa bicyclette en haut des marches pour regarder de plus près la figure de proue. Il ne s'agissait ni d'une sirène ni d'une reine, comme elle l'avait imaginé, mais d'une jeune fille distinguée, chapeau sur la tête et parapluie au bras. Était-ce la fille du capitaine, ou la jeune épouse du propriétaire du bateau ? Lily remarqua qu'elle avait perdu un bras. Il n'en restait qu'un moignon de plâtre blanc. À côté de la maison était planté un mât hérissé de flèches qui indiquaient diverses directions : Ramsgate, Zeebrugge, la Hollande. *Salle de lecture du marin.* En voyant ces mots gravés sur une plaque de cuivre, Lily comprit qu'il s'agissait d'un musée ouvert au public. On y entrait par une porte blanche en ogive munie d'un loquet de cuivre bien patiné. À l'intérieur de la salle de lecture, qui ne comptait que deux chaises en bois, il n'y avait personne et pas grand-chose à lire, hormis trois numéros de l'*East Anglian Times*. Le long des murs, de hautes vitrines renfermaient des maquettes de bateaux. Bachots, goélettes, cuirassés et yoles. Chaque planche de bois, chaque écoute, chaque voile miniature avait été lessivée, peinte et vernie. Au-dessus des vitrines, des photos de pêcheurs ou de marins, des livres de bord ouverts à la page correspondant à chaque traversée. Il y avait des listes de noms, Harper, Seal, Child. Harry, Bertie, Mabbs et Mops, avec les dates de naissance et de décès. Au fond de la pièce, une autre porte, matelassée de cuir vert, portait l'écriteau *Privé*, et au-dessous, à mi-hauteur, un hublot à peine plus gros qu'une orange. Lily y colla son nez. Elle fut étonnée de voir deux hommes en train de jouer au billard, un troisième lisant le journal, un quatrième qui ne faisait rien. Se tordant le cou pour regarder de biais, elle aperçut une roue de gouvernail posée en équilibre sur un banc. À ce moment, quelqu'un lui tapota l'épaule.

« Nous allons fermer. » L'homme portait une casquette de marin ornée d'une ganse bleue, et des bottes en caoutchouc retroussées au genou. Derrière lui, la pendule sonna cinq heures : son carillon grave et mélodieux réchauffa l'atmosphère. « Merci. »

Lily regarda rapidement les photos des marins, les outils, les manuscrits et les télescopes, les visages à jamais disparus de Seal, Harry, Child, tous morts noyés en 1951.

« Je reviendrai quand j'aurai plus de temps. » L'homme la suivit des yeux, jusqu'à ce qu'elle fût sortie, puis elle l'entendit fermer à clef derrière elle.

À l'épicerie fine de la place du marché, on trouvait du parmesan frais, des pâtes à l'encre, du yaourt grec et des chips bio. Lily en remplit deux sacs et mit par-dessus la mâche et les fruits. En jetant un coup d'œil par la vitrine du Regency Hotel, où un vieil homme somnolait dans une pièce tapissée de chintz, elle remarqua une affichette demandant une serveuse. *Urgent. Se renseigner ici.*

Elle prit tranquillement le chemin du retour. Ses sacs de courses pendaient aux poignées de son guidon comme des sacoches sur une mule. Le vent était retombé, le soleil, bien que bas sur l'horizon, était encore chaud, et dans chaque creux du chemin flottait, forte et suave à la fois, l'odeur de noix de coco des ajoncs. Lily suivait le sentier dans sa course sinueuse à travers une succession de petits vallons, pédalant en danseuse jusqu'aux sommets pour descendre ensuite en roue libre. Elle retrouvait son enfance. La chaleur, la sécurité, le bonheur, les ricochets qu'elle faisait dans la brise légère, le chant des oiseaux, les effluves d'ambre solaire sur une plage. Soudain, un homme surgit des fourrés. Le cœur de Lily bondit si violemment qu'il heurta ses côtes. Son sang se mit à tourner en spirale, et, comme un cheval qui se cabre, sa bicyclette fit une embardée sur le côté. L'homme était planté au milieu du sentier très étroit : impossible de l'éviter. Lily se trouvait à mi-pente, trop chargée pour faire demi-tour en pédalant, trop effrayée pour avancer. Une boîte de concentré de tomates roula dans le fossé, et elle entendit les spaghettis se briser lorsque les poignées du sac en plastique cédèrent. L'homme fit deux pas dans sa direction. Il était emmailloté dans des sacs-poubelle, des bandelettes noires entouraient ses pieds, son corps, son front. À chaque pas, ses jambes émettaient une sorte de sifflement. Une barbe grisonnante lui mangeait le visage. Lily jeta un coup d'œil derrière elle. Rien ni personne alentour. Le cri qui était monté dans sa poitrine s'évanouit. Calme-toi, se dit-elle, calme-toi. L'homme avait accéléré le pas. Il avançait pesamment dans sa direction, le corps ramassé, les yeux cerclés de rouge, et alors qu'il était presque sur elle, il fit un écart et disparut dans les hautes herbes. Lily avait le souffle coupé. Peut-être ne l'avait-il même pas vue ? Ses yeux, lorsqu'il était passé, semblaient fixés sur autre chose. Elle releva sa bicyclette et le regarda s'éloigner. Il traversait un champ plein de génisses en suivant un chemin qui faisait saillie dans l'herbe. Devant lui, à l'horizon, on voyait un bosquet, un panneau en bois blanc là où le chemin bifurquait, et plus loin, à peine visible, une chaumière au toit nu.

Lily fourra le sac en plastique déchiré et son contenu dans son sac à main. Elle avait les jambes en coton, les bras raides et douloureux, mais quand elle se remit à pédaler, elle se surprit à rire de soulagement.

À huit heures, Lily déplaça sa voiture. Elle ne s'en était pas servi depuis presque deux semaines, et il lui fallut quelques minutes pour retrouver les gestes familiers de la conduite. Elle fit une marche arrière pour se serrer contre le mur, de sorte qu'en arrivant Nick pourrait se glisser près d'elle sans boucher l'allée. Elle alluma le poêle et trouva un vieux plaid écossais à mettre sur le canapé, pour cacher au maximum le tissu marron. De temps à autre, elle allait jeter un coup d'œil dehors, pour le cas – fort peu probable – où Nick aurait voulu lui faire la surprise d'arriver plus tôt. Elle pensa même monter jusqu'à la cabine et l'appeler pour savoir où il était. Mais elle l'imagina roulant à toute allure sur le pont Orwell, et rabattu vers la file des camions par un coup de vent latéral au moment où il voudrait attraper son téléphone.

Mieux valait lire une lettre. *Mon El chérie.* L'écriture de Lehmann, avec ses boucles et ses traits qui allaient s'élargissant dans les lignes descendantes, n'avait plus de secret pour Lily. Elle trouvait amusant que le supplice des leçons d'allemand, à l'école, l'interminable rabâchage de la grammaire, féminin, masculin, neutre, s'avérât finalement aussi utile aujourd'hui. *Ce matin, alors que je prenais mon petit déjeuner,* écrivait Lehmann, *on m'a apporté la première de tes lettres, et toutes les larmes que j'avais dû verser de te savoir seule ont bien vite séché au soleil. Tu sembles avoir travaillé dur, mon El, et tu le racontes fort joliment. Mais tu ne parles pas de tes repas. Tu n'en as pas sauté, au moins ? La nuit dernière, je n'arrivais pas à dormir et je pensais à tout ce que je voulais te dire. Achètes-tu bien ce qu'il te faut ? Et si l'on sonne à la porte, regardes-tu toujours par le judas avant d'ouvrir à n'importe qui ? T'es-tu décidée à mettre une chaînette de sécurité ? Note-le tout de suite pour ne pas oublier. Et je t'en prie, ne te lève pas trop tôt, et ne cours jamais pour attraper le train. Je pourrais remplir cette page de conseils et de consignes de prudence. N'oublie pas, mon El, mon amour, ma douce, que je tiens autant que toi à cet enfant.*
P.S. Tu as oublié de me raconter tes soirées. Et de me dire ce que tu as mangé !

Lily fut réveillée par des coups frappés à la porte. Le feu était mort, et en se levant d'un bond, elle fit tomber par terre des lettres et des enveloppes dont certaines laissèrent entrevoir leur doublure violette. « J'arrive », cria-t-elle, puis se souvenant du lieu où elle se trouvait. « Entre, entre, c'est ouvert. » Elle se tourna pour rajuster sa coiffure et ses vêtements. « Tu as fait bonne route ? » lança-t-elle. Elle étouffa un cri. Grae était là, debout dans l'entrée. « Oh ! » Elle aperçut l'heure à la pendule de la cuisine, puis juste au-dessous, dans le miroir, son visage, tout rouge et marqué par la couture du coussin sur lequel elle s'était endormie. Il était dix heures et demie. « Excusez-moi, j'attendais quelqu'un d'autre. »

Grae semblait mal à l'aise dans cette entrée trop étroite pour sa carrure. « Désolé de vous déranger, aussi tard... c'est juste que... votre voiture... elle est garée trop près de la barrière et j'ai des planches à rentrer. Pas maintenant, mais très tôt demain matin. Comme j'ai vu de la lumière... et... enfin... j'ai pensé que ça vaudrait mieux que de frapper à six heures du matin. »

Lily le regarda, les yeux écarquillés. Elle commençait seulement à se réveiller. Elle avait des fourmis dans une jambe et le pouls qui cognait bruyamment. Où est Nick ? pensa-t-elle. Ce n'est pas possible qu'il soit encore sur la route...

« Oui, bien sûr. Je la déplace tout de suite. » Comme une somnambule, elle recula sa voiture pour dégager le petit portail. « Ça ira, comme ça ? J'attends quelqu'un. » Elle jeta un coup d'œil vers la masse noire de la Pelouse. « Mon compagnon. » Elle ne voulait pas qu'il la croie seule. « Je devrais l'appeler. » Peut-être avait-elle un peu peur de Grae, mais elle était encore plus terrorisée à l'idée de monter dans l'obscurité jusqu'à la cabine, de se retrouver enfermée dans cette tour de lumière, unique objet visible au cœur de la nuit. « Excusez-moi... Est-ce que ce serait... Est-ce que je peux utiliser votre téléphone ? »

La porte d'entrée de chez Grae ouvrait directement sur les pièces du rez-de-chaussée. Une minuscule cuisine, propre et bien rangée, et une salle de séjour, avec un canapé recouvert d'un dessus-de-lit imprimé.

« Vous le trouverez sur le rebord de la fenêtre », dit Grae. Elle s'assit sur le bras d'un fauteuil pour composer le numéro. Et si ça ne répondait pas ? Elle imagina le portable de Nick éjecté à plusieurs mètres de sa voiture complètement anéantie, et la sonnerie, seul bruit sur la route noire.

« Ouais. » Nick avait répondu d'un ton hargneux. Lily était tellement furieuse que les larmes lui montèrent aux yeux.

« Où es-tu ?

– À Londres. » Il parlait comme s'il n'avait absolument rien à se reprocher. « Ça fait un moment que j'attends ton coup de fil.

– Tu m'avais dit que tu serais là vers neuf heures.

– Écoute, cinq minutes après t'avoir parlé au téléphone, on nous a proposé un boulot. » Il baissa la voix, prit un ton enjôleur. « Un projet vachement intéressant. J'ai même essayé de te rappeler dans cette foutue cabine, mais... alors je... à part t'envoyer un pigeon voyageur... Lily, je suis désolé. Il faut vraiment que tu t'achètes un téléphone portable. »

Chez Grae, Lily écoutait sans mot dire. Il y avait, dans un coin, un cageot plein de jouets. Des nounours et des poupées nues, et un long collier de bobines de fil vides. « Alors, tu viens quand ? »

Silence à l'autre bout du fil, sur fond de murmures et de conversations. Pas de doute, il était dans un bar. « Je ne vois pas comment je pourrais faire, maintenant. C'est un projet énorme. Si on s'y met tout de suite, qu'on y travaille tout le week-end, et encore toute la semaine prochaine sans s'arrêter une seconde, on a peut-être des chances de décrocher le contrat.

– Je vois...

– Mais tu seras revenue, la semaine prochaine, de toute façon. N'est-ce pas, Lily ? Allez, ne sois pas comme ça. »

Lily sentit que Grae l'observait, appuyé contre l'encadrement de la porte. Il attendait qu'elle raccroche pour aller se coucher.

« On en reparle demain. » Elle tenta d'affecter le détachement. « C'est que... je téléphone de chez quelqu'un.

– Ah ? » La voix de Nick s'était ramollie, comme s'il avait espéré une dispute. « Bon, d'accord. À demain, alors.

– Bonne nuit », dit-elle d'un ton enjoué. Puis, se tournant vers Grae. « Merci beaucoup. Je vous dois quelque chose pour...

– Non, non, pensez-vous. »

Sans rien ajouter, Grae la reconduisit la porte. Elle resta un instant dans le noir, sous le ciel piqueté d'étoiles ardentes, crépitantes de lumière. « Salaud. » Elle s'autorisa à le dire tout haut, et à laisser des larmes chaudes et amères monter du fond de sa gorge.

Suivirent trois jours de temps anormalement chaud pour la saison. Aussitôt après le petit déjeuner, Lily descendit à la plage avec sa serviette de bain et une pile de livres. Elle s'allongea pour bronzer, tout en feuilletant des ouvrages sur l'architecture européenne de l'entre-deux-guerres. Des maisons basses, tout en longueur, avec de grandes surfaces vitrées. En regardant ces photos, elle se disait que, contrairement aux prédictions des tenants du modernisme, la majorité des gens continuaient à vivre dans des maisons hautes et étroites, collées les unes aux autres, qui s'alignaient à l'infini dans les rues des villes. Elle lut les courtes biographies de chacun des confrères de Lehmann, des Autrichiens et des Allemands, juifs pour la plupart. Pour certains, la migration vers la Grande-Bretagne ou l'Amérique et l'influence qu'ils y avaient eue, pour d'autres, ceux qui n'étaient pas partis, la fin prématurée et fatale. Mais Lily avait beau essayer de se concentrer, elle fut bientôt distraite. Elle se redressa pour mieux voir Ethel, ses épaules tombantes constellées de taches de rousseur, son peignoir de bain blanc qui gisait sur le sable comme une flaque d'eau tiède. Il y avait quelque chose de magistral dans sa façon d'avancer droit vers le large sans la moindre hésitation et dans l'instant où les fleurs oranges de son maillot disparaissaient. Peu après, un homme vint entraîner son cheval. Il le mena au galop le long de la plage, en tirant de loin en loin sur la bride pour l'empêcher d'obéir à son envie instinctive de nager. Rétif, le cheval ruait pour se défaire de l'étreinte des rênes. Vers onze heures, commencèrent à arriver des mères de famille avec leurs enfants en bas âge, leurs poussettes, leurs brise-vent, leurs cabas pleins de biberons, de couvertures et de vêtements de rechange. Lily observa ces femmes partagées entre l'envie de rire et la consternation, quand un des petits se précipita vers la mer tandis qu'un autre, tombé à plat ventre, se mettait à hurler. Elles étaient plantées là, ne pouvant ni avancer ni reculer, parce qu'une des poussettes s'était ensablée jusqu'à l'essieu. Vers le milieu de la matinée, Lily aperçut Em et Arrie qui faisaient un grand détour pour venir jusqu'à elle. Elles aimaient bien la surprendre, lui sauter dessus de derrière une dune, puis guetter le moment où elle se méfiait le moins pour ramper jusqu'à elle et creuser un fossé autour de sa serviette.

« Ils ne disent rien, à école ? leur demanda-t-elle, lorsque les familles eurent déserté la plage. Ça leur est égal que vous n'y alliez jamais ? » Allongée de tout son long, immobile, elle se laissait docilement enterrer par les deux fillettes. Les grains de sable étaient humides, sous la surface. Ceux du dessus, biens secs, la chatouillaient.

« En ce moment, c'est les vacances. » Elles secouèrent la tête, atterrées par son ignorance. « Et puis de toute façon, dit Em, toi, on t'a vue te faire bronzer. Tu avais dit que tu louais Fern Cottage uniquement pour pouvoir travailler. » Elle prit un des livres de Lily. « C'est laquelle, ta maison préférée ? » Les fillettes se penchèrent au-dessus du livre pour le feuilleter. Elles s'esclaffaient, soupiraient, parlaient à voix basse, tout occupées à chercher la maison de leurs rêves.

Chapitre 13

Max en était presque arrivé à la maison des Lehmann. Son rouleau peint, lorsqu'il le déroulait par terre, couvrait toute la longueur de la salle de séjour. Une large frise composée de verts, de briques et de fenêtres, d'oiseaux, de chats, de ciel. Il fut tenté de l'épingler au mur, tout autour de la pièce, mais il aimait trop l'idée d'en avoir seul connaissance, de garder son secret roulé sous le bras. Pour voir ce que cela donnait, il prit un crayon bien taillé et dessina un minuscule insigne. Une marque de pêcheur, en miniature, apposée sur la porte d'entrée de Marsh End. Il en dissimula une autre sous l'avant-toit de Heron House. Quant au K bizarrement tordu, l'emblème de la famille Gottschalk, il le glissa sous l'auvent de Sole Bay View.

Max faisait les cent pas dans l'allée. Passant et repassant devant la maison des Lehmann. Habitué maintenant aux toits de chaume, aux tuiles plates, aux murs crépis et aux baies vitrées, il ne savait par où commencer. Il se rappela un article, paru dans les années 1930, sur une maison dessinée par Lehmann, une commande du directeur de la Deutsche Bank. Elle se situait dans la banlieue de Hambourg, et Max se souvenait qu'elle faisait l'admiration de son père. Il prédisait que ce jeune architecte serait bientôt une célébrité en Allemagne. Lentement, le soleil tourna le coin de la maison, glissa par-dessus la barrière et vint inonder de couleur les parois de verre. Assis sur son pliant de peintre, Max vit le bois s'éclaircir et le vitrage virer du roux au doré puis au gris. Alors, tout le jardin s'y refléta, et les feuilles du hêtre d'en face se mirent à danser sur les grands panneaux vitrés. Max ferma les yeux. Toute la journée, il avait été hanté par l'odeur des cornichons, l'odeur du tonneau qui se trouvait juste à l'entrée, chez l'épicier de Vitte. Souvent il se penchait au-dessus de la saumure pour les sentir, et à présent qu'il laissait libre cours à sa mémoire, il entendait l'épicier expliquant à sa mère qu'il n'avait plus de laine de la couleur qu'elle voulait mais pouvait en faire venir quelques pelotes de Stralsund : avec un peu de chance, elles seraient livrées par le vapeur, en fin de semaine. « Oui, c'est entendu », répondait-elle. À ce moment, la main de Kaethe était arrivée par-derrière et avait enfoncé la tête de Max dans le tonneau. Son nez avait plongé dans les cornichons, sa bouche s'était remplie de saumure et il avait ressenti la douleur aiguë et froide de l'eau vinaigrée qui lui coulait dans l'oreille. Il avait ressorti la tête en suffoquant, paniqué. Devant lui, sa mère, furieuse et affolée. « Max ! » avait-elle hurlé. Et il avait vu sa sœur, les mains innocemment croisées derrière le dos. « Max ! », avait raillé Kaethe d'un ton tout miel, en sortant un mouchoir de sa poche pour lui éponger le cou.

Toujours assis sur son pliant, Max s'aperçut qu'il gémissait. Il se leva en titubant, regarda alentour, honteux, et ce seul mouvement lui provoqua un violent élancement dans l'oreille. Il y porta la main et s'aperçut qu'elle coulait : un liquide transparent suintait du tympan.

« Gertrude », murmura-t-il en rentrant, tout chancelant. Mais comme il ne la trouvait nulle part, il imbiba d'eau froide un torchon et s'en tamponna la figure. Que ses oreilles fussent encore capables de lui infliger une telle douleur, c'était un non-sens. Elle auraient dû être complètement insensibles, on aurait dû les lui enlever, en extraire les tympans. C'est alors qu'il entendit un petit bruit sec suivi d'une étrange trouée d'air. Son cœur bondit : un tunnel de son ! Mais tout se referma aussitôt, comme un porte battante qui se rabat et il ne lui resta que le léger ronronnement et l'écho familiers, que la douleur traversait de part en part.

« Il fallait venir me chercher, lui dit Gertrude à son retour. J'étais juste partie donner un coup de main au presbytère, pour les préparatifs de la fête.

– De toute façon, il n'y a rien faire. » Max se laissa retomber dans son fauteuil. Il tremblait et ne rêvait que de se pelotonner dans une couverture.

Gertrude, elle, ne baissa pas les bras. Elle alluma une bougie et versa un peu d'huile dans une cuillère à café, quelle fit tiédir au-dessus de la flamme. « Tu oublies, lui dit-elle en le forçant à pencher la tête, que j'ai passé ma vie à soigner des enfants. » Elle versa le liquide dans son oreille.

« Merci », marmonna-t-il. Elle eut un hochement de tête énergique et posa sa main sur son front. C'était réconfortant, la fraîcheur et la fermeté de cette main avec ses cals au creux de la paume.

« Tu as de la fièvre ? » Et comme il acquiesçait, elle lui fit couler un bain froid. « Allez, mets-toi là-dedans, lui ordonna-t-elle en tenant la porte de la salle de bains ouverte. Voyant qu'il renâclait et continuait à geindre, elle le menaça de lui ôter elle-même ses vêtements trempés de sueur. À son étonnement, le premier contact avec l'eau froide lui fit du bien, comme s'il l'aidait à rentrer en lui-même. Il commença à se verser de l'eau sur la tête, à l'aide du gobelet en métal posé au bord de la baignoire. Peu après, il avait cessé de claquer des dents et son visage était moins brûlant. Il ne restait plus, à présent, que ces élancements, dans son oreille, une douleur atroce, écœurante, qui avait, quand il y pensait, un goût de fer blanc.

Gertrude l'aida à monter dans sa chambre et se tourna vers la fenêtre quand il se mit au lit. « As-tu besoin de quelque chose ? » demanda-t-elle, mais Max ferma les yeux, posa sa main entre son oreille et l'oreiller et sombra dans le sommeil.

Gertrude avait eu soin d'éviter le mot « analyse », préférant présenter la chose à Mrs Wynwell comme une sorte de conversation amicale. « Cela fait plus d'un an que votre mari... – elle ne croyait pas à la vertu des phrases laissées en suspens – ...depuis que Harry est mort. Un an, Mrs Wynwell, c'est long, dans la vie d'un enfant.

– Il a toujours été silencieux, objecta Mrs Wynwell, et je me disais qu'avec le piano... » Elle leva les yeux vers Gertrude pour lui signifier qu'elle la remerciait de sa proposition, mais préférait la décliner. Effectivement, Alf avait toujours été un enfant silencieux qui jouait dans son coin quand sa mère travaillait, et Gertrude admirait leur façon de graviter l'un autour de l'autre, attachés par un lien invisible, sans ostentation aucune. Cependant, à la suite du naufrage de Harry, la voix d'Alf s'était réduite à un murmure, avant de s'éteindre tout à fait.

« Après son goûter, alors ? » insista Gertrude avec un sourire, sourcils levés, et elles tombèrent d'accord pour qu'il vînt tous les mercredis, à six heures et demie.

Gertrude fit quelques aménagements. Elle amena le canapé vers le milieu de la pièce et en rapprocha un peu son fauteuil, pour avoir vue sur le jardin. Elle avait un jouet pour Alf, un petit sac cousu de ses mains, qui contenait une balle en mousse et sept osselets. Elle savait que c'était contraire à la déontologie que de faire des cadeaux à un enfant pour gagner sa confiance, mais son expérience dans les crèches de guerre lui avait appris qu'en tricotant des habits de poupées on consolait plus facilement les enfants qu'avec la sagesse des mots.

Alf arriva peu après six heures et entra sans bruit, comme à son habitude. « Entre, viens t'asseoir », lui lança Gertrude depuis le salon. Alf entra furtivement et garda les yeux rivés sur ses chaussures, le visage maussade mais luisant, comme s'il venait d'être débarbouillé. Il s'assit sur le canapé, à l'endroit que lui indiquait Gertrude. « Alors, lui dit-elle enfin, ça va, aujourd'hui ? »

Alf leva vers elle un regard limpide, qui semblait passer en revue tout ce qui composait son existence puis – peut-être estimait-il lui avoir ainsi répondu – son visage se referma, ses yeux retournèrent se fixer sur ses pieds.

« Bon. » Gertrude sourit. « Moi, j'ai été bien occupée. J'ai participé à la sélection des prix de la tombola, pour la fête de l'été. » Une aquarelle de l'estuaire, une bouteille de whisky, une bouteille de rhum, cette énumération n'avait rien d'intéressant pour lui. « Et si on organisait un concours rigolo, dit-elle plutôt. À celui qui trouve le plus de raisins dans le cake ? Ou bien on leur fait une farce en mettant un seul raisin dans tout le gâteau, qu'est-ce que tu en dis ? »

Alf se mordillait la lèvre, tout en observant, dans le jardin, deux pies en train de picorer sur le gazon. « Une pie, tristesse, deux pies, allégresse », pensa Gertrude. Elle eut tout de même un pincement d'appréhension quand l'un des deux oiseaux s'envola par-dessus la haie. Gertrude laissa passer un quart d'heure, avant de se pencher vers Alf et de lui donner les osselets. Le sachet en tissu, confectionné avec un morceau de rideau, se fermait en haut par un ruban vert coulissant. Alf l'ouvrit.

« On joue ? » proposa Gertrude. Alf se laissa glisser par terre et renversa les osselets sur le parquet. Il rattrapa la balle qui s'éloignait en rebondissant et attendit que Gertrude eût poussé son fauteuil. Quand elle s'agenouilla par terre, ses genoux craquèrent et une vive douleur lui traversa la talon. Alf lui sourit de toutes ses dents. Il lui en manquait deux, devant, ce que Gertrude ignorait. Il fit rebondir la balle et ramassa le premier osselet. Il la lança plus fort et rafla deux osselets. Il fallait maintenant qu'il en prenne trois, mais la balle lui effleura une phalange.

« Perdu. » C'était le tour de Gertrude. Elle prit le temps de se préparer avant de lancer la balle, pas trop haut, bien à la verticale. Deux : elle les ramassa d'un geste vif et retourna la main pour rattraper la balle. Trois, mais la balle, qu'elle avait lancée trop haut, toucha la chaînette de sûreté de sa montre. Gertrude laissa échapper un « Ahhh » de dépit, mais Alf avait déjà pris son tour. Se voulant plus prudent, cette fois, il compta les rebonds et ne quitta pas la balle des yeux. Il s'empara de trois osselets et rattrapa impeccablement la balle dans la paume de sa main. Quatre. Il réussit. « Cinq », murmura Gertrude. Ils sourirent car la tension montait ; avec beaucoup de lenteur et de prudence, il lança la balle. Elle rebondit bien haut. Il balaya le parquet d'une main leste, mais dut quitter la balle des yeux une fraction de seconde pour repérer le cinquième osselet. La balle retomba en lui frôlant la main. « Pas de chance », soupira Gertrude, et Alf lâcha ses osselets.

Gertrude était décidée à faire au moins aussi bien que lui. Certains enfants n'aiment pas qu'on les laisse gagner. Elle disposa les osselets, qui faisaient penser à un petit tas de baisers multicolores, en veillant à ce qu'il y ait juste le bon espace entre eux. Elle les regarda bien pour mémoriser leur disposition, fermement décidée à ne plus lâcher la balle des yeux ensuite. Mais non, elle fit une erreur d'évaluation, ramassa trois osselets au lieu de quatre et, bien qu'elle eût rattrapé la balle, c'était raté. Elle entendit la respiration d'Alf, elle sentit sa chaleur quand il s'assit sur ses talons. Avec de petits mouvements rapides du poignet, il rafla les osselets puis retourna sa main. Six. Gertrude avait le cœur battant, elle voulait qu'il gagne, et au même instant, il ramassait le septième osselet et le serrait dans sa main. « Oui », laissa-t-il échapper, et il rattrapa la balle.

« Bravo », dit-elle. Alf se redressa et rangea très soigneusement son trésor dans le petit sac.

Gertrude se releva. Elle avait les jambes engourdies et une de ses épaules s'était bloquée quand elle s'était aplatie au sol. « C'était pas mal, non ? dit-elle. Rentre vite chez toi, maintenant, on se revoit la semaine prochaine à la même heure. » Alf la toisa avec méfiance, comme si elle disait n'importe quoi puis, ayant fourré le petit sac dans sa poche, il se faufila par la barrière et descendit l'allée en courant.

Chapitre 14

À la lettre suivante était joint un plan de la chambre de Lehmann. Il avait maintenant du papier à lettres à entête, avec son nom et son titre – Architecte – imprimés sur toute la largeur de la page. *Sous la fenêtre, il y a une table, et sur cette table, à droite, est posé mon matériel de dessin. Au milieu, mon écritoire, sur ma gauche mon encrier et la boîte en argent qui contient une mèche de tes cheveux. Il va falloir que je me contente de leur compagnie, jusqu'à ce que je rentre chez nous. Ne sois pas triste, ne pleure pas. J'hésite à te dire que je t'ai recommandé d'être prudente, de ne pas courir à droite et à gauche, non je ne vais pas le répéter. Ni même le penser. En tout cas, repose-toi, maintenant, prends patience, je serai bientôt de retour pour m'occuper de toi. Je sais qu'avoir un enfant est ton désir le plus cher, mais n'oublie pas que tu m'as, moi.*

Lily chercha fébrilement la suivante et examina le cachet de la poste, 1932, juin.

Près de la photo que j'ai de toi, sur ma table, il y a un œillet rouge dans un vase étroit. Il t'admire autant que toi tu aimes ces fleurs. Mais tu as l'air triste, et j'essaie par tous les moyens d'égayer tes beaux yeux. La nuit dernière, dans mon lit, je pensais à nos projets pour la Palestine, et à toutes les difficultés que représentent le voyage et l'installation là-bas. Il faut que tu gardes cette idée présente à l'esprit, mon amour, car un jour viendra où nous devrons trouver un endroit où aller.

Lily replia la feuille de papier couleur crème au grain transparent comme de la soie, et en la glissant dans son enveloppe, elle la porta à ses narines. Elle exhalait un parfum aigre-doux de tabac, une odeur de poussière qui menaçait de la faire éternuer, et Lily se demanda si c'était l'odeur de Lehmann qui était enfermée là-dedans comme dans une capsule, ou plutôt celle du placard où l'autre Lehmann, dans la banlieue nord de Londres, avait conservé ces lettres dans un sac en plastique, pendant tant d'années.

Cher Nick,
Je suis toujours ici. Je me suis dit que puisque tu travailles tant... Lily mordilla le bout de son stylo. Elle ne lui avait pas dit qu'elle avait prolongé d'un mois la location de Fern Cottage. *Je me demande si je suis vraiment faite pour être architecte.* Elle n'avait pas l'intention d'écrire cela, mais effectivement, depuis son arrivée, elle ne se sentait plus capable de réaménager une cuisine ni de diriger une équipe d'ouvriers dans les travaux de restauration d'une maison. Était-elle assez ambitieuse pour créer ses propres bâtiments, pour faire comme Lehmann qui, à deux reprises, avait inventé un style ? « Bon, et qu'est-ce que tu comptes faire d'autre... ? » Elle imaginait la tête de Nick. « Reprendre un job de serveuse ? » Une angoisse l'oppressa : au bout de trois ans d'études, elle ne savait toujours pas ce qu'elle voulait faire. *Je voudrais construire une maison*, griffonnait-elle à présent, *pas seulement la dessiner.* Une maison entourée de mélèzes, avec vue sur la mer, inspirée de l'architecture durable, adaptable, en harmonie avec l'environnement. *Je vais peut-être m'inscrire à un cours d'autoconstruction...* et elle se souvint qu'il existait des maisons à monter soi-même que l'on pouvait faire venir de Suède. Des chalets en bois avec une coursive sur deux côtés.

À l'époque où elle avait rencontré Nick, elle complétait sa bourse d'études aux Beaux-Arts en travaillant à mi-temps comme serveuse dans un restaurant de Covent Garden. Mais petit à petit, sans qu'elle s'en rende compte, son nombre d'heures de travail avait augmenté, doublé, même, à tel point que le restaurant avait fini par devenir le centre de son existence. C'était une vraie famille, un petit monde du soir, avec sa hiérarchie, ses primes, ses règles. Elle aimait bien enfiler son uniforme, cette exclusivité du noir et blanc lui plaisait. Elle adorait aller travailler quand tout le monde avait fini sa journée, marcher à contre-courant de la circulation. Les tables drapées dans leurs jupes de lin, l'odeur des corbeilles à pain en osier, le grincement du minuscule aspirateur ramasse-miettes qu'on passait sur les nappes, tout cela lui revenait en mémoire.

Pourtant, quand elle avait rencontré Nick, elle s'était sentie un peu honteuse. « Serveuse ? C'est vraiment ce que tu veux faire ? » Il avait pris son visage dans ses mains en la fixant avec une telle intensité qu'elle avait eu le sentiment de valoir beaucoup mieux que cela.

« Pas forcément, avait-elle bredouillé. Pas toute ma vie... »

Chez elle, ses peintures étaient entreposées par terre, le long des murs. Deux rangées de toiles alignées depuis sa chambre jusque dans le couloir.

« Tu permets ? » Nick se dirigea vers le plus grand tableau, mais Lily se jeta fébrilement sur lui, affolée.

« Non, dit-elle. S'il te plaît, non. »

Ignorant ses supplices, Nick retourna toute une rangée de tableaux face peinte vers la pièce. « C'est beau. » Il contemplait un paysage pâle et crayeux, un havre de paix inondé de lumière. « Mais... Si tu ne les montres pas, si tu ne les exposes pas, tu travailleras comme serveuse jusqu'à quatre-vingt-dix ans. »

Lily remit chaque tableau dans sa position initiale, face contre le mur. Elle ne voulait les montrer à personne, terrorisée à l'idée qu'ils puissent disparaître comme par enchantement. Un jour, son propriétaire, qui habitait au rez-de-chaussée, lui avait proposé de les exposer. Il avait frappé chez elle, tout content, pour lui annoncer qu'un de ses amis, qui tenait un café à Highbury, serait très heureux de lui offrir ses murs pour exposer. « Vous pourriez même en vendre quelques-uns. Qui sait ? »

Lily le regarda, les yeux exorbités. Elle fut abasourdie de s'entendre crier : « Alors ça, jamais ! » Des gens qui mangent goulûment des spaghettis en se racontant leurs histoires de cœur ! Jamais ! Son visage, elle le sentit, était devenu cramoisi. « Dites-lui que ce n'est pas possible ! »

Son propriétaire avait reculé. « Je pensais que vous seriez contente d'exposer, sans parler du petit plus financier. » Il avait l'air déconfit. « S'ils se vendaient. » Elle le soupçonna d'avoir déjà calculé de combien il pourrait augmenter son loyer.

Il était tard, et Londres était désert, noir, glissant. Ils prirent la direction de la gare Victoria, à la lumière des réverbères du mur d'enceinte du palais, franchirent Vauxhall Bridge pour longer ensuite la Tamise. « C'est ma vue préférée de Londres », lui dit Nick lorsqu'ils retraversèrent le fleuve à Waterloo. Ils se tordirent le cou pour dévorer des yeux ce panorama. Les chapelets de lumières sur l'autre rive, les arches et les tunnels des ponts, les bateaux, les monuments avec leurs fenêtres aux formes multiples et leurs toits vert et or. « Ralentis », supplia-t-elle, mais il y avait une voiture derrière eux, et ils furent obligés d'entrer dans le tunnel du viaduc de Holborn et de monter ensuite vers Bloomsbury. Nick se gara devant le British Museum ; ils descendirent de voiture et s'agrippèrent aux barreaux de la grille. Il était éclairé de façon à évoquer les rougeurs de l'Égypte : une lumière orange semblait couler sur ses marches comme de la lave. « Imagine, lui dit-il, que tu aies conçu un truc aussi superbe ? Qu'est-ce que ça te ferait ? » Ils regardaient, émerveillés, les grandes têtes de lion, l'élégance des colonnes, la verrière rénovée. « Tu es fou ! » Et Nick lui expliqua que cela aidait beaucoup, quand on dessinait, ne fût-ce que de vulgaires toilettes, de penser les choses à une échelle démesurée. Il souleva Lily de terre et la fit tourner : ils tombèrent l'un contre l'autre en riant aux éclats et en titubant comme s'ils étaient ivres.

Ils reprirent la voiture et entrèrent plus lentement dans la City, le long des gorges étroites qui couraient entre les édifices anciens et contemporains. « Quand es-tu montée en haut de ses tours, pour la dernière fois ? voulut savoir Nick, quand ils ressortirent devant St Paul's Cathedral.

— Avec ma classe, à l'école, je crois. » Elle n'avait qu'un vague souvenir des corps qui se bousculaient, des manteaux et des cartables, le jour où toute sa classe était montée au sommet d'une des tours. « De toute façon, il paraît qu'il n'y a pas de quoi s'extasier sur St Paul. J'ai lu quelque part que Wren n'était pas un véritable architecte, mais remarque, je vois comment...

— Tu as raison. » Nick se pencha pour l'embrasser sur l'oreille. « Mais rien que pour les monuments qu'on voit d'en haut, ça vaut le coup de monter. Et puis, de toute façon, ajouta-t-il dans un sourire, si, toi et moi, on a envie d'admirer St Paul's Cathedral à deux heures du matin, personne ne nous en empêchera !

— J'y monterai demain. » Elle lui rendit son baiser. « Ou aujourd'hui. » Stimulée par la passion de Nick et par la foi qu'il avait en elle, Lily s'inscrivit à la faculté où il avait fait ses études, et décida d'apprendre l'architecture en trois ans.

Dans un placard de Fern Cottage, il y avait plein de cartes. *Cartes* indiquait une étiquette solidement collée sur la porte. Des cartes d'East Anglia, des cartes des sentiers pédestres de la région, des cartes d'état-major datant de plus de soixante-dix ans. Avec toutes ces informations, elle aurait dû trouver depuis longtemps la maison de Lehmann. Chaque jour, elle pensait qu'elle allait tomber dessus, par hasard, au détour d'un chemin, mais dans tout le village ce n'était que toits de chaume, murs crépis, pignons pointus, maisons jumelles. Lily sortit un plan de Steerborough qu'elle étala par terre. Les maisons y figuraient par petits groupes qui s'égrenaient pour la plupart le long de la rue principale. Elle en reconnaissait déjà certaines. La vieille maison hollandaise qui penchait d'un côté, l'ancien pub, avec son double pignon, qui avait été démonté et transporté à la brouette, brique par brique, jusqu'à son nouvel emplacement, près de l'épicerie. « Était-ce une pratique courante ? » avait-elle demandé à Ethel. Et Ethel lui avait parlé d'une grange aménagée, derrière Kiln Lane, qui avait parcouru ainsi douze kilomètres. Peut-être la maison des Lehmann s'était-elle déplacée, elle aussi, pensa Lily. Peut-être avait-elle été emportée en brouette jusqu'à un autre village, et même découverte par un étudiant en architecture plus imaginatif qu'elle, qui l'avait proposée au concours de projets annuels. Il faudrait qu'elle pose la question à Ethel. Elle le saurait sûrement. Ethel pouvait très bien se souvenir de Lehmann, avoir même connu Elsa et savoir ce qu'elle était devenue, en 1953, après la mort de son mari.

Lily replia la carte. Il y avait une rue, Mill Lane, où elle ne s'était pas encore aventurée et à l'angle de laquelle on creusait les fondations d'une maison. *Hidden House*[1] disait la carte, mais à l'endroit indiqué, il ne restait désormais qu'un terrain boueux encombré de gravats. Mill Lane passait derrière le garage et bifurquait vers la mer. Lily l'avait évitée parce qu'elle paraissait très récente, avec son revêtement de gravillons clairs, comme on en voyait dans les banlieues. C'était trompeur. Mill Lane desservait en

---

1. La maison cachée

fait de superbes maisons anciennes trônant sur de grandes pelouses, derrière des portails en fer forgé, entourées du seul chant des oiseaux. Pas la peine, s'était dit Lily, je ne trouverai rien d'intéressant ici, pourtant elle avait continué d'avancer, attirée par ce calme, curieuse de voir ce qu'il y avait après le virage. Presque au bout du chemin, elle avait aperçu l'angle d'une maison. Une construction ancienne, pas très haute, d'un rose rhubarbe ; et, s'approchant encore, elle avait vu, soudée dans le creux que formaient les deux pignons, une véranda des années 1950.

Lily s'appuya contre la barrière. La maison semblait abandonnée : les rideaux étaient ouverts, la véranda vide et glacée. Elle poussa la barrière, mais l'herbe ne voulait pas se plier, tant elle avait solidement poussé autour. Lily jeta un coup d'œil à la ronde, et, ne voyant personne, s'arc-bouta sur les lattes de bois, grimpa sur un des piliers de la barrière et passa par-dessus. Elle frappa aussitôt à la porte, attendit, guetta un mouvement derrière la vitre dépolie. Comme personne ne répondait, elle fit le tour de la maison. Son cœur battait fort, ses oreilles amplifiaient tous les sons, mais elle continua malgré tout. Le jardin était rond, comme un saladier vert renversé, avec un gazon aussi dense et élastique que s'il avait été brouté par des moutons. Au centre se dressait un grand arbre filiforme dont une branche, au sommet, ne demandait qu'à se balancer. Lily, qui respirait un peu mieux à présent, se retourna vers la maison. Le banc, les portes-fenêtres, les avant-toits regardaient la mer. Les fenêtres étaient sombres et sans vie, les portes verrouillées. S'approchant sur la pointe des pieds, Lily colla son nez à la vitre. À l'intérieur, tout était plus ou moins à l'abandon. Des meubles abîmés et des tapis élimés, dépenaillés, et souffrant de l'humidité, comme Lily le sentait à travers la porte.

Lily marcha jusqu'au fond du jardin. Si elle parvenait à se faufiler à travers la haie, elle accéderait peut-être au marais, cette lande gorgée d'eau qui menait à la mer. Elle grimpa à travers les broussailles jusqu'à la haie, qu'elle longea en tâtant çà et là, des pieds et des mains, pour trouver une trouée, un interstice. Les branches étaient étroitement enchevêtrées et hérissées d'aubépine. Lily dut rebrousser chemin et repasser par-dessus la barrière. C'est alors qu'elle vit la voiture. Une vieille Morris grise serrée le long de la clôture. Lily s'arrêta net pour la regarder : l'intérieur était bleu et beige, le toit arrondi comme un crâne chauve. Cette voiture n'était pas là auparavant, sinon elle l'eût remarquée. Elle avança, voulut poser la main sur le capot, pour voir si le moteur était encore chaud, mais en fut empêchée par l'impression que quelqu'un l'observait. Elle avala sa salive, risqua un coup d'œil vers la maison, où elle ne vit pourtant ni lumière, ni ombre. Elle préféra tout de même partir et reprit en hâte le chemin, en faisant crisser le gravier sous ses pieds.

Travaillons comme des fous. Tout va bien. Nous saurons bientôt si nous avons gagné. On était à nouveau vendredi, et Nick avait griffonné ce message sur l'enveloppe à l'entête de la fac qu'il lui avait fait suivre. Il fallait qu'elle lui téléphone. C'était ridicule de ne pas l'avoir fait avant, de l'entêtement ni plus, ni moins ; après tout, s'il travaillait vraiment tant que cela, à quoi bon le déranger, sinon pour lui souhaiter bonne chance. Oui, pensa-t-elle, je devrais l'appeler, mais quand elle alla à la cabine, elle la trouva en panne. En panne ou saturée de pièces. Appels d'urgence seulement, au 999, disait le message clignotant. *Appeler le 999. Attendre près de la digue...* Le petit papier était toujours là, tout déchiqueté sur les bords. Maintenu en place par le même galet gris. Lily sortit un stylo de sa poche et fit une minuscule marque, un petit zigzag dans un coin puis, un peu gênée, regarda autour d'elle pour s'assurer que personne ne l'avait vue. Arrête, se dit-elle, il n'y a personne ! Elle secoua la tête en se demandant si cela ne faisait pas trop longtemps qu'elle était seule, puis retraversa la Pelouse.

« Excusez-moi... » – Grae faisait les cent pas devant chez elle : « je voulais vous demander si... Em s'est entaillé le pied. J'ai essayé d'appeler un taxi, mais il n'y en a pas un seul de libre, même à Waveney. »

Lily le regarda. Il n'avait pas une tête à pousser quelqu'un dans l'escalier. Malgré son anxiété, il lui sourit. Il avait le même visage en cœur que Arrie, le même teint mat. « Je lui ai fait un pansement, mais ça saigne encore et je me demande s'il ne lui faudrait pas quelques points de suture et un sérum antitétanique.

– Pas de problème. J'arrive tout de suite. » Lily se hâta d'aller chercher ses clefs de voiture, et lorsqu'elle ressortit de chez elle, Grae revenait avec ses deux filles. Il tenait Em par la main et la conduisait vers la voiture. Elle avait un pied enroulé dans une serviette de toilette et des traces de larmes sur les joues.

« Je l'ai pas fait exprès », sanglotait Arrie, et Grae tendit un bras vers elle. « C'est pas grave, je te l'ai dit, tu n'y es pour rien. »

Lily ouvrit la portière et attendit qu'ils s'installent à l'arrière. « Qu'est-ce qui s'est passé ? demanda-t-elle en faisant marche arrière.

– Elles jouaient près de ce vieux moulin et... c'est arrivé comment, Emerald ?

– Arrie m'a poussée.

– Je l'ai pas fait exprès ! » geignit-elle. Et Grae soupira comme s'il était trop fatigué pour ajouter quoi que ce soit. « Il devait y avoir quelque chose de pointu, là-dedans, voilà tout. »

Ils gravirent en silence la route rectiligne, à travers d'immenses champs de blé où ondulaient des hampes vert pâle, avant de tourner à droite, devant un enclos à cochons tout bourbeux. Il y avait çà et là, dans le champ, de minuscules cabanes en tôle, et à côté de chacune d'elles, tels des campeurs, les cochons couchés sur le côté souriaient. Lily bifurqua vers l'intérieur des terres, contournant l'embouchure marécageuse de l'estuaire, pour obliquer ensuite vers Eastonknoll et prendre le pont en dos d'âne. Dès les abords de la ville, Grae lui indiqua le chemin. Ils passèrent devant les cafés, le chalet des scouts et la mairie, où une affiche signalait une réunion de l'Amicale des femmes, prirent ensuite la direction du front de mer, zigzaguèrent dans plusieurs ruelles et parvinrent enfin devant l'hôpital. « Très bien », dit Grae, manifestement soulagé. Et sans même demander s'ils avaient besoin d'elle, Lily les suivit.

La salle d'attente était vide, Grae et Emerald furent aussitôt dirigés vers des portes battantes blanches.

Incroyable, songea Lily. La prochaine fois que je suis à Londres et que je dois aller aux urgences, j'aurai aussi vite fait de venir jusqu'ici.

Arrie s'était accroupie par terre et commençait à construire une tour en lego, en appuyant si fort sur chaque pièce en plastique que les petites pastilles en relief s'incrustaient dans sa paume.

Lily s'agenouilla près d'elle. « Tu veux un coup de main ?

— C'est pas moi qui l'ai poussée. » Le visage de Arrie s'enfla sous la montée des larmes. « Je l'ai attrapée, c'est tout, et puis après elle a trébuché et elle est tombée à l'intérieur.

— Ne t'inquiète pas. » Lily commença à lui passer les pièces multicolores. « Mais comment êtes-vous revenues ? »

Arrie la dévisagea d'un air soupçonneux. « Elle a sauté à cloche-pied et ensuite... » Elle jeta un coup d'œil autour d'elle. « Bob le Gueux l'a prise à cheval.

— À cheval ?

— À cheval sur son dos. »

Elles virent l'une et l'autre la dame de l'accueil, tirée à quatre épingles, se pencher au-dessus du guichet.

« Qui est-ce, Bob le Vieux, euh... je veux dire... Bob le... »

Arrie se mit à glousser. « Un copain à nous, et à Alf aussi. » À cet instant, Grae réapparut entre les portes battantes, tenant Em par la main. Un gros bandage couleur crème enveloppait son pied, lequel était, comparé à l'autre, d'une propreté éclatante.

« Ils l'ont recousue ? demanda Lily, en se relevant péniblement.

— Superglu, répondit Grae, encore tout étonné. J'aurais pu faire ça moi-même à la maison. Ils ont rapproché les deux bords de l'entaille, exactement comme... je ne sais pas moi... comme pour une chaise.

— La glace, chuchota Em. Tu as promis.

— Ah oui, c'est vrai. »

Grae la fit grimper sur son dos et ils quittèrent l'hôpital. Des gens étaient allongés dans leur cabine de plage, d'autres construisaient des châteaux de sable, et des enfants, agrippés à de grosses bouées noires en caoutchouc se laissaient ballotter par les vagues. Ils allèrent jusqu'au kiosque et, profitant de la situation, les deux fillettes choisirent d'énormes glaces, des *99*, couronnées d'amandes pilées.

« On va en prendre quatre », dit Grae, avec un regard en coin vers Lily. Ses yeux n'étaient plus que deux fentes bleu vif. Assis tous les quatre sur la digue, il léchèrent leurs glaces en les faisant lentement tourner pour éviter qu'elles ne dégoulinent sur le cornet. La mer était déserte, calme et scintillante. Avec chaque vague, la marée descendante emportait une fine couche de sable, de galets et d'algues mêlés. Em qui, apparemment, n'avait plus du tout mal, partit à cloche-pied le long de la plage, et Arrie lui emboîta le pas, scrutant le sable en quête de trésors. Elles trouvèrent un galet percé, une pierre censée porter bonheur. Lily trouvait sinistres ces pierres qui ressemblaient à des orbites oculaires dont l'intérieur eût été mangé. « Garde-le moi », dit Em en la lui mettant dans la main. Arrie, elle, trouva un tesson de verre tout dépoli, d'un vert si laiteux et subtil que l'on eût dit du jade. Lily descendit de la digue pour se lancer, elle aussi, dans une chasse au trésor. On disait qu'il y avait de l'ambre, sur cette plage, mais en fait d'ambre, elle trouva une pièce d'une livre, un galet rose pâle qui, mouillé, devenait translucide, et un silex cassé en deux, avec un minuscule fossile d'un hippocampe incrusté sur une face. Elle se retourna pour regarder Grae. Immobile, le visage fermé, il les observait. Lily se demanda s'il n'était pas en train d'imaginer la chute d'Em dans l'eau croupie du moulin.

Les fillettes avaient entrepris de construire un château de sable avec un donjon, des tourelles, des douves et un pont-levis. Le bandage d'Em fut vite oublié : il avait déjà pratiquement disparu sous le sable. Grae les rappela. Il arrivait sur la plage avec un grand plateau : sandwiches, jus de pommes et une énorme théière en terre cuite.

« Papa ! » Les fillettes, émerveillées, vinrent se coller à lui, mais il se dégagea et servit le thé.

« Sucre et lait ? » demanda-t-il à Lily tout en tournant la cuillère.

Ils s'assirent par terre, dans les rayons du soleil déjà bas sur l'horizon, dos à la digue.

« Le temps a l'air couvert à Steerborough », dit Lily qui mit ses mains en visière au-dessus de ses yeux et suivit la côte du regard. Grae lui expliqua qu'avec un horizon aussi dégagé, on pouvait choisir sa destination en fonction du temps et se rendre ainsi en voiture là où il faisait beau.

« Une fois, quand on avait encore la voiture, renchérit Arrie, on est allés jusqu'à Lowestoft pour pique-niquer au soleil. Pas vrai, Papa ? insista-t-elle. Pas vrai que quand on avait une voiture, on pourchassait le soleil ? »

Grae lui caressa la tête, l'air absent, sans répondre. Lily frissonna. Le soleil se couchait dans un bain écarlate, derrière le phare, et la chaleur n'irradiait plus jusqu'à la grève. Une grande barre d'ombre envahit la plage, les pierres blanches perdirent subitement leur éclat, et, comme s'ils s'étaient donné le mot, tous les quatre se levèrent en même temps pour regagner la voiture.

Lily avait les cheveux pleins de sable, les bras et les jambes brillants de sel. Ses mains étaient si sèches que ses doigts, tout lisses, glissèrent sur le volant quand elle le saisit. Elle se dit qu'en rentrant elle prendrait un bain chaud et se démêlerait les cheveux, mais lorsqu'ils bifurquèrent vers la Pelouse, elle aperçut une voiture garée à la place de la sienne.

« Quel culot ! s'exclama Lily qui aimait bien considérer ce petit bout de terrain comme son parking privatif. Qu'est-ce qui se passe ? » Alors seulement elle reconnut la voiture.

Tandis que les fillettes s'extirpaient du siège arrière, Grae se tourna vers Lily : « Un grand merci, vraiment. Si vous avez besoin de quoi que ce soit... » Il lui sourit chaleureusement. « Du petit bois pour allumer le feu ? » Au même moment, Nick ouvrait la porte du cottage.

Chapitre 15

À mi-chemin de l'allée, Max s'arrêta pour écouter. Bien souvent, après une otite, ses oreilles allaient plus mal. Elles bourdonnaient, se débouchaient, crépitaient. Une fois, même, il avait entendu un chœur d'hommes chanter à pleins poumons pendant trois jours et trois nuits. Mais aujourd'hui, ses oreilles étaient enveloppées d'un duvet de silence. L'effet était le même que lorsque l'on regarde à travers une fenêtre – les arbres se balançant doucement dans le vent, un chien la gueule ouverte, une barrière qui se referme dans un léger rebond. Il passa devant la maison des Lehmann – elle s'appelait Hidden House, il venait juste de le remarquer – et installa son pliant en face, devant la chaumière aux murs de briques usées et noircies par les intempéries, et jointes de rose. Son toit de chaume gris, très pentu, était recouvert d'un filet, comme le chignon d'une vieille dame.

« Que faites-vous ? » C'était Elsa qui, penchée au-dessus de lui, examinait l'endroit où aurait dû figurer la maison de son mari. Max leva la tête pour contempler son visage. Du rose, du quartz, du châtain, ses yeux, des éclats de bleu. « Vous nous excluez ?

– Je suis désolé. » Il secoua la tête. Il avait essayé, il avait voulu le lui dire, mais, impossible de l'exprimer. Elsa tourna les talons. Il sentait son dos, juste à sa gauche, ses chevilles, ses mollets dépassant de sa jupe en coton. Il la savait en train de regarder leur maison, de la détailler, après quoi elle s'éloigna sans un mot.

Certains artistes, écrivait Henry, *commettent l'erreur de se fixer des critères de beauté. Ils choisissent de ne peindre que ce qui est en conformité avec cet idéal. Or c'est là une attitude de critique, non d'artiste. Si vous la comparez à celle de Degas, Manet, Monet ou Pissarro, qui tous, comme des enfants, allaient quérir dans la nature une nouvelle forme de beauté, et dont les œuvres montrent que celle-ci existe partout, alors vous comprendrez que la critique ne mène nulle part, tandis que ces peintres sont comparables à un fleuve qui vous emporte partout où vous voulez aller.*

Max pensa à Helga et aux portraits d'elle qu'il n'avait plus. Les premières peintures dont il était fier, les premières qui fussent vraiment de lui. Helga Gau. Son amie, sa camarade de jeu. La fille de la famille de pêcheurs qu'ils avaient pour voisins. C'était une grande fille mince, les cheveux coupés au carré, le visage couleur de sable. Ensemble ils avaient fait des promenades à bicyclette, pêché des anguilles au filet, et puis, un été, dès son arrivée, il l'avait trouvée changée. Elle avait le blanc des yeux plus nacré et les cheveux longs. Sa démarche chaloupée faisait osciller de droite et de gauche ses hanches encore étroites. Helga était la seule personne à feindre de ne pas remarquer qu'il était devenu sourd. Elle l'appelait, le tançait quand il ne venait pas et lui tapait sur le bras. Il se souvenait d'elle faisant demi-tour sur sa bicyclette pour venir se placer face à lui et pencher la tête d'un côté comme pour verser les mots dans une cuillère. « Viens ! » Max s'était demandé s'il aimait vraiment cette fille désormais insaisissable, mais il avait sorti sa propre bicyclette de la remise et regonflé énergiquement les pneus. Helga était debout qui le fixait, ses cheveux clairs flottant au vent, et lorsqu'il fut prêt, d'un cercle de jambe elle enfourcha sa bicyclette et partit à toute vitesse dans l'allée. Max qui filait derrière elle regardait son dos bien droit, ses épaules si basses qui faisaient paraître son cou plus long encore. Ils pédalaient à toute allure vers l'intérieur des terres, et quand le chemin se perdit, ils roulèrent sur le terrain cahoteux pour rejoindre la route de Neuendorf.

On avait si souvent dit à Max de ne pas aller à Neuendorf où des naturistes avaient investi la plage, qu'il se surprit à jeter des coups d'œil inquiets derrière lui. Mais Helga continuait à pédaler. Elle fonçait, regardant toujours droit devant elle, alors Max se coucha sur son guidon et finit par la rattraper. La chemise de Helga était plaquée à son buste par le vent, et là, surgis semblait-il du jour au lendemain, deux petits seins pointaient. Max baissa les yeux, surpris qu'elle eût changé sans lui et, dans son embarras, il braqua les yeux sur sa roue avant. Une seconde plus tard, il était par terre.

« Idiot ! » Helga fit demi-tour en dérapant pour venir l'aider. « Il faut regarder la route. » Quand il se releva en boitillant, il s'aperçut que son avant-bras était tout écorché. « Viens, lui dit-elle après l'avoir examiné, il faut laver ça. »

Ils posèrent leurs bicyclettes contre une dune de sable et coururent jusqu'à la mer. Max s'accroupit au bord de l'eau pour présenter son avant-bras aux vagues. L'eau salée clapotant sur son écorchure le piquait, mais quand il retira son bras, il eut encore plus mal. Subitement il défit ses bottes, ôta sa chemise sans la déboutonner et avança dans l'eau. Son caleçon fonçait à chaque pas, les petits poils de son ventre se dressaient sous l'effet du froid et, quoiqu'il fût certain que Helga l'interpellait, il ne se retourna pas. Il sentait qu'elle le suivait, que son corps électrisé avançait à l'encontre de la mer, et plus il allait vers le large, plus son cœur battait vite. Maintenant, les doigts de Helga, imaginait-il, n'étaient plus qu'à quelques centimètres du creux de ses reins, alors il plongea et donna un coup de talon pour lui échapper. Ce n'est que lorsqu'il émergea de nouveau qu'il s'autorisa à tourner la tête.

Helga était toujours sur la plage, une main en visière au-dessus des yeux, et à quelques pas derrière elle, un homme et une femme nus jouaient au ballon. On eût dit qu'ils étaient mariés, bien qu'ils fussent dépouillés de leurs vêtements : leurs corps mûrs et trapus semblaient assortis, lorsqu'ils se tendaient pour rattraper le ballon. On les eût dits reliés l'un à l'autre par un fil invisible, lançant, rattrapant puis relançant le ballon, les pieds toujours enracinés dans le sable. Max se coucha à plat dos sur les vagues. Il battit un peu des pieds pour s'immerger légèrement, et lorsqu'il regarda de nouveau vers la plage, Helga avait enlevé sa jupe. Debout, en culotte blanche, elle déboutonnait maintenant sa chemise. Max remua vigoureusement les jambes pour faire du surplace. Il ne fallait pas qu'il nage vers elle, mais il ne pouvait pas non plus se résoudre à s'éloigner encore vers le large. Sous sa chemise blanche, elle portait un tricot de corps blanc, et sous son tricot de corps – qu'elle était à cet instant en train d'enlever en le passant par la tête – rien. Rien d'autre que cette poitrine naissante.

Il y eut un petit à-coup dans l'échange régulier des deux naturistes : le ballon échappa à l'homme et roula vers la mer. Max rit, se laissa flotter un instant, et lorsqu'il releva la tête, la femme courait après le ballon ; son corps s'amollit un court instant, tandis qu'elle se baissait pour le ramasser. En s'aidant de ses pieds, Helga finit d'enlever sa culotte, la posa sur la pile de ses vêtements puis entra dans l'eau pour le rejoindre. À peine en avait-elle jusqu'aux genoux qu'elle se jeta dans les vagues et nagea. Max sentit son corps se raidir dans l'eau, une force poussait de l'intérieur, comme si on lui injectait du minerai de fer. Helga nageait dans sa direction, et à chacune de ses brasses il se sentait durcir. Il voulut glisser sa main dans son short et se soulager dans la mer. Le frottement du coton, la compression lui étaient devenus presque insupportables. Mais Helga approchait, et il était tellement tétanisé qu'il dut se concentrer sur les gestes à faire pour se maintenir à la surface.

« Coucou ! » Elle nageait autour de lui avec la légèreté d'un dauphin. Des gouttes d'eau illuminaient son nez retroussé et son visage plein de taches de rousseur, ses cheveux étaient encore brillants, secs, seules les pointes étaient raidies par l'eau de mer. Elle le regarda quelques instants, posa les mains sur ses épaules, et sans prévenir, lui enfonça la tête sous l'eau. N'ayant pas eu le temps de prendre une bouffée d'air, Max suffoquait, les yeux grands ouverts et braqués, au-dessus de lui, sur le corps nu de Helga qui avait, sous l'eau, la blancheur d'une racine. Il se débattit, gesticula, et, suffoquant toujours, donna de grands coups de pieds dans les genoux de Helga. Elle finit par lâcher prise et se jeta loin de lui en riant. Max s'efforça de retenir ses larmes. Il était à bout de forces, son érection avait pris fin et, plutôt que de crier, il se retourna et s'éloigna en faisant de grands mouvements tristes. Quand il s'arrêta, ce fut pour s'allonger sur l'eau et se concentrer sur le ciel, se calmer, étendre au maximum ses bras et ses jambes. Il resta un long moment ainsi, lançant de temps à autre un coup d'œil alentour pour ne pas perdre de vue la plage, puis, ne voyant rien d'autre à faire, il regagna la rive. Il retrouva sa chemise et ses chaussures là où il les avait laissées, mais les vêtements de Helga n'y étaient plus.

« Vous n'avez pas fait la Première Guerre – Klaus se pencha vers Max –, vous étiez trop jeune, je suppose ? » Ils étaient chez Gertrude en train de boire du brandy, courageusement installés dans le jardin, malgré les moucherons.

« Oui...

– Moi, j'avais quatorze ans au début de la guerre. » Klaus s'adossa et tira sur son cigare. « Si j'avais été plus jeune, j'y aurais peut-être échappé. « Dieu merci, disait ma mère à chaque anniversaire, j'ai eu d'abord mes filles », et il est vrai que si j'ai eu la vie sauve, c'est parce que j'étais le plus jeune de nous quatre.

— Mon père a été enrôlé... », commença Max, mais Klaus parlait toujours, évoquait son dix-septième anniversaire, le jour où sa mère fut à bout de prières. Le jour où il partit au front, persuadé qu'il ne manquait que sa contribution pour mettre fin à la guerre. « Mais au bout de six mois j'étais de retour, fragile comme un enfant, amaigri, pitoyable, tout mon corps était... – je laisse ceci à votre appréciation, Max – d'un vert très pâle, le plus pâle qui puisse s'imaginer.

— Étiez-vous blessé ? » lui demanda Gertrude. Ce mot – *blessé* – provoqua en elle un minuscule tressaillement, comme si à ce moment précis on l'eût piquée avec une épingle.

« Pas blessé, répondit Elsa. Mais Klaus avait passé toute une nuit près d'un homme mort de la tuberculose, et après...

— Je ne m'en étais pas aperçu... » Klaus semblait se parler à lui-même. « J'étais tellement épuisé que je ne m'étais pas rendu compte qu'il était mort. »

Gertrude plissa les yeux en fixant le cylindre brun de son cigare. C'était elle qui lui avait demandé de l'allumer pour éloigner les moucherons.

« À la fin de la guerre, on m'a envoyé en cure dans les Alpes, à Aroza. Je passais mon temps allongé sur un balcon, je ne faisais que manger, dormir, lire, m'exposer au soleil torse nu. Mais la nuit... je vous laisse juge de ceci (il se tourna vers Gertrude) je ne rêvais que de la guerre. De chevaux éventrés par les obus, de jeunes gens s'affalant dans des tombes de boue. Mes hurlements menaçaient de réveiller tout le sanatorium, aussi mon médecin m'installat-il à l'autre bout du bâtiment, dans un réduit qui servait à l'origine à remiser des meubles, lorsque le temps était à la pluie. Là, au lieu de mon lit bien rembourré, il y avait une planche de bois sur laquelle je dormais paisiblement. »

Il regarda Gertrude, un sourcil levé. « Alors (et comme elle ne faisait aucun commentaire, il soupira), je dormais sur ma planche, je faisais de grandes promenades dans les bois, afin de me fatiguer, et, chaque jour, on me pesait, on me gavait de lait et de crème, tant et si bien que je fus bientôt replet, bronzé, beau comme tout, et qu'ils me déclarèrent guéri. »

Max le regarda. Il était beau, en effet. Petit, le teint mat, des cheveux très bruns qui commençaient tout juste à grisonner, bien qu'il eût sans doute la cinquantaine.

« Tu as toujours fait attention à toi, lui dit Elsa en posant une main sur son bras.

— Oui, dit-il d'un ton rassurant. Mais depuis cette époque, je ne peux plus avaler un verre de lait.

— Et les cigares ? lui demanda Gertrude. Ils font partie de la prescription ?

— Gertrude (Klaus la fixa d'un œil sombre), il y a une interprétation psychologique, n'est-ce pas, au fait d'avoir toujours besoin de mâchonner un cigare ?

— Peut-être votre mère ne vous a-t-elle pas nourri au sein ? lança Gertrude sur un ton provocateur. À moins qu'elle ne vous ait, au contraire, allaité trop longtemps... »

Elle attendit de voir comment il allait prendre cela, tout en se félicitant que sa maison n'eût d'autre vis-à-vis que la mer. Elle ne voulait pas donner aux habitants de Steerborough quelque raison supplémentaire de penser que la psychanalyse n'était qu'un avatar de la pornographie. Et en effet elle eût été bien triste d'être exclue des délibérations portant sur les collectes de fonds ou rayée de la liste des volontaires chargés de confectionner des gâteaux pour les fêtes du village.

« Max ? » Elsa se tournait vers lui. « Votre père a-t-il été blessé ? Pendant la Première Guerre ? » L'espace d'un

131

instant, il crut qu'elle parlait de l'autre guerre. Trop récente, il est vrai, pour faire un sujet de discussion.

« Oui, dit-il. Il a eu les pieds transpercés par les éclats d'une grosse grenade, à la bataille de Loos. »

Transpercés, se répéta Gertrude, mais elle n'eut pas la même sensation de brûlure au ventre.

« On l'a opéré pour enlever les fragments de métal et les esquilles, mais comme il n'y avait pas de sérum à l'hôpital, ma mère a dû rester à son chevet pour s'assurer qu'il n'avait pas contracté le tétanos. Elle devait guetter le principal symptôme : une difficulté à déglutir. Quelques heures plus tard, il a voulu parler. « Au secours ! Au secours ! » s'est écriée ma mère. Et, bien qu'il n'eût pas le tétanos, elle l'a fait mettre dans une chambre particulière. »

C'était une anecdote que son père racontait volontiers aux gens qui le questionnaient sur ses chaussures orthopédiques. Elles étaient lourdes, avec des semelles compensées faites d'une superposition de couches de cuir noir, et l'État lui en avait toujours fourni une paire par an, même en 1938, même après son arrestation.

En revanche, Max ne leur dit rien de sa propre histoire. Ne raconta pas comment ses oreilles avaient flanché. D'abord une, puis la seconde, quand il avait treize ans. Sa mère envoya chercher le docteur à Rissen, mais le docteur n'était pas là. « Il a une otite », avait-elle dit au téléphone à son père, qui avait promis d'envoyer quelqu'un d'autre. Toute la nuit Max fut taraudé par cette douleur, une pointe de métal chauffée à blanc qui le clouait à son matelas. « Ça va ? » lui demandait sa mère en posant une main sur lui. Mais il n'entendait que le grondement effréné de son sang. Il avait déjà eu des otites, mais celle-ci était de nature différente, elle lui transperçait le crâne de part en part.

Au petit matin, ils furent dérangés par de grands coups frappés à la porte. « Qui êtes-vous ? » s'écria sa mère, affolée à la vue de cet homme en tenue de chasse, et portant un arc en bandoulière.

« Le docteur. » Et il expliqua qu'il se trouvait à un bal costumé où il fêtait les cinquante ans de mariage de son grand-oncle et de sa grand-tante. Il alla voir Max. Lui examina les oreilles, les yeux, la gorge mais, de même que les médecins qui vinrent après lui, il ne put rien faire.

Helga l'attendait dans la remise, les cheveux encore trempés. Ses yeux semblaient liquides dans l'obscurité. Max rentra sa bicyclette, la posa contre celle de Helga, et juste comme il se retournait, elle lui tendit les bras.

« Viens ici », dit-elle. Dans son souvenir, ni l'un ni l'autre n'avait bougé, et pourtant, en une fraction de seconde elle se serrait contre lui, ses doigts se promenaient sur sa peau, glissaient le long de ses bras, autour de son cou, puis passaient sous sa chemise. Ils y rencontrèrent les trois poils tout fins qui avaient surgi pendant cet hiver-là comme pour lui tenir chaud. Sa main décrivit ensuite des arabesques sur sa poitrine, la pinça, y enfonça les ongles. Terrifié à l'idée qu'elle puisse arrêter, se souvenir qu'il s'agissait de lui, Max n'osait pas faire un geste. La main descendit, se coula dans la ceinture de son pantalon ; elle palpa la peau douce, fraîche, humide, sentit la saillie de l'os de sa hanche, la chair de poule sur sa cuisse. Il faillit se laisser tomber contre elle, et, au même instant, l'autre main fut là, toute chaude contre son ventre, rampant vers le milieu de son corps, cette partie intime qui avait durci dans son caleçon.

« Helga... » Ne sachant s'il criait ou s'il chuchotait, il enfouit son visage dans ses cheveux et se serra contre elle, tandis qu'elle le caressait, une fois, deux fois... et il explosa, passa à travers les murs, se cabra comme pour sauter, puis aussitôt se plia en deux. Il tomba à genoux, et lorsqu'il s'effondra, il leva les yeux vers elle et la vit, très loin, qui contemplait les nœuds et les veines du mur en planches de la remise.

Max était assis par terre, tassé dans le coin où des araignées se balançaient sur des fils aériens. Il sentait, partout sur lui, le liquide visqueux qui se figeait en refroidissant. Helga fouilla dans la sacoche du vélo de sa mère d'où elle sortit une serviette de toilette. Elle sourit timidement en la tendant à Max, qui se sentit rougir violemment lorsqu'il la prit, s'essuya, puis la lui rendit en la remerciant. Helga la roula en boule et la remit dans la sacoche. « Merci beaucoup », dit-il, mais ce n'est que plus tard, dans son lit, quand il cherchait à retrouver la sensation des caresses de Helga, que cette réalité le frappa : il ne l'avait pas touchée, n'avait pas effleuré son corps, ne l'avait pas embrassée, ne lui avait même pas caressé les cheveux.

Max se réveilla tôt le lendemain matin. Il prit un livre et s'allongea dans le jardin mitoyen, près du chemin qui descendait droit vers la mer. À chaque ligne, il levait les yeux pour guetter Helga. Ne l'ayant toujours pas vue à onze heures, il frappa chez elle, à la porte de la cuisine, et la demanda.

« Elle est partie pour Stralsund, lui répondit sa tante. Par le vapeur. Ne reviendra pas avant demain soir.

– Merci », dit-il. En repartant, à reculons, il sentit la honte le picoter sur toute la surface de son corps.

Max enfourcha sa bicyclette pour monter jusqu'à Kloster. Le chemin cahoteux s'élevait peu à peu au-dessus de la plaine, jusqu'à dominer toute l'île. La colline était tapissée de genêts jaunes dont le parfum l'accompagnait, tandis qu'il peinait dans la dernière montée. À bout de souffle, il abandonna sa bicyclette et courut jusqu'au sommet. On avait placé là un banc à l'intention des promeneurs, mais plutôt que de s'y arrêter, il continua à marcher et arriva, presque chancelant, à l'extrémité des falaises. De là, au lieu de contempler l'île qui s'étendait à ses pieds, il porta son regard, au loin, sur l'horizon, cherchant le Danemark, la Suède ou le littoral russe, à un jour de bateau.

Chapitre 16

Nick ne semblait pas à sa place dans le palais miniature qu'était la cuisine de Fern Cottage, avec ses tasses et ses soucoupes bien alignées, ses chopes toutes tournées du même côté.

« Où étais-tu ? demanda-t-il. Ça fait des heures que je t'attends !

— Je suis désolée... » Lily secoua la tête. « Je ne pouvais pas deviner... Je te croyais trop occupé... » Elle remarqua son pantalon, pas blanc mais presque : couleur beurre frais.

« Tu n'avais même pas fermé ta porte à clef !

— Oh Nick ! » Elle avait le sentiment déprimant d'être une enfant incomprise.

« Viens ici. » Il l'attira à lui, et elle sentit le rempart de ses côtes, sa poitrine dont la chaleur irradiait à travers sa chemise de coton. « Tu m'as manqué. » Il l'embrassait, trop profondément, à tel point qu'elle dut s'écarter de lui. Elle vit alors qu'il tendait le bras pour tirer le rideau à fleurs.

« Pas ici », murmura-t-elle, feignant d'être choquée. Nick la souleva à demi et la poussa vers le premier. L'escalier était tellement étroit qu'ils faillirent trébucher sur le vieux tapis de passage, mais Nick, la tenant par les hanches, continuait à la soulever tout en la poussant. Lily vacilla sur le palier. C'est trop tôt, pensa-t-elle. Elle s'aperçut qu'elle devait faire un effort pour ne pas penser au mur mitoyen, ni à Em et Arrie, ni à Grae.

Il y eut un temps de silence, une sorte de parenthèse consacrée aux formalités telles que fermer les rideaux et enlever ses chaussures.

« On ne pourrait pas rapprocher les lits ? » demanda Nick.

Lily sentait déjà son mince filet de désir lui échapper, mais Nick commença à la déshabiller, tout en la faisant pivoter pour qu'elle fît face au miroir de la coiffeuse.

« Regarde-toi », lui dit-il. Elle était blanche comme craie dans la pénombre, avec des seins plus ronds, des mamelons plus roses que lorsqu'elle était seule. Était-ce pour lui qu'elle changeait ? se demanda-t-elle en observant, en haut de ses cuisses, le petit arrondi assez plaisant qui croissait et décroissait en fonction de son poids. « Tu vois comme tu es belle ? » Elle contempla son visage, son nez halé, ses cheveux tirés en arrière, dont les pointes retombaient en désordre autour de ses oreilles. Son corps semblait composé de deux parties dépareillées : ses rondeurs toutes blanches, bonnes à rien en dehors de l'amour, et son visage rouge de concentration. Elle ferma les yeux pour descendre en elle-même, prendre possession de sa volupté, aller cueillir la source chaude de désir qui attendait au fond de son corps.

« Ouvre les yeux, lui ordonna Nick, regarde-nous. » Elle trouvait assez beaux leurs deux corps soudés l'un à l'autre comme deux vagues, mais ne put s'empêcher de remarquer l'ordinaire de son propre visage. Il était comique, grotesque, comme celui de quelqu'un qui passe la tête par un carton troué, dans une foire. Elle préféra refermer les yeux et se laisser sombrer dans la sensation pure, avec le premier soubresaut de Nick, incandescent comme des échardes de soleil aspirées par la nuit.

Après, ils restèrent sous les draps et les couvertures des lits jumeaux, à regarder la lumière du jour baisser derrière le rideau. La chambre fut bientôt plongée dans l'obscurité complète. « Et ce contrat, vous l'avez décroché ? demanda-t-elle. Tu as eu des nouvelles ? »

Nick alluma la lampe. « Non, ils n'ont toujours rien décidé. Ils sont capables de nous faire lanterner encore une semaine. » Lily commença à s'habiller. « Tu veux un thé ? Ou alors... on pourrait aller boire un verre ?

– Oui. » Nick jeta un coup d'œil autour de lui. « Oui, on sort, d'accord. »

Les nuages qui s'étaient amoncelés avaient dû aussi s'épaissir car il faisait nuit noire quand ils sortirent dans l'allée. « Bon Dieu (Nick lui attrapa le bras), je n'y vois rien. » Ils s'immobilisèrent le temps que l'obscurité veuille bien s'ouvrir pour les laisser passer.

« Chut ! fit Lily, bien que le bruit fût très présent. Tu l'entends ? Tu entends la mer ? »

Nick avançait à tâtons. « Dépêchons-nous, sinon on sera encore en train de chercher le pub à l'heure de la fermeture.

– O.K. » Elle lui prit le bras pour le guider. Passé l'angle de la maison, la fenêtre de la maison voisine éclairait leur allée. Les rideaux n'étaient pas encore tirés, et Lily vit Grae et les enfants autour de la table en train de jouer aux cartes, à la lumière d'une lampe. Elle détourna aussitôt les yeux. « Dans les premiers temps où j'étais là, chuchota-t-elle, peut-être pour se le rappeler à elle-même, il y avait des engueulades terribles... je ne sais pas ce qui se passait mais une nuit.... il y a eu une de ces bagarres... Depuis, je ne vois plus la femme. »

Nick se retourna subrepticement pour jeter un coup d'œil chez Grae. « C'est comme ça, à la campagne. Il n'y a rien à foutre, alors pour passer le temps, les mecs rentrent chez eux et tabassent leurs femmes.

– Remarque... » Lily se sentait un peu coupable. « Si ça se trouve, c'est elle qui l'a battu. » Nick se mit à rire.

139

Dans le pub *The Ship*, deux énormes chiens dormaient par terre. Comme ils étaient allongés de tout leur long entre la cheminée et la porte, Nick et Lily durent enjamber leurs arrière-trains pour aller s'asseoir. « Non mais, c'est quoi cette gargote ? » s'exclama Nick. Les cinq hommes assis au bar devant des chopes de bière brune pleines à ras bord se retournèrent. « Chut ! » gronda Lily en fronçant les sourcils. Pourtant, le pub était, en effet, passablement délabré. Des cordages, des filets et des nasses pendaient du plafond. C'était tout juste si l'on voyait le patron derrière son bar.

« Il porte un truc bizarre, non ? dit Nick du coin de la bouche, pensant qu'ainsi il risquait moins d'être entendu. On dirait un corset !

– Je vais chercher les boissons », décida Lily, sachant que Nick ne pourrait s'empêcher de lorgner le barman. Mais pendant qu'elle attendait, elle fut elle-même sidérée par son allure, ce visage rougeaud, ces quelques cheveux raides enjambant à grand-peine un crâne chauve. Et surtout par l'accessoire qu'il portait, lacé très serré par-dessus son pull jacquard, et qui ne pouvait être qu'une ceinture orthopédique, probablement blanche à l'origine, et désormais grise de crasse.

« Oui ? » Lily sursauta. « Ce sera quoi pour vous ? » Elle leva les yeux vers ses yeux vitreux et comprit qu'il ne tenait debout que grâce à son corset.

« Un demi et... et... » Comme s'il avait voulu la mettre en garde contre le danger de l'alcool, le barman but une autre gorgée de bière. « ...un jus d'oranges, s'il vous plaît. »

Dans la cheminée du pub brûlaient des bûches blanches de cendres qui rendaient l'atmosphère suffocante. Tout en chassant de la main la fumée qui tournoyait dans la pièce, Nick et Lily humaient avidement le filet d'air qui filtrait par la fenêtre près de laquelle ils s'étaient assis. « On est quand même au mois de juin », maugréa Nick. Lily voulut se faire l'avocate de ce village, le village de Lehmann où elle se sentait si parfaitement chez elle et rétorqua, plus sèchement qu'elle ne l'aurait voulu : « Mais enfin, tu vois bien que ce type est malade ? Il est peut-être frileux. »

Nick la dévisagea en haussant les sourcils. Puis tous deux regardèrent sans rien dire les chiens vautrés par terre, qui dormaient à moitié l'un sur l'autre. Leurs pattes faisaient penser à des roulettes en laiton, et de leur gueule dépassait une langue rose. Ils devaient rêver qu'ils étaient couchés sur un plateau désertique, en train de regarder des oiseaux de proie qui tournoyaient dans le ciel. Ou qu'ils pourchassaient des lapins dans les dunes, bavant chaque fois qu'ils en manquaient un.

À côté d'eux, sur le mur, étaient accrochées quelques photos, et lorsque Nick se dirigea vers le comptoir, Lily contempla les visages de ces pêcheurs. Harry, Kitner, Seal, Dibs et Mabbs, Mops. Tous coiffés d'une casquette de marin. Il y avait aussi une photo de l'ancien bac, avec un éléphant à bord et un autre resté sur la berge, trompe dressée, bouche ouverte, comme s'il ne pouvait accepter d'être ainsi abandonné par l'unique créature de son espèce dans tout le Suffolk.

Nick vida son verre sitôt que le barman annonça la fermeture, et les cinq hommes, toujours accoudés au bar, les suivirent des yeux quand ils sortirent.

« Demain on pourra essayer un autre pub. Il y en a un, plus haut, dans le village. » Elle lui donna le bras pour le guider dans l'obscurité, mais il s'arrêta et regarda autour de lui en reniflant l'odeur de la mer.

« Je ne suis pas sûr de pouvoir rester tout le week-end, dit-il.

— Comment ça ?

— Chut, je l'entends. » Ils tendirent l'oreille. « On dirait qu'elle est grosse. » Lily leva les yeux vers le ciel chargé où l'on n'apercevait pas une étoile, ni la moindre lueur de lune, et elle espéra qu'il y aurait un orage.

141

« À peine arrivé, tu repars, observa Lily, quand ils se remirent en route. Qu'as-tu donc de si important à faire ?

– Lily... » Elle ne le voyait pas, mais sentait sa main serrer son bras. « J'ai du travail, on est vraiment charrette en ce moment. Ici... » Un silence puis il reprit : « C'est un village de retraités et je ne suis pas à la retraite, moi. »

Tout était éteint, à présent, chez Grae, et, comme pour confirmer ce que venait de dire Nick, les volets des maisons qui donnaient sur la Pelouse étaient clos pour la nuit.

« Tu ne fermes jamais ta porte à clef ? » lui demanda Nick quand elle tourna la poignée, mais sans répondre, elle lui passa devant et entra.

Le matériel de Nick était encore étalé sur la table : son papier millimétré, ses Rotring, sa règle, les élastiques qu'il triturait quand il cherchait l'inspiration.

« Tiens, dit-elle, submergée par la tristesse, écoute ça. » Elle tendit le bras pour attraper une des lettres de Lehmann dans son enveloppe crème à doublure aubergine.

Mon El chérie,

Tu m'as commandé une lettre d'amour, la voici ; ne va pas croire que je t'en aie voulu d'avoir pris cette décision. J'étais juste un peu las de te voir changer d'avis aussi souvent. Mais cela ne se reproduira pas. Jamais plus je n'aurai le moindre doute sur ton amour. De tes cheveux courts à tes ongles plus courts encore et à tes petits orteils, d'une extrémité de ton corps à l'autre, en passant par l'âme qui réside en son milieu, tu m'es infiniment chère, et peu m'importe que tu sois ou non courageuse ou que tes décisions soient ou non raisonnables.

Lily leva les yeux vers Nick qui écoutait, tête baissée, sourcils froncés.

Mon El,

Je reçois à l'instant ton télégramme. Il est 9 heures du soir. Cela fait donc trois heures et demi qu'il a été envoyé. C'est merveilleux de savoir qu'en ce moment même tu es couchée,

comme moi, et que demain, tu commenceras ta journée en
même temps que moi.

« Regarde, dit Lily en lui tendant le plan, chaque fois, il lui envoyait un croquis de la pièce où il séjournait. »

Il y eut un silence, pendant lequel Nick examina le plan. « Comment peux-tu croire, dit-il lentement, que tout ça va t'aider dans ton travail ? À ce rythme-là, après tout le boulot que ça t'a demandé, tu vas la rater, ta thèse. » Il paraissait atterré. Il débarrassa la table de ses affaires qu'il rangea soigneusement dans son sac, et lorsqu'il eut fini, il monta dans la salle de bains où Lily l'entendit se laver les dents.

Elle lut une autre lettre.

Ma douce Elsa,

Me voici couché, à des centaines de kilomètres de toi, dans un état de fureur que tu ne peux imaginer et dans l'attente de ces lettres pleines de tendresse qui devraient, à l'heure qu'il est, s'acheminer vers moi. Comment pourrais-je imaginer ta vie, puisque tu as cessé de la partager avec moi et que je ne connais rien de tes journées, excepté les lieux où elles se déroulent. Tu n'as que deux devoirs à remplir, dans l'intervalle. Le premier, le plus important, est de prendre soin de toi. Le second est de M'ÉCRIRE. Tout le reste, les déjeuners chez les Mendel, le thé chez Eva, tout cela vient en dernier sur la liste. Il est inacceptable qu'en plus d'une semaine je ne reçoive que trois ou quatre cartes postales et un télégramme d'excuse. Dans l'attente de la prochaine longue lettre, je demeure, quoique rageusement, toujours à toi, L.

Nick lisait. Pas dans le lit de Lily mais dans son jumeau. Il était nu, le drap rose tout froissé et la couverture jaune pâle remontés jusqu'au milieu de la poitrine. Debout sur le pas de la porte, Lily l'observait. Il lui semblait aussi grotesque, au milieu de cette literie pastel, que le loup du Petit Chaperon rouge déguisé en mère-grand.

« Qu'est-ce qu'il y a ?

– Rien. » Elle secoua la tête, se déshabilla et grimpa dans son lit.

« Bon, dit-il en éteignant la lampe qui était entre eux deux. Eh bien, bonne nuit.

– Bonne nuit. » Lily se sentait si seule qu'elle préféra lui tourner le dos et se réciter un poème dont elle ne se souvenait qu'à moitié pour essayer de s'endormir.

Chapitre 17

Max rentra avec une maison et demie de plus sur sa frise. Il avait ajouté d'abord un bungalow tout simple, couvert d'un toit identique à celui d'une maison de Church Lane qu'il avait déjà peinte. Après quoi il s'était attaqué à une chaumière dont les fenêtres soulevaient le toit de chaume comme deux sourcils. Mais la pluie l'avait interrompu : un petit crachin qui s'était brusquement transformé en déluge. Il se réfugia sous un arbre, couvrit sa précieuse fresque de sa veste, en passant les deux extrémités dans les manches et subit l'ondée, la tête rentrée dans les épaules. Enfin, n'y tenant plus, il partit au pas de course. Peu lui importait d'être mouillé. Ce qu'il trouvait agaçant, c'était de devoir faire un effort pour éviter de l'être. Il atteignit enfin la véranda de Gertrude, en nage et hors d'haleine.

Inquiet, il déballa sa frise. Elle était indemne, hormis une petite tache, dans un coin, qu'il pourrait déguiser en buisson. Mais en la déroulant entièrement, Max s'aperçut qu'il ne restait pratiquement plus de papier vierge, tout juste de quoi peindre deux ou trois maisons. En se retournant pour regarder à travers le verre dépoli, il vit les contours flous de quelques toits qu'il n'avait pas encore peints. Max suspendit sa veste, secoua vaguement son pantalon et entra. Il n'y avait pas de bruit dans la maison qui semblait pourtant pleine d'activité, comme si une horde de gens s'affairaient à l'étage. Il pénétra dans la salle à manger sur la pointe des pieds. La table venait d'être cirée, l'odeur vint lui caresser les narines. Un bouquet de fleurs très sage était posé sur un napperon en lin et en dentelle. Alors que Max se penchait pour sentir leur parfum âcre, il vit Gertrude accroupie près des portes-fenêtres donnant sur le jardin. Son chignon gris, qui ne tenait que par une barrette en bois fichée dedans, s'affaissait d'un côté, et sa figure, que Max voyait de trois quarts, était empreinte d'une étonnante concentration. Il la vit lever la main et s'appliquer à lancer en l'air une balle en mousse dont l'ascension déclencha une grande effervescence. Gertrude tâtonna par terre avec frénésie et rattrapa triomphalement la balle avant qu'elle ne touche le sol.

« Beaucoup mieux ! » s'exclama-t-elle. Elle relança la balle qui obliqua vers l'angle où se trouvait la cheminée. Max lui-même comprit que Gertrude n'arriverait pas à temps pour la rattraper. « C'est que, tu comprends... » Cette fois, elle l'avait vu. Mais c'est à peine si elle rougit, et Max trouva cela admirable. « ...Alf, lui, a dû s'entraîner. » Elle ramassa la poignée d'osselets en métal mat et attrapa, sur la table, un petit sac de toile dans lequel elle les glissa.

À moins que vous n'ayez le don de devenir invisible, il y aura toujours des gens pour vous observer. Que vous importe ? L'essentiel est de vous placer au meilleur endroit possible pour dessiner ce que vous voulez dessiner. Vous savez, je puis bien vous dire cent fois d'alléger tel trait ou d'épaissir tel autre, mais une découverte que vous faites par vous-même a infiniment plus de valeur que ce qui vous est enseigné, même s'il s'agit d'une chose que tout le monde sait déjà. Cela dit, il n'y a pas mieux qu'une école d'art pour destructurer vos dessins, pour s'émanciper de la monotonie de la technique, exactement comme un pianiste qui fait perpétuellement des gammes. Ne pouvez-vous en passer par là, une fois pour toutes ?

Le père de Max n'avait aucune foi dans l'école. Il voulait que ses enfants cultivent leurs capacités par eux-mêmes. Quand Max était tout petit, c'était sa mère qui lui faisait la classe, et des jeunes filles au pair suisse, anglaise, française et scandinave lui avaient enseigné tout ce qu'elles pouvaient. Avant qu'il ait cinq ans, Mary lui avait appris des rudiments d'anglais, et l'année de ses douze ans, Mique, une plantureuse Avignonnaise, lui avait donné un roman français qu'ils avaient découvert ensemble, assis dans le salon bleu, lisant une page chacun à son tour.

L'école du village, située à plus de deux kilomètres de chez eux, était un petit établissement dont le directeur, un certain Herr Reeder, avait pour principe de « suivre scrupuleusement le manuel ». La mère de Max y envoyait son fils tous les étés pendant une semaine, afin d'évaluer ses progrès. Les autres élèves étaient fort surpris de le voir arriver, dans les derniers jours de juin. Rares étaient ceux qui se souvenaient de lui d'une année à l'autre, et chaque fois, ils le bousculaient, le tarabustaient, le mettaient à l'épreuve, pour savoir à quelle bande l'intégrer. « Je serais curieuse de savoir, lui disait sa mère, si les exercices sont faciles. » Ils étaient faciles et ennuyeux à tel point qu'une fois, ayant fini avant tout le monde, Max avait levé yeux de sa copie et vu Herr Reeder à son bureau, enlever ses chaussettes, les enfiler sur son poing et se mettre à les repriser, pendant que ses élèves planchaient.

Max n'avait pas précisé à Klaus Lehmann que son père était officier. Contrairement à Gertrude, Lehmann devait savoir que, pour obtenir cette promotion, il avait dû se convertir. Il était impossible de monter en grade, dans l'armée, si le moindre défaut entachait votre réputation. Et il n'y en avait pas de pire que d'être juif. Le père de Max lui avait exposé son point de vue, lorsqu'ils construisaient ensemble, dans l'atelier du sous-sol, un meuble où ranger ses dessins dont les tiroirs larges et profonds s'ornaient de motifs géométriques.

« À quoi sert de subir les outrages infligés aux Juifs, puisque le christianisme est la suite logique de notre foi ? » Le père de Max s'était fait tancer par sa propre mère parce qu'il « restait juif uniquement par fierté. » Plus tard, elle s'était radoucie. « Si tu dois te convertir, fais-le avant la fin de ton service militaire. Après, il sera trop tard. » Il s'était donc fait baptiser. On lui avait offert, comme à tous les jeunes officiers, un cheval qu'il avait nommé Applesnout, un fidèle compagnon avec lequel il partageait ses sandwiches au rosbif. Il adorait cette bête et appréciait tous les autres privilèges, mais Max le soupçonnait d'avoir toujours regretté sa décision de se convertir.

Gertrude l'attendait au pied de l'escalier. « As-tu faim ? » lui demanda-t-elle, et, comme Max l'avait fait si souvent avec Kaethe, il aida Gertrude à préparer le dîner. Ils œuvrèrent ensemble pour émincer, mélanger, transvaser, remuer, en se bousculant parfois, dans une sympathique intimité.

Chapitre 18

Lily s'était promis de ne pas lui faire signe, mais lorsque la voiture de Nick prit le dernier virage, au bout de la Pelouse, elle leva machinalement la main et cria, comme une idiote : « Salut ! » Nick klaxonna, ce qui fit sursauter un vieux monsieur debout devant sa haie, accéléra un grand coup et disparut.

Lily rentra. Elle s'assit à la table et se mit à dessiner rageusement au stylo à plume. C'était évident : il avait fait cent soixante kilomètres pour tirer un coup, et maintenant il repartait. Lily prit une autre feuille de papier et, plus calmement, avec des gestes plus mesurés, dessina un plan de la pièce. La fenêtre, avec ses huit petits carreaux, la cheminée carrelée de céramique. En esquissant le canapé, elle se souvint que lorsque Nick s'y était assis, le plaid avait glissé sur ses épaules, l'enveloppant comme un linceul de laine. Il avait levé les yeux vers elle et haussé les sourcils, comme pour dire « Tu veux que je reste ici ? » Lily dessina la table, les trois chaises rustiques et la bibliothèque, dans l'alcôve, là où le mur mitoyen était le moins épais.

« Qu'est-ce que tu fais ? » C'était Em, debout sur le pas de la porte.

« Bonjour ! » Elle ne l'avait pas entendue arriver.

« Viens voir. » Arrie s'approcha de son pas traînant. « On a la nouvelle voiture. »

149

Lily se leva et les suivit jusqu'à la porte ouverte, devant laquelle était garée une Renault 5 noire, en tous points identique à la sienne. « On dirait un parc de véhicules officiels », dit-elle. Elle imagina les deux voitures en convoi, transportant des ministres qu'une conjoncture difficile aurait contraints à réduire leur train de vie.

« Sauf que la nôtre a une bosse, fit remarquer Arrie, et que cette fenêtre ne ferme pas bien. »

« Oh, tu sais, regarde la mienne... » Lily leur fit remarquer les défauts de sa propre voiture, l'éraflure apparue mystérieusement une nuit, l'absence de rétroviseur côté passager.

« En tout cas, elle est mieux que celle qu'on avait avant » dit Arrie en caressant le capot. Em la regarda d'un air offusqué.

Grae apparut et franchit lestement la barrière en faisant tourner les clefs sur son doigt. « Qui vient faire un tour ?

– Moi, moi ! » Les fillettes montèrent, et Grae lança un coup d'œil furtif à Lily. Par la vitre ouverte, Em et Arrie la fixaient de leurs yeux clairs comme des billes. « Oh, viens avec nous ! S'il te plaît !

– Il faut que je travaille. » Elle sourit. « Merci quand même.

– On est samedi, aujourd'hui », risqua Em.

Grae attendait, le trousseau de clefs toujours suspendu à son doigt. « Alors ? » fit-il, comme si Lily n'avait pas vraiment dit non. Pendant un instant, ils la dévisagèrent tous les trois, à la fois souriants et figés dans l'espoir.

« Bon, d'accord, je viens. » Lily courut chercher son porte-monnaie. Qu'est-ce que je suis en train de faire ? Qu'est-ce qui m'arrive ? Elle se dépêcha néanmoins.

La nouvelle voiture ne démarra qu'après avoir toussoté et calé plusieurs fois. Le cœur de Lily, déjà affolé, se mit à battre si fort qu'elle en eut mal et dut regarder par la vitre pour se calmer. Personne ne disait mot quand ils sortirent du village en suivant l'unique rue qui filait tout droit. Ils ralentirent en haut de la côte, près de l'enclos à cochons, pour regarder les petits qui venaient de naître : chaque truie en avait au moins dix.

« À droite ou à gauche ? demanda Grae, au croisement.

– À droite », s'écrièrent en chœur les fillettes, mais aucune d'elles ne sembla remarquer qu'il allait tout droit. Il suivit la route vers l'intérieur des terres jusqu'à ce qu'ils aperçoivent la flèche de la cathédrale, démesurée, puis son corps gigantesque qui surgissait de terre, hérissé de ses tourelles, comme un château.

« Quelqu'un a envie de la visiter ? demanda Grae.

– Noooon ! » répondirent les filles. Elle étaient allongées sur le siège arrière et le soleil s'amusait à dessiner des stries sur leur peau dorée.

Grae prit une avenue bordée de chênes dont les branches noueuses se cambraient pour former une voûte arrondie comme le plafond d'une grotte.

« Hou-ou », hululèrent les fillettes quand la voiture s'engagea en haletant dans ce tunnel de verdure. Puis « Ahhhh ! » quand ils ressortirent en pleine lumière. De part et d'autre de la chaussée s'étendaient à présent des champs de blé blond ondoyant au vent, et les bas-côtés étaient piquetés de coquelicots rouges et orange aux cœurs noirs, beaux comme des yeux. Laissant la cathédrale sur leur gauche, ils suivirent les méandres des petites routes bordées de grandes haies. Les filles s'étaient redressées sur leurs sièges et cherchaient des yeux une biche ou un renard.

« Une fois, sur cette route, on a vu une chouette, dit Em à Lily.

– Oui, mais c'était la nuit, précisa Grae.

– Et un lapin, ajouta Arrie. Ici, c'est le chemin des lapins. » Ils pénétrèrent dans un petit bois si dense qu'ils ne distinguaient que le dessous des branches, le sol sombre comme une tanière, les racines des arbres entrelacées, le tapis de feuilles mortes qu'éclairaient çà et là quelques

touches d'herbe verte. « Il y en a un là, et un là-bas. »
C'était la débandade : partout et en tout sens des derrières
blancs, des dos gris tourterelle, des pattes sautillantes,
toute une colonie de lapins, oreilles dressées. Arrie essaya
de les compter, mais elle n'était pas arrivée à vingt qu'ils
sortaient déjà du bois et retraversaient la route. « La mer,
la mer ! » s'écrièrent les deux sœurs en se tordant le cou
pour mieux la voir. Lily trouva assez étrange ce chœur
toujours rassemblé autour d'un même thème. C'était apai-
sant, en quelque sorte, et cela vous dispensait de parler.
Elle lança un regard furtif à Grae – le côté cendré de son
visage, sa main sur le volant, le blanc du T-shirt qu'il
portait sous sa chemise – et fut soulagée de ne pas avoir
à faire de commentaire.

Ils descendaient tranquillement la route pentue, délimi-
tée par de hauts murs de verdure. Il fallait guetter, entre
les barrières, les rares échappées sur les espaces marécageux
qui s'étendaient jusqu'à la mer. « La voilà ! » Mais la route
les obligea à bifurquer vers un village, à passer devant une
église nichée, comme celle de Steerborough, dans les
ruines d'une plus vaste bâtisse. Il y avait là une échoppe
pas plus grande qu'une cabane de jardin, un pub aux
fenêtres gardées par des grilles en fer forgé, et au bord du
petit chemin qui descendait vers la plage, un immense
hangar plein de monde. *Fish and Chips*, disait l'enseigne,
et les portes étaient grandes ouvertes sur la mer. Toutes
les tables et les chaises installées dehors étaient occupées,
et sur chaque table s'entassaient des plats surchargés de
mets.

« J'espère que vous avez faim », dit Grae. Au même instant, une fille au teint rubicond, en tablier, sortit avec un
plateau.

« Molletts ! » cria-t-elle, et une famille de six personnes
lui répondit par signes.

Lily, Grae, Em et Arrie firent la queue pour commander. Morue-frites, haddock-frites, pain, beurre et petits

152

pois. Les petits pois, c'était la touche décorative, juste pour mettre un peu de couleur dans l'assiette. « Laissez-moi régler, proposa Lily, sachant très bien que c'était peine perdue.

— Non, répondit Grae en secouant la tête, c'est nous qui vous avons invitée. »

Lily sortit un billet de son porte-monnaie. « Laissez-moi au moins payer ma part. » Elle insista, et lorsque Grae essaya de repousser son billet, leurs mains se mêlèrent dans une sorte de duel. Ses doigts étaient rêches, raboteux comme s'ils contenaient du bois, mais si chauds et expressifs que Lily sentit une décharge dans son avant-bras. « Si vous insistez », dit-elle, interdite, et au même moment, ils remarquèrent tous les deux que la fille, à la caisse, les observait, sans aucune impatience, un petit sourire au coin des lèvres.

« Merci », dit Lily en rangeant son billet.

Quand leur commande fut prête, ils l'emportèrent dehors, loin du parking, loin des serveuses qui, le visage en sueur, n'en finissaient pas de crier des noms. Ils escaladèrent un talus pour gagner la plage. Elle descendait en pente raide vers une mer brune et agitée. Dans la courbure de la côte, Lily vit Steerborough, une étendue blond cendré, et au-delà Eastonknoll, son phare, la silhouette de l'hôtel Regency. Voulant ignorer l'usine nucléaire dont le sinistre dôme scintillait au soleil, elle regarda plutôt vers la mer, tout en portant son plateau où cliquetaient les boissons, le thé et le pot d'eau chaude.

« Par ici ! » Rassemblés au pied de la falaise, ses trois compagnons étalaient leur déjeuner sur un petit banc de sable. La falaise, cintrée en haut, alignait ses strates couleur rouille, ambre, paprika et muscade. Des touffes d'herbe poussaient sur les corniches en surplomb, et, par moment, du sable coulait par les failles et les ravines. Grae posa son plateau sous un surplomb douteux.

153

« Il va sûrement tomber, dit-il, voyant que Lily levait les yeux, mais probablement pas aujourd'hui. »

Em et Arrie dévorèrent leur poisson à chair blanche, la panure dorée, les frites, et à peine avaient-elles fini que, sans même reprendre haleine, elles entreprirent d'escalader la falaise. Sur la pente oblique devenue toboggan, elles dévalaient sur le dos, en emportant à chaque nouvelle glissade une fine couche de terre. Lily s'adossa à une petite dune, et posa ses pieds sur des galets plats et gris pour les réchauffer.

« Autrefois, c'était le plus gros bourg de la côte est, dit Grae, en glissant un coup d'œil vers Lily. Les gens y venaient des quatre coins du monde pour le négoce. »

Lily suivit la plage du regard. Il y avait trois petits bateaux couchés sur les galets et rien d'autre, au-delà, hormis l'unique rue du village.

« Ici, c'était une ville fortifiée, avec des portes et un palais royal, cinquante-deux églises, des chapelles, des hôpitaux et une forêt, même. Là-haut – il montra du doigt la falaise derrière lui – on peut voir les derniers vestiges du mur d'enceinte. »

Lily rit. « Comment savez-vous tout ça ? » Elle se tourna vers lui. « Je ne vous imaginais pas aussi calé en histoire régionale. » Elle regretta aussitôt d'avoir dit cela. C'était une réflexion typiquement londonienne, et de surcroît totalement déplacée.

« C'est Em. » Il avait légèrement rougi. « Elle a fait un exposé pour l'école. Il y a même un petit musée... »

Toujours assis, ils contemplaient la gigantesque masse d'eau étalée devant eux.

« Les ruines doivent se trouver là-dessous. » Elle essayait de se rattraper. « Avec les fermes, et les clochers des églises.

– Oui. Il y a des gens qui disent que si l'on vient sur cette plage à minuit, on entend les cloches d'une église sonner l'heure. »

Lily frémit. « Arrêtez », dit-elle en riant. Depuis leur arrivée, la mer s'était calmée. Elle était tellement belle que Lily sentait une force agir à l'intérieur d'elle-même, comme si la marée lui aspirait le cœur.

« J'imagine que ça s'est fait progressivement ? » Lily revit la grande maison, près de la rivière, avec sa rangée de sacs de sable érigés en muret. Une date était gravée à côté d'un trait qui indiquait probablement une crue. Il avait dû y avoir aussi des inondations. En 1953.

« Oui. » Grae s'étira en fermant les yeux pour les protéger du soleil. « Petit à petit, pendant le dernier millénaire. Et de temps en temps, zoom !

– Zoom », répéta Lily. Et à cet instant précis se détacha une motte de terre qui tomba sur la tête de Grae. D'une main, Lily se verrouilla la bouche. Elle sentait l'envie de rire monter, tellement irrépressible qu'elle la brûlait. Heureusement, elle vit les épaules de Grae tressauter. Non sans effort, il se redressa, regarda Lily, secoua la tête, et ils hurlèrent de rire en chœur, au point de s'étrangler, tout en rampant pour s'éloigner du surplomb de la falaise.

« Oh, mon Dieu ! » s'exclama Lily, quand elle put enfin parler.

Grae essuya les larmes qui perlaient au coin de ses yeux. « C'est fou ! dit-il, retournant à genoux jusqu'à son plateau pour boire sa dernière gorgée de thé froid.

– Et... (Lily tremblait d'avoir tant ri et sentait les parois de son estomac toutes échauffées et molles) ...vous êtes né ici ?

– Non. » Grae regarda au loin. « À une trentaine de kilomètres à l'intérieur des terres. On venait souvent se promener sur cette côte avec les enfants. Sue... (Il s'interrompit et l'air sembla s'immobiliser.) Ma... hum... (Il toussa.) Ma femme... Elle a vu une annonce dans le journal, pour la maison. Tout ce qu'on avait visité jusque-là était franchement minable... pour le prix. Vous savez ce que c'est, quand on loue. Et il fallait qu'on déménage...

155

on avait besoin de... de changer d'air. » Il roula sur lui-même et resta sur le ventre, bras et jambes écartés, comme un naufragé. « Bon Dieu », dit-il, puis il se tut.

Lily se leva, descendit jusqu'à la grève. Em et Arrie, jupes relevées et coincées dans leurs culottes, jouaient à poursuivre les vagues quand elles se retiraient et à les fuir quand elles remontaient. Les pans de leurs jupes retombés pendant cette course étaient trempés, et le dessus de leurs pieds avait bleui. « Vous êtes en train de vous transformer en sirènes », leur dit Lily, mais elles continuèrent.

« Cox ! » Le cri de la serveuse lui parvint, porté par le vent puis, un instant plus tard, un second appel, exaspéré et pressant, las et obséquieux. « Famille COX ! »

Chapitre 19

Gertrude faisait partie de la commission chargée de l'exposition historique. Celle-ci devait se tenir dans la salle Gannon à l'occasion du jubilé, bien que le milieu du millénaire fût déjà dépassé depuis trois ans. L'idée était celle du révérend Leweth qui, à l'automne précédent, avait exhumé, en jardinant, le col et l'anse d'une poterie ancienne, ornée d'un visage grotesque évoquant un démon. Un expert de Lowestoft l'avait datée de 1410. Enthousiasmé par cette trouvaille, le révérend avait placardé une affiche sur la place, demandant à quiconque possédait des reliques de Steerborough de les apporter en vue d'une exposition sur l'histoire du village. Beaucoup d'objets inutiles et sans intérêt avaient été proposés, mais certains – Gertrude était chargée de les sélectionner – méritaient d'être exposés. Il y avait là une collection d'os fossilisés, parmi lesquels des os d'éléphants trouvés sur la plage, ainsi qu'un morceau de granit (alors qu'il fallait aller jusqu'à Aberdeen pour trouver cette roche). Il y avait aussi un boulet de canon en bronze datant de la bataille de Soul Bay, un journal de bord du trois-mâts le *Nina* qui s'était abîmé en mer à Darwich Bight, en 1894. En parcourant du doigt la liste des naufragés, Gertrude fut stupéfaite de lire deux fois le nom de Wynwell. Bert et Alfred Jr, noyés à moins de cinq kilomètres de chez eux. L'un d'eux devait être l'arrière-grand-père de Alf, car d'après la plaque commémorative scellée sur le mur de l'église, son grand-père comptait parmi les quatorze hommes du village morts pendant la Grande Guerre. Il y avait encore un tournebroche mécanique, un grappin de volailler et toute une collection d'ustensiles de cuisine et d'instruments aratoires vieux de plusieurs centaines d'années. Il y avait également des pièces de monnaie, découvertes pour beaucoup dans la vase de la rivière à marée basse, entre autres trois shillings remontant au règne d'Elisabeth Ière. Il y avait enfin la robe de baptême du passeur à la retraite auquel son petit-fils avait succédé et qui venait d'avoir, comme la robe elle-même, quatre-vingt-seize ans.

L'exposition devait avoir lieu à la mi-juillet, pendant un week-end suivi d'un lundi férié. Le pasteur aurait voulu qu'elle durât une semaine, mais le club de badminton, locataire de la salle Gannon le mardi et le jeudi soir, avait protesté. Gertrude, qui ne voyait aucun attrait dans ce sport, enrageait. Mais le pasteur lui avait fait remarquer que c'était grâce aux cotisations des membres de ce club que l'on pouvait acheter les journaux, le lait et le thé, et payer la femme de ménage, Betty Wynwell, qui, chaque jour, balayait et rangeait la salle avant l'arrivée des pêcheurs.

Installée devant la grande fenêtre du presbytère, Gertrude recopiait sur des étiquettes les légendes de chaque pièce. Que pouvait bien être un grappin de volailler ? se demanda-t-elle. Elle passa à la suivante. Des clous de tapissier, des aiguilles à soutacher. Un poinçon à épisser. Il y avait aussi un mystérieux objet aplati sur les bords et couvert de rouille aux reflets verts et rouges. C'était soit une sorte de filet ancien soit tout autre chose, mais il avait été donné par quelqu'un portant le même nom.

Tout en travaillant, Gertrude pensait à Alf. Ils jouaient aux osselets depuis maintenant trois semaines. Alf faisait des progrès stupéfiants, attrapait et lançait avec une remarquable adresse, mais Gertrude craignait que cela ne fût pas suffisant. Cette semaine, elle sortirait un jeu de cartes.

Elle lui apprendrait à jouer à Racing Demons. Ce jeu, qui engendrait une grande tension et obligeait, certaines fois, à taper énergiquement sur la table, lui arracherait peut-être un autre mot.

Max examina son nouveau rouleau. Un papier d'apprêt lisse, épais, qu'il était allé acheter chez le droguiste d'Eastonknoll, à bicyclette, et avait rapporté chez lui. Car il en venait secrètement à considérer cette maison comme son chez lui. Il commencerait aujourd'hui par la maison d'Alf. Il revoyait l'index du petit garçon courir le long de la rivière puis filer devant la cabane du passeur. Il se mit donc en route, son rouleau sous le bras, ses peintures sur son dos, dans un sac à bandoulière. Tout en marchant, il regardait attentivement les cabanes des pêcheurs, leurs filets empilés et emmêlés, leurs portes en planches dont certaines étaient peintes en bleu, d'autres simplement barbouillées d'un badigeon noir résistant à l'air salin. Les noms des pêcheurs figuraient sur les linteaux : Blucher, Kitner, Child, Seal, Sloper, Mop et Mabbs. Il se souvint alors de ce que Mrs Wynwell lui avait raconté à propos de sa maison : ils l'avaient démontée et transportée, morceau par morceau, dans une brouette pour la reconstruire plus à l'intérieur des terres. Max se rapprochait de l'embouchure de la rivière dans l'intention d'aller flâner sur la lande qui s'étendait en contrebas du pub, *The Ship*, lorsque son regard fut attiré par la silhouette d'une femme, les cheveux rassemblés en un lourd chignon, bras serrés autour d'elle pour la protéger du vent. Elle portait des vêtements sombres. Ses jambes gainées de bas noirs fines comme des pattes d'échassier, produisaient, sous sa jupe plissée, un effet presque comique. Elle se tourna à demi et il reconnut Elsa.

« Elsa ! » appela-t-il, sans pouvoir imaginer l'effet produit par sa voix ainsi lancée dans le vide. À sa grande surprise, comme par magie, Elsa pivota dans sa direction.

Il lui fit signe et, après un instant d'hésitation, elle leva la main et répondit à son salut. Ils restèrent un moment à se regarder de loin, sans bouger, tandis qu'entre eux, les mouettes criaient et volaient en frôlant l'eau. Soudain, comme s'ils en avaient eu l'idée en même temps, ils se mirent à marcher tous les deux vers l'embouchure de la rivière. De temps en temps, ils levaient les yeux et se voyaient de plus en plus nettement à mesure que la rivière rétrécissait. Enfin, chacun arriva sur l'un des pontons de bois entre lesquels le bac faisait la navette.

Max ne vit pas la barque tout de suite et sentit sa gorge se serrer d'inquiétude. Pourtant elle était bien là, sagement rangée le long de la berge, du côté d'Eastonknoll, avec à son bord le passeur. Celui-ci se leva pour aider Elsa à embarquer. Elle prit place au milieu, face à lui, et fut comme avalée par les larges épaules de l'homme qui se mit à ramer à contre-courant jusqu'au milieu de la rivière d'où il pouvait ensuite se laisser dériver vers la berge opposée. Max avança le long de son ponton qu'il sentit trembler sous son poids, puis sursauter légèrement et vibrer lorsque le bac l'aborda. Le passeur se pencha et prêta la main à Elsa pour qu'elle descende de la barque. Il n'avait pas vu Max, derrière lui, qui faisait de même, et pendant un instant Elsa eut les deux mains prises, ce qui compliqua pour elle la descente, au lieu de la lui faciliter.

« Merci », dit-elle en se libérant. Elle sortit son porte-monnaie pour payer et, Max, tout timide maintenant qu'ils se retrouvaient face à face, la mena jusqu'au bout du ponton où ils mirent pied à terre. Sans un mot ils longèrent la digue, remontèrent à la pointe de l'estuaire où se trouvait, en bordure du marais, un petit groupe de maisons blanches. Perchées sur leurs pilotis comme sur de longues pattes, elles ressemblaient à des cigognes, avec leurs ventres en briques maculé de vase, leurs ailes hachurées de fenêtres et de planches. Max n'avait jamais songé à les peindre. Elles ne semblaient pas faire partie du village. Mais à présent qu'il marchait vers l'extrémité de l'estuaire, sur ce sol inégal, parsemé de fenouil et de cerfeuil sauvage, qui devenait progressivement boueux, puis marécageux, puis sablonneux, il imagina sa frise uniformément blanche s'approprier peu à peu les bruns et les verts de la terre ferme.

« Je vais vous montrer ma préférée, dit Elsa, comme si les maisons étaient leur sujet de conversation depuis au moins une demi-heure. Elle avançait si près de Max qu'à chaque pas elle effleurait sa manche. Ils passèrent devant le salon de thé, devant la maison la plus fraîchement repeinte, avec sa véranda meublée d'une table et de quelques chaises, devant le chantier naval, le grenier à sel et le fumoir à harengs. Ils traversèrent Little Haven où, lui dit-elle, le pasteur venait tous les ans en villégiature. Il abandonnait le presbytère situé à l'angle de Church Lane pour s'installer ici, trois cents mètres plus bas, avec toute sa famille. Elsa s'arrêta près de la maison située le plus à l'est. Ses pilotis anciennement blancs étaient presque carrés et plus hauts que tous les autres, et sa porte d'entrée donnait sur la mer. *The Sea House*[1] lut Max et, sous cette pancarte, une autre plus petite, disait *À louer*. Quelques marches conduisaient à une véranda en bois entourée d'une balustrade dont la peinture s'écaillait, et au-dessus, il y avait une terrasse.

Elsa posa un pied sur l'escalier. Lançant un sourire à Max qui la regardait, elle monta jusqu'à la porte d'entrée pour coller son nez à la vitre. Max la vit ensuite, non sans inquiétude, tourner la poignée. Elle lui fit signe de venir, et il entra lui aussi. À l'intérieur, il y avait une longue table en bois, un vaisselier avec des tasses suspendues et, juste derrière, une échelle dressée à la verticale vers le carré de lumière d'une trappe.

---

1. La Maison mer.

« Il y a quelqu'un ? » cria Elsa. Mais ils se doutaient bien, tous les deux, qu'il n'y avait personne à l'étage, et elle décida d'y monter. Ses longs tibias fins gravirent l'échelle sous les yeux de Max. « Vite, lui dit-elle, depuis la trappe, en articulant silencieusement. C'est merveilleux. » De sa main libre, l'autre tenant toujours sa frise, Max se hissa jusqu'en haut. Elsa se tenait près d'un guéridon drapé d'une nappe. Il y avait, juste derrière elle, un lit recouvert d'un dessus-de-lit, sous lequel on devinait deux oreillers serrés l'un contre l'autre. Il paraissait si moelleux qu'il aurait suffi, d'y poser un bras pour sombrer et s'y perdre. Max sortit bien vite sur le balcon. Il ferma d'abord les yeux pour revenir en pensée sur ces lignes d'ombre tapies entre les rondeurs des oreillers, et quand il les rouvrit, il était au bord de la mer. Il n'y avait rien entre lui et l'horizon, hormis les zébrures bleues et grises de l'eau miroitante. Max aspira une longue bouffée d'air et, l'instant d'après, Elsa l'avait rejoint. Son bras, aussi gracile que sa jambe, le frôlait de si près qu'il sentit sa poitrine trembler du désir de la toucher. Il éprouva une sorte de malaise, la même douleur qui le poursuivait dans ses rêves, songea-t-il tout à coup. Il se revit un court instant au volant de cette voiture, parcourant des ruelles à la recherche de la maison parfaite. Max posa son regard là où finissait la mer et où commençait le ciel, sur cette ligne ténue, cette ombre aussi mince que le fil du rasoir qui s'épaississait imperceptiblement avant que les deux bleus ne se séparent ; au-delà, la mer roulait loin d'eux, en direction de l'autre grande masse de terre. Les jours comme celui-là, on voyait très clairement que la Terre était ronde. On pouvait suivre la courbe de sa surface et... juste au moment où il espérait qu'elle allait le faire, où il en rêvait, Elsa lui étreignit le bras. Il se tourna vers elle.

« La porte ! dit-elle. Quelqu'un vient d'entrer. » Elle fit volte-face et scruta l'intérieur de la pièce, comme si elle cherchait un endroit où ils pourraient se cacher, le lit, l'armoire, puis elle se ressaisit et lui lâcha le bras. « Je ferais peut-être mieux de redescendre. » Elle secoua la tête, amusée par sa propre panique et rapidement, les pieds en premier, disparut du champ de vision de Max. Lui attendit en haut de la trappe, de peur de lui marcher sur les mains. Quand il ne la vit plus, il commença à descendre, échelon par échelon. Arrivé en bas, il regarda autour de lui mais il n'y avait personne d'autre qu'Elsa, debout sur le seuil. « Ce n'était que le vent », dit-elle, en lui tendant la main pour l'inviter à sortir.

La sensation de la main d'Elsa posée sur lui était toujours là. Pénible, quand Max y pensait, un spasme, une douleur fugace, qu'il refusait pourtant de laisser échapper. Chaque fois qu'il se repassait la scène, il avait un serrement au ventre, et l'air, autour de lui, se mettait à chatoyer au moment où les doigts d'Elsa se fondaient dans les siens. Sa main était toute légère, les os affleuraient presque à la surface, mais la paume était comme chargée d'espoir. Assis face à la Maison mer, Max esquissait ses contours. Tant de pensées se bousculaient dans sa tête qu'il en était presque aveuglé. Deux fois il dessina la cheminée en zinc et deux fois il dut la gommer. Agacé, il appuya si fort sur son crayon que la mine se cassa. Des mouettes tournoyaient au-dessus de lui, cou tendu vers le large. Comme ça devait être doux d'avoir le droit de toucher cette épaule chaque fois qu'on en avait envie. Klaus, songea-t-il, mais il le chassa aussitôt de ses pensées. Elsa lui avait dit qu'il serait à Londres jusqu'à la fin de la semaine. Max traça d'un seul coup une volée de traits gras : l'escalier, la balustrade, la porte.

Chapitre 20

Pendant quelques jours, Lily évita Grae. Elle détournait la tête chaque fois qu'il passait devant sa fenêtre, faisant mine d'être absorbée par son travail, et ensuite, une heure durant, son esprit vagabondait, elle s'interrogeait : et s'il avait jeté un coup d'œil à l'intérieur, s'il lui avait souri ? Il n'avait rencontré alors que son profil de marbre. Au prix d'un énorme effort, elle revint à ses lettres.

Mon El,

Je me suis réveillé en sursaut, ce matin, très inquiet pour toi. Mais j'ai assez vite retrouvé mon calme. Il était bien trop tôt pour qu'il ait pu se passer quoi que ce soit. Il a neigé ici, abondamment, et les branches que je vois de ma fenêtre ont pris des formes fantasmagoriques. Je t'en supplie, ne laisse personne te convaincre de renoncer à venir me voir ici. Pour ce qui est du conseil du médecin – pardon, mais je ne peux taire ceci –, je pense qu'il a complètement TORT. Voilà plus d'un mois que tu as perdu le bébé... et tu es jeune et en pleine santé. Quant à la crainte d'une infection pulmonaire ici, à la montagne, elle est tout aussi ridicule. Si tu avais dû en attraper une, c'est avec moi que tu l'aurais contractée. Vraiment ! Je ne cesse de me demander si ta mère n'a pas dit deux mots à ce médecin pour qu'il se range à son avis. Je comprends bien qu'elle veuille te garder auprès d'elle à Hambourg, mais moi j'ai besoin de toi, ici. J'ai travaillé d'arrache-pied, et les premiers plans du sanatorium sont presque finis. Tu pourras vérifier par toi-même quand tu viendras me tenir compagnie. Aujourd'hui, j'ai visité la pièce où nous habiterons. Je joins un plan, afin que tu te sentes encore plus chez toi, dès ton arrivée. Comme tu peux le constater, en t'asseyant dans le lit, tu auras vue sur les montagnes, où la neige aura déjà un peu fondu. Alors, promets-moi de garder toutes tes forces pour le voyage. Je préférerais que tu n'ailles pas à la soirée de Gerda, mais si tu l'estimes indispensable, alors ne danse pas. Ça pourrait être dangereux.

Veux-tu bien, s'il te plaît, m'apporter un flacon de fixatif et un chalumeau, ainsi que le livre d'Einstein sur la théorie de la relativité ? Porte-toi bien, ton K.

Lily déplia le plan. La pièce, spacieuse, était prolongée par une annexe vitrée sur trois côtés. Il y avait là un bureau sur lequel trônait une esquisse du portrait d'Elsa dessinée par Klaus. Comme annoncé, le lit faisait face à la fenêtre. On y voyait deux personnages filiformes enlacés, Klaus et Elsa.

Lily attrapa la lettre suivante.

Merci pour le fixatif et le chalumeau, mais où est le livre d'Einstein, et, surtout, où es-tu, TOI ? Je vais écrire à ta mère et insister pour qu'elle te laisse venir. Il faut que tu commences, toi aussi, à lui faire comprendre qu'un jour nous partirons pour de bon. Tu sais que j'ai raison de dire cela, n'est-ce pas ? Suis-je donc le seul à avoir pris la peine de lire Mein Kampf, en dehors, bien sûr, des Semmel et des Liebnitz, qui sont déjà partis ? Quoi qu'il en soit, tu devrais convaincre ta mère de partir aussi. Elle pourrait venir chez nous quand nous serons installés et nous aider à tenir la grande maison pleine de vie qui sera la nôtre. Hier midi, je me suis retrouvé à table avec une femme qui ne parlait que de son amour de la patrie. J'ai failli plusieurs fois avaler de travers. Et elle qui me regardait, attendant un signe d'approbation ! J'avais un début de migraine qui me rendait encore plus susceptible que d'habitude, mais plus tard, comme si le ciel voulait me récompenser d'avoir réussi à tenir ma langue, j'ai rencontré un architecte du nom de Hermann qui a déjà tout organisé pour partir s'installer à Londres. Il pourra peut-être nous conseiller et nous servir de contact, si nous décidons d'y aller à notre tour. Et puis, mais tu n'es pas obligée de le dire au photographe, je ne suis pas du tout content des photos de l'appartement qu'il m'a envoyées. D'abord il a changé les meubles de place, or, de même que l'on ne modifie rien sur une personne dont on veut faire le portrait, on ne change pas l'agencement d'une pièce. Ces photos ne montrent rien de tout ce qui, dans la réalité, est flatté par la lumière. Heureusement qu'il ne t'a pas photographiée, toi, sinon il serait passé à côté de tous les détails importants de ta personne. Enfin, une fois encore, je te supplie d'être raisonnable et de ne pas danser quand tu vas à un bal. Ne va pas non plus au cinéma, ni en promenade. J'ai trop peur que tu attrapes un rhume. Je préférerais que tu fasses la grasse matinée, le dimanche. Attends un peu de voir tout ce que j'ai prévu de faire avec toi... des choses terribles ! Porte-toi bien, mon amour, et ne m'oublie pas. Tout à toi, L.

Elsa avait dû aller le voir, car il n'y eut plus de lettres pendant plusieurs mois. Quand la correspondance reprit, dans le courant de l'été 1933, Klaus se trouvait à Londres. Lily pensa écrire à Nick pour le supplier de ne pas travailler trop dur, lui conseiller d'aller ou de ne pas aller au cinéma, au lieu de quoi elle se retrouva en train de gribouiller au stylo un mur de briques miniature. Qu'attendait-elle de lui, au fond ? Et lui d'elle ? Elle se prit à envier Elsa et Klaus dont les vies étaient si étroitement imbriquées. Les hommes qu'elle avait connus ne semblaient pas éprouver ce besoin de fusion totale avec les femmes qu'ils aimaient. Ils ne tenaient pas non plus à se marier, et n'envisageaient pas nécessairement d'avoir des enfants, c'était donc aux femmes de tout vouloir, de nourrir désirs et envies, d'aller de l'avant.

Dès le début de sa rencontre avec Nick, elle s'était très vite imaginée vivre avec lui. Dans ses visions de l'avenir figuraient des avions, des bateaux, des voyages, une maison et la nébuleuse perspective des bébés à naître, mais Nick avait banni tout cela en refusant de faire des projets au-delà d'un mois. Quatre ans plus tard, elle se rendait compte qu'il avait peut-être raison. Ses espoirs s'évanouissaient comme autant de mirages et elle le voyait pour la première fois sous son vrai jour.

Cher Nick, écrivit-elle étourdie par l'angoisse, comme si elle venait, à l'instant même, de perdre confiance. *Tu me manques. Je suis désolée...* Il fallait rayer « désolée » ou bien admettre qu'il ne lui avait jamais vraiment manqué jusque-là. *Je crois que je n'étais pas très heureuse, à Londres,* essaya-t-elle d'expliquer. De quoi était faite sa vie là-bas ? Aller docilement en cours à la fac, se documenter, recracher des informations, dans un univers de colonnes, de constructions en verre, de cours d'immeubles, de gares, de monuments, de tuyauteries. *Je ne veux pas dire tout le temps, bien sûr...* Née à Londres, elle n'en était pratiquement jamais sortie en vingt-sept ans ; elle se revoyait assise sur ce pilier de plâtre ébréché, devant la maison de son enfance, dans l'ouest de Londres. C'est là qu'elle s'installait, en revenant de l'école, pour regarder les gens épuisés par leur journée de travail, qui tournaient le coin de l'avenue pour bifurquer dans sa rue. Au bout d'un moment, elle voyait arriver la plus lasse de toutes ces silhouettes, sa mère, tenant des sacs de provisions à bout de bras, et ayant toujours un bas filé. Londres, c'était pour elle ce pilier tout effrité, chauffé au soleil, le goût du bâton de réglisse et le petit pétillement qui se produisait quand elle le replongeait dans la poudre acidulée.

L'escalier de la maison, assez large, se rétrécissait en descendant vers l'entresol : encore un monde de tuyaux et de canalisations. Et en suivant sa mère jusqu'à la porte de chez elles, Lily happait au passage l'odeur enivrante des groseilliers véhiculée par le courant d'air. Dans l'appartement sombre et humide flottait toujours une légère odeur de gaz, ou plutôt d'herbe et d'urine mélangées, une odeur dont on n'avait jamais pu identifier l'origine. Mais derrière, il y avait le jardin, une jungle qui dégringolait jusqu'à la voie ferrée. Lily aimait beaucoup ce jardin et la majestueuse tête de lion, sur les trains, et elle était fière du grand pied de rhubarbe qui vous arrivait à la taille et vous chatouillait de ses tiges velues quand vous veniez en cueillir. Sous ses feuilles, des capucines se frayaient tant bien que mal un chemin vers la lumière en allongeant leurs tentacules démesurés et en s'arc-boutant sur leurs coudes minuscules, jusqu'à ce qu'un beau matin, l'on vît apparaître une couvée de fleurs orange.

Lily connaissait cette rue comme sa poche, c'était son fief, le trottoir lui appartenait, de même que l'épicerie du coin dont elle essaya de retrouver l'odeur, un mélange de poussière et d'épices. Elle se souvenait bien du paillasson en caoutchouc moelleux sur lequel on marchait, passée la porte. Mais dès son entrée à l'université, sa mère avait déménagé. Elle avait trouvé un appartement clair et ensoleillé au dernier étage d'un immeuble de Kilburn, sans humidité, sans jardin, sans rien qui eût, pour Lily, l'odeur de « la maison ». Elle avait été indiciblement choquée par ce déménagement, persuadée que sa mère et elle vivaient là, dans ce sinistre entresol, parce qu'elles n'avaient pas d'autre endroit où aller.

« Lily, LILY ! » Un poing frappait à sa fenêtre. C'était Emerald, et Arrie collée à sa sœur. Lily se leva pour leur ouvrir.

« Maman est revenue ! » s'écria Em, tout sourire. En effet, Lily aperçut, serrée contre la voiture de Grae, et dépassant presque jusqu'au milieu de l'allée, la grande Volvo poussiéreuse qui était là le jour de son arrivée.

« C'est super ! »

Elle allait tourner les talons pour rentrer, mais les fillettes la suivirent et grimpèrent sur le canapé lorsqu'elle s'y assit. Il était juste à leur taille. Elles restèrent d'abord assises là, bien droites, comme deux vieux messieurs, et une minute plus tard, Arrie alla allumer la télévision.

« Votre maman ne va pas... Vous devriez peut-être...? » risqua Lily. Mais les fillettes s'étaient laissées accaparer par un dessin animé dont le son écorchait les oreilles, et Lily comprit qu'il lui faudrait se planter entre l'écran et elles pour avoir quelque chance d'attirer leur attention.

Mon El chérie, lut-elle, sans pouvoir vraiment s'abstraire de cet horrible fond sonore. Il s'agissait, curieusement, d'une lettre dactylographiée. Le texte était mal présenté, trop dense ; les lettres grises, pâteuses ressortaient sur l'envers, et les mots qui, bien sûr, n'avaient rien d'officiel mais gardaient leur intimité coutumière, paraissaient avoir été tapés au prix d'un tel effort que l'on y sentait le poids du pouce et de l'index de Lehmann. *Voici comment se déroulent mes journées ici. Tous les matins, j'ai mon cours d'anglais, après quoi je parcours Londres en tous sens pour honorer un maximum de rendez-vous. Hier, j'ai eu une vraie journée de travail. Je suis allé visiter la rétrospective d'architecture, et j'ai bien fait. À ce propos, je te demanderai de m'envoyer d'urgence des photos des chambres d'enfant que j'ai dessinées pour les Bermann. Celle qui est exposée ici est hideuse, et je suis certain que les gens seraient intéressés par quelque chose de mieux conçu. Et je t'en prie, mon El, ne prends pas tout ce que je te dis en mauvaise part. Je veux seulement te rappeler certaines choses importantes. Cet après-midi, j'ai reçu deux Anglaises venues discuter d'un nouveau projet de sanatorium qui requiert la plus grande discrétion. Pour répondre à ta question sur les dames d'ici, dans laquelle j'ai cru déceler une certaine jalousie, j'avoue être assez inquiet de l'indifférence que je leur inspire. Il m'arrive, quant à moi, de voir de belles apparitions magnifiquement habillées, mais il me semble qu'elles n'ont pas d'âme Par conséquent aucune d'elles n'a jamais représenté le moindre danger, sois tranquille. Surtout ne te languis pas trop de moi, je serai bientôt à tes côtés, et ne t'inquiète pas si tu ne reçois pas une lettre de moi*

170

chaque jour. Je suis touché de constater qu'elles te sont si nécessaires. De tout mon cœur, L.

Désormais, toutes les lettres étaient dactylographiées, et Lily s'aperçut que la noblesse de l'écriture, les boucles et les volutes à l'encre noire lui manquaient. Habituée à faire un effort pour décrypter les mots écrits trop hâtivement, elle se trouvait désormais privée de la satisfaction d'être parvenue à déchiffrer quelque chose qu'elle avait cru, de prime abord, totalement illisible.

Chère Elsa,

Je suis bien content que tu aies finalement décidé de ne pas aller à Hiddensee. Si tu as envie d'aventure, patience, tu en auras bientôt. Pensant que tu étais en route pour Vitte, je t'ai écrit là-bas, mais cette lettre ne contenait rien d'important, juste un menu : côtes de porc, pommes de terre sautées, gâteau de riz et pain beurré, pour te montrer comme je me nourris bien. La nuit dernière, j'ai rêvé que je pilotais le bac de Stralsund à Hiddensee. Le passeur, le vieux Kolwitz, m'avait laissé prendre le gouvernail, et j'étais tout heureux, nez au vent, au milieu du chenal, aspergé par les embruns de cette mer glaciale. Cela m'a réveillé et je me suis aperçu que ma couverture avait glissé et que je me trouvais en réalité dans une chambre non chauffée, en Angleterre. Je ne peux pas encore songer sérieusement à rentrer : tant que j'ai du travail ici, je dois y rester. En attendant, porte-toi bien, et fais en sorte que ta vie soit aussi agréable et active que possible. Bien à toi, L.

Les petites filles avaient tiré le canapé pour jouer derrière, à l'épicière. Au moment où Lily se demandait pourquoi elles restaient là, alors que leur mère était à côté, elle entendit celle-ci hurler. Sa voix avait traversé la cloison et couvrait presque le ronron de la publicité : « NON, il n'en est pas question ! » Lily s'immobilisa, les yeux rivés sur Em. De sous le plaid dont elles avaient fait le toit de leur cabane, Em la regardait aussi. « Va t'en ! » Il y eut un cri, suivit d'un bruit de casse et d'une sonnerie qui ressemblait à celle du téléphone.

Em disparut. « Arrie, demanda-t-elle, imperturbable, est-ce que tu vends des petits pois surgelés ? » Après un silence, Arrie répondit d'un ton solennel : « Ça fera vingt livres. »

Lily alla éteindre la télévision. Ce qu'elle regretta aussitôt. À présent, elle entendait Grae marmonner de sa voix grave que les cris de sa femme couvraient presque. « Jamais ! Tu m'entends, jamais ! » Il y eut ensuite un bruit de lutte et celui de quelque chose que l'on traîne, comme une chaise. Juste au moment où Lily allait rallumer la télévision, Em jeta un coup d'œil par-dessus le dosseret du canapé. Elle fixait Lily, les lèvres tremblantes, et Arrie, sans se montrer, se mit à pleurer.

« Arrie... » Lily avança vers elle, à quatre pattes, soulagée d'avoir quelque chose à faire. « Sors de là, viens me voir. Allez. » On aurait dit qu'elle appelait un chat. Finalement les deux fillettes vinrent se blottir sur ses genoux.

Lily les aida à mettre leurs chaussures, boucles et lacets, sachant pourtant qu'elles pouvaient le faire elles-mêmes. Arrie, tête basse, s'essuyait régulièrement le nez d'un revers de manche, et Em l'observait de cette façon étrange et distante qu'ont les enfants de regarder un des leurs quand il a du chagrin. Lily leur tint la porte et elles sortirent toutes les trois. Il tombait une petite bruine tiède qui n'avait pas découragé Ethel : elle arrivait chez elle, en peignoir de bain, les pointes de cheveux mouillées et le visage luisant.

« Le temps rêvé pour une baignade ! » lança-t-elle à Lily, mais celle-ci suivait Em et Arrie qui avaient déjà bifurqué vers la Pelouse. Descendre l'allée, longer la rivière, traverser les roseaux. Elles marchèrent en file indienne sur les planches décolorées, au milieu du carex qui bruissait dans le vent, entre les flaques transparentes ridées par la pluie. La mer s'étendait là, sous leurs yeux.

172

Une large bande d'eau grise, si haute, si spacieuse qu'elle s'enroulait, sur trois côtés, pour monter à la rencontre du ciel. Lily dut s'arrêter pour admirer le spectacle et en ressentir l'effet sur les muscles de ses yeux. Elle se demanda si l'on pouvait s'habituer à voir l'horizon quand on a passé toute une vie à ne pas voir à trois pas.

« Vous venez ? » dit Em. Elle avait quitté le sentier et peinait à gravir un large chemin tapissé d'herbe. Arrie courut pour la rattraper, mais Lily, elle, voulait continuer à contempler la mer. Au-dessus du brouillard venu du large qui roulait sur les dunes de sable, le gris virait au blanc. Quand Lily se retourna, les fillettes avaient disparu.

« Em ? » Elle partit dans la direction qu'elles avaient prise. « Arrie ? » De part et d'autre de ce chemin herbeux, se dressaient de grands ajoncs, des rochers creusés de grottes et des mamelons d'un vert de plus en plus soutenu. Elle avançait lentement en scrutant les alentours, car elle s'attendait à ce que les fillettes lui sautent dessus et voulait se préparer au choc. Mais toujours rien. Lily alla même jusqu'à fouiller du regard les petits ruisseaux dégringolant vers des mares d'eau noire et stagnante, occupées par des arbres qui se trouvaient fort bien d'être ainsi submergés. Où étaient-elles ? Lily se retourna et distingua une trouée dans les buissons : un sentier. En le suivant, elle se retrouva en haut d'une volée de marches, celles d'un ancien bunker, une carapace de béton à demi enfouie, dont les coins tout effrités semblaient avoir été grignotés par des souris. Posant le pied sur la première marche elle héla Em et Arrie. Sa voix fut comme aplatie par les murs.

« Une minute, cria Em, on arrive ! » Son ton ne l'invitait pas du tout à entrer, aussi Lily fit-elle le tour du bunker et se hissa-t-elle sur la pointe des pieds pour lorgner à l'intérieur par les fentes rectangulaires dont les bords s'évasaient vers la mer. Elle aperçut, juste au-dessous d'elle, les silhouettes d'Em et Arrie blotties l'une contre

173

l'autre autour d'une sorte d'autel. Elle se déplaça le plus silencieusement possible pour avoir une vue de côté : les deux fillettes y disposaient des biscuits provenant d'un paquet que Lily avait vu chez elle peu de temps auparavant.

« On arrive », lança Em en se tournant vers l'escalier. Et comme elles s'éloignaient, Lily vit ce vers quoi elles étaient penchées : un lit fait de sacs poubelle froissés mis bout à bout, avec, à une extrémité, un traversin, en plastique noir, lui aussi. Il était bourré de vêtements qui se répandaient sur le sol gris et humide, et dessus, étaient posés quatre sablés aux amandes.

« Lily ? » Les fillettes faisaient le tour du bunker à sa recherche « On va où, maintenant ? » Avant que Lily ait pu leur demander ce qu'elles étaient en train de faire, si ce n'était pas dangereux, elles gambadaient déjà sur un chemin envahi d'herbes folles qui menait tout droit au moulin. Lily leur courut après. La pluie, qui s'était mise à tomber plus vite et à l'oblique, cinglait si fort son visage qu'elle ne voyait plus grand-chose. Quand elle les rattrapa, elles étaient arrêtées, tête à la renverse et langue tirée pour laper des gouttes de pluie.

Lily leva à son tour le visage vers le ciel où retentit juste à ce moment un fracas pareil à celui du métal que l'on gauchit, aussitôt suivi d'une pluie de hallebardes. Vu le vacarme qu'elle faisait, l'énorme masse de nuages gris d'où elle tombait et les gouttes grosses comme des pendentifs qui rebondissaient par terre, il paraissait vain de chercher à s'abriter. Elles se précipitèrent donc hors du moulin, bras et jambes ruisselants.

Elles se mirent à courir en tous sens en hurlant comme des guerriers sioux, et Lily les suivit, à moitié aveuglée et, sans savoir pourquoi, ivre de bonheur. Tout à coup, aussi soudainement qu'elle était venue, la pluie cessa. De petites trouées de bleu apparurent et un rayon de soleil vint balayer le gris. Elles s'arrêtèrent dans le virage des dunes pour s'ébrouer, essorer leurs cheveux, essuyer l'eau de leur visage du revers de la main.

« Il va y avoir un arc-en-ciel », dit Arrie, et toutes trois regardèrent dans la direction d'Eastonknoll, où, comme si elles en avaient fait le vœu, un arc multicolore se forma sous leurs yeux, s'intensifiant, s'élargissant jusqu'à enjamber l'estuaire, un pied posé près de la cabane du passeur, l'autre trempant dans la mer.

Elles se mirent pieds nus et rebroussèrent chemin sans quitter des yeux l'arc-en-ciel qui promettait de les conduire jusqu'au chaudron d'or. Parvenues sur le parking, elles s'immobilisèrent juste devant la maison en bois, pour mieux voir les couleurs de l'arc-en-ciel qui commençaient à pâlir. Leurs vêtements fumaient sous le soleil, tant ils étaient détrempés, aussi prirent-elles le chemin le plus court pour rentrer. À peine arrivée sur la Pelouse, Lily constata que la Volvo n'était plus là. Il ne restait, dans l'allée, que les deux Renault garées côte à côte. Em et Arrie partirent en courant. Lily les suivit des yeux, attendit qu'elles aient franchi la porte de leur maison ; alors seulement elle reprit sa marche, tête baissée. Elle s'était promis de ne pas regarder par la fenêtre, mais au dernier moment elle n'avait pu résister. Le choc la força à détourner aussitôt la tête. La pièce principale était sens dessus dessous. La table renversée, le sol jonché de livres et de jouets, et à ce moment, elle avait vu Grae : une balafre lui barrait le visage.

Lily ferma sa porte à clef et s'y adossa de toutes ses forces. Elle avait croisé le regard de Grae au moment où il levait les yeux pour accueillir les petites, pour leur sourire, leur montrer que ce n'était qu'une égratignure ; la voyant regarder chez lui juste à cet instant, il l'avait prévenue, avec une férocité glaçante, de n'entrer sous aucun prétexte.

Chapitre 21

Max commença à rêver de la Maison mer. Parfois il grimpait seul l'échelle verticale et s'absorbait dans la contemplation de l'eau qui l'entourait de toutes parts, mais le plus souvent il s'y trouvait non pas, comme c'eût été son vœu, en compagnie d'Elsa, mais avec Gertrude. Il lui tenait la main et sentait la chaleur du désir irradier tout son bras. Il se promenait dans la maison avec elle, serrait sa grosse main quand ils admiraient la vue, puis ils se laissaient choir sur le lit moelleux. Les bras de Gertrude étaient plus longs que les siens, son chignon se défaisait et ses cheveux couleur laine d'acier tombaient en cascade sur ses reins. Il lui arrivait de se réveiller, trempé de sueur refroidie, et d'essayer encore, d'essayer de retrouver Elsa dans son sommeil.

Cette nuit-là, au lieu de la chercher, il fabriquait un petit buffet en coquillages avec de minuscules casiers garnis de criste-marine, des poignées en algues et des tiroirs en nacre. Regarde, s'écriait-il en reculant d'un pas pour admirer son œuvre, mais c'était Helga qui le prenait par la main. Helga dans sa robe verte, le jour de leurs fiançailles. Ils avaient choisi le 21 juin pour organiser une fête en plein air ; sa mère et celle de Helga avaient fait chacune une soupe à l'anguille. On faisait cuire les morceaux de chair grise au court-bouillon avec de l'oignon et de la farine. Max revoyait les petits tronçons de squelette flottant dans une eau translucide, l'arête centrale articulée et les nageoires déployées, il se souvenait même du va-et-vient de ses mâchoires chaque fois qu'il en mastiquait une bouchée. Il y avait aussi du saumon, pêché et fumé par le père de Helga, qui avait la teinte orange et la douceur de la gelée, et de petits pains ronds aux graines de tournesol, croustillants à l'extérieur, encore tièdes au dedans. Il y avait des saladiers de pickles, choux, carottes et haricots verts, et comme boisson, de la bière d'abord, puis de petits verres de liqueur à la crème. Ils avaient emporté ce festin dans leur jardin commun, derrière la maison, le long de l'allée, au-delà du sentier et jusqu'à la plage. Le frère de Helga avait fait le tour du quartier pour emprunter des chaises de plage en osier sur lesquelles on tenait à deux, et après le repas, Helga avait saisi entre ses mains le visage de Max et, le regardant droit dans les yeux, lui avait dit qu'elle l'aimait. Elle exhalait encore une vague odeur d'oignon frit.

Parfois, Max passait toute la nuit à gravir cette échelle : ses mains s'enroulaient autour de chaque barreau, sa tête arrivait presque au plafond, mais il n'atteignait jamais le premier étage. « Amour, j'aime, ich liebe l'amour... » Il entendait ces mots plumetés comme des échardes, et c'était Elsa qui les murmurait et attendait de le voir apparaître.

Désormais, il retrouvait Elsa tous les jours. Elle venait s'asseoir près de lui lorsqu'il peignait – la Maison mer d'abord puis, la flottille de maisonnettes dispersées au bord du marais. Elle ne parlait pas de Klaus, mais Max savait par Gertrude qu'il y avait eu des problèmes avec sa bibliothèque : son projet risquait d'être écarté au profit de celui d'un autre architecte. En attendant, il dessinait les plans d'une terrasse pour une dame de Pimlico qui voulait que ses chiens puissent sortir sans avoir à descendre deux étages pour aller dans la rue. « Quel déshonneur pour un homme d'un tel talent ! » s'était exclamée Gertrude.

Elsa observa Max qui remplissait sa frise de blanc. Bois blanc, nuage blanc, et dunes de sable blanc ondulant entre les deux. Il avait fini le salon de thé, avec les silhouettes des clients, les vagues du panneau, les jardinières de géraniums. Il hésitait maintenant à aller s'installer en haut de l'escalier du pub pour peindre la cabane où Mrs Wynwell habitait avec Alf. C'est alors qu'une voiture passa lentement, cherchant son chemin dans la vase et les galets, et s'arrêta devant les marches de la Maison mer.

Une femme en descendit, qui portait un bébé dans les bras et tenait par la main un enfant tout juste en âge de marcher. Puis, le conducteur descendit à son tour et s'étira. Une autre femme, plus âgée, ouvrait la porte d'entrée, tandis que des enfants jaillissaient de l'arrière de la voiture, comme des diables d'une boîte. Max se dirigea vers eux. L'un des enfants jubilait, parce qu'il venait de découvrir un filet à anguilles entre les pilotis, et un autre, il le voyait à travers la vitre de la porte, s'empressait de grimper au premier où il allait probablement sauter à pieds joints sur le lit, avec ses bottes.

La femme s'affairait à l'intérieur, déballait des paniers de victuailles, prenait sur le buffet des tasses sur lesquelles elle passait son index pour juger de leur propreté. Au-dessus de Max, sur la terrasse, la jeune femme apparut avec son bébé blotti contre son épaule, s'immobilisa, embrassa la mer du regard.

« Non ! voulut-il lui crier. C'est ma maison. » En effet, c'était sa maison. Il ne s'en était pas encore rendu compte. « Elsa, appela-t-il, désespéré, oubliant qu'elle était partie. Elsa ! » Alors seulement il s'aperçut que les visiteurs lui jetaient des regards inquiets.

Cette nuit-là, il ne dormit pas. Allongé sur son lit, dans le silence de sa chambre, il pensait à Kaethe. Non pas à Kaethe moribonde, il évitait autant que possible ces souvenirs-là, mais aux années d'avant, à la sœur qu'elle avait été pour lui. Véhémente et hautaine, intelligente, forte, toujours prête à voler à son secours, l'installant dans un appartement, lui écrivant chaque semaine quand il était en camp d'internement. Mais il avait beau essayer à toute force de la retenir, elle s'atrophiait dans ses bras. Flétrie, le teint jaune, écœurée par sa propre fétidité, elle avait mis onze mois à mourir. Son visage avait pris l'aspect d'un papier d'argent fripé, ses cheveux étaient rêches, son poignet réduit à un nœud d'os. Max l'avait surprise une fois en train de se regarder dans un miroir ovale qu'elle avait subrepticement caché sous les draps, et il savait que, comme lui, elle pensait à leur mère, à ses derniers jours dans un dortoir de Buchenwald, fiévreuse, exhalant une odeur nauséabonde, sans personne pour la soigner ni la prendre dans ses bras, sans personne même qui se souciât de connaître son nom.

« Nous n'avions pas le droit, lui avait dit Kaethe en sanglotant. De manger, de rire, d'oublier, fût-ce une minute. » Elle avait tendu la main pour saisir avec force le bras de Max. « Oublie ce que je viens de dire. Promets-moi. »

Max alluma la lumière. Il se regarda dans le miroir accroché au mur. Non, il ne ressemblait pas à son père. Ce dernier avait les cheveux plus bruns, le visage plus large, il était plus beau que lui. Mais ils avaient tous les deux les sourcils broussailleux, les yeux noirs et le teint pâle. Et, bien sûr, avec ses chaussures aux épaisses semelles de cuir rigide, son père paraissait étrangement grand.

Ces chaussures, c'était le gouvernement qui les fournissait à Jos Meyer, à raison d'une paire par an, qu'il eût ou non besoin d'en changer. *Pour les blessures subies à la bataille de Loos. Une paire de chaussures, coloris noir, pointure 42.* Jos Meyer, vétéran de la guerre, décoré pour sa bravoure, converti au catholicisme. Au début, les héros de la guerre avaient bénéficié d'un traitement de faveur. Jos avait eu l'autorisation de continuer à exercer son métier d'avocat, alors que beaucoup d'autres s'étaient vu supprimer leur licence, et les Meyer avaient pu demeurer à Heiderose sans être inquiétés. « Émigrer ? Pour quoi faire ? » Ils en avaient discuté. « Nous vivons plutôt bien ici. Partir sans rien, sans promesse de travail, sans perspectives d'avenir... » Ils avaient regardé Max, alors âgé de vingt-quatre ans déjà. Et celui-ci avait compris que ses parents se demandaient ce qu'il adviendrait de lui, leur fils infirme. Kaethe était partie à Londres où elle partageait un appartement avec une jeune infirmière, Gertrude Jilks ; elle leur écrivait régulièrement, racontait son travail d'enseignante qui la passionnait.

Et puis une nuit, Jos disparut. Ayant dû rester travailler à Hambourg jusqu'à une heure tardive, il avait promis de rentrer tôt le lendemain matin, mais lorsque la mère de Max l'avait appelé pour lui souhaiter bonne nuit, personne n'avait répondu. Elle avait réessayé à minuit, à trois heures du matin, à l'aube, et c'est alors que sa cousine Marie lui avait téléphoné pour lui annoncer l'arrestation de son mari, qui travaillait à la banque.

« Que faut-il faire ? Pouvons-nous seulement faire quelque chose ? »

Sa mère était au désespoir. D'autres épouses, d'autres parentes appelaient pour signaler l'arrestation de leur mari, et sa panique grandissait à chaque coup de téléphone. Elle répétait inlassablement les arguments que Jos et elle invoquaient pour rester, maudissant ceux qui les avaient bernés en rendant leur vie juste assez supportable pour qu'ils renoncent à partir. Cette nuit-là, dans tout Hambourg, des magasins juifs furent saccagés et pillés, des synagogues incendiées, et nul ne savait quand on reverrait ceux qui avaient été arrêtés.

Le lendemain soir, pourtant, Jos réapparut. « Ça va. » Il peinait un peu à marcher sur ses semelles compensées, son visage et son cou paraissaient gris sous sa barbe de plusieurs jours. « Tout va bien. » Il dormit un peu, mangea, mais ne prononça par un mot. « Non. » Il secoua la tête, regarda autour de lui avec anxiété et alla poser un gros coussin sur le téléphone, comme si le combiné avait des oreilles. Plus tard, il descendit au sous-sol où Max le regarda choisir des planches pour fabriquer une boîte. Il scia, rabota, affina ses coupes au ciseau à bois et à la scie à chantourner, ponça les rainures au papier de verre jusqu'à ce qu'enfin il eût obtenu une caisse.

« Tu va partir le premier », dit-il à son fils en rangeant dans la caisse les pieds et les deux abattants bien cirés de la table que Max avait fabriquée. « Attends », reprit-il en lui posant la main sur le bras. Il revint avec le Renoir qui était accroché au-dessus de la cheminée du salon, le dégagea de son cadre, ôta soigneusement les clous de tapissier, et une fois que la toile fut bien aplatie, hormis les coins qui rebiquaient, il la glissa entre le plateau de la table et son unique tiroir. Elle y trouva juste sa place et y resta coincée, au-dessus des lettres de Henry. « Kaethe s'occupera de toi en attendant que nous allions vous rejoindre. »

Deux ans plus tard, dans un camp d'internement sur l'île de Man, Max rencontra un certain M. Guttfeld, qui lui demanda s'il était de la famille de l'avocat Joseph Meyer.

« Oui. » Son sang se glaça. « Je suis son fils.

– Nous avons été arrêtés ensemble en novembre 1938 », poursuivit l'homme. Et il lui raconta cette fameuse nuit. Il dormait dans son appartement des Esplanades, quand il avait été réveillé en sursaut par des coups frappés à sa porte. « Ouvrez ! » Tout d'abord, les soldats lui avaient demandé poliment ses papiers et l'avaient observé tandis qu'il les dépliait pour les leur montrer, puis subitement ils l'avaient empoigné et l'avaient traîné de force jusqu'au au rez-de-chaussée. On le jeta dans un camion. Il faisait nuit, mais il distinguait les autres, couchés par terre, là où ils étaient tombés. Il parvint tant bien que mal à se relever pour aller au fond du camion, avant que vingt ou peut-être quarante autres hommes ne fussent embarqués à leur tour. Certains, en trébuchant sur le rebord métallique, tombaient et faisaient tomber ceux qui arrivaient derrière. Le camion sortit enfin de la ville, plein à craquer de gens blessés, geignants et incapables de se relever tant ils étaient tassés. Il était presque une heure du matin quand le camion s'arrêta.

« SORTEZ ! » Tout le monde commença à bouger. « DEHORS, ET PLUS VITE QUE ÇA ! » hurlaient les soldats tout en les tirant par les jambes ou les cheveux et en les frappant, jusqu'à ce qu'à grand-peine, ils se lèvent. Guttfeld se tenait debout au fond, et c'est à ce moment qu'il avait vu et reconnu Joseph Meyer, l'avocat qui avait gagné une importante affaire pour son cousin, propriétaire d'une usine de textiles. Il lui prit le bras, ils sautèrent ensemble du camion et atterrirent par terre, sur leurs deux jambes, cette fois. On les conduisit, sous la contrainte, dans une forêt, pour une interminable marche forcée. Ils parcoururent au moins dix kilomètres. « Ensuite, j'ai perdu de vue votre père, dit Guttfeld, mais lorsque, enfin, on nous a ordonné de nous arrêter, il était à côté de moi dans le rang. »

Ils se trouvaient dans une clairière, entourés de grands pins très clairsemés. Le sol était tapissé d'aiguilles qui pourrissaient, et tout autour, dans une odeur suave et lourde de bois humide, il n'y avait rien d'autre que le silence de la nuit. Ils apercevaient au loin les fils de fer barbelés d'un camp. Une voiture sortit à toute allure par les grilles et un officier SS en descendit.

« Il s'est mis à faire les cent pas devant nous, très lentement. Il nous inspectait, scrutait un à un nos visages épuisés. Premièrement, a-t-il dit, nous ne devions jamais révéler un seul détail de cette nuit, faute quoi il y aurait des représailles contre ceux qui nous étaient chers, deuxièmement, nous devions faire tout notre possible pour disparaître. « Disparaître d'Allemagne. »

« Il a claqué des doigts, et à ce moment un homme, un des prisonniers, a murmuré quelque chose à son voisin, un seul mot, chuchoté du coin de la bouche. Avant même que son souffle ne se soit dissipé, on l'a fait sortir du rang. Un soldat lui a donné un coup de pied si violent qu'il est tombé, puis un autre s'est avancé et lui a piétiné le visage. On a entendu ses os se fracturer, son nez et ses pommettes se fendre, puis le premier soldat, qui en redemandait, lui a flanqué encore des coups de pied dans la poitrine. Ses côtes ont craqué, il a laissé échapper un gémissement, et quand j'ai relevé les yeux, l'homme était mort. Désormais, nous nous tenions tous bien droits, le menton dressé, le buste en avant, le regard rivé sur l'aube qui pointait. Nous osions à peine respirer. Les oiseaux commençaient à chanter, les branches des arbres bruissaient dans le vent et quand le soleil se leva enfin, deux chariots arrivèrent et on nous servit de la soupe. J'étais tellement reconnaissant qu'on nous donne cette soupe, tellement reconnaissant... »

Guttfeld se détourna, honteux, envahi par le dégoût. Puis, revenant au présent :

« Votre père. Il est ici ?

— Non. » Max secoua la tête. Il revit en pensée le téléphone étouffé par ce gros coussin qui était censé leur sauver la vie. « Non. » Son père n'avait pas « disparu d'Allemagne ». Et Max venait de comprendre qu'il ne le reverrait pas.

Chapitre 22

Lily partit alors que les fillettes étaient à l'école. Elle guetta les toussotements de la voiture de Grae qu'elle suivit ensuite des yeux jusqu'à l'angle de la Pelouse. Elle entassa dans un dossier ses notes, ses livres, les lettres et les dessins que Klaus avait faits de chaque pièce. Elle rassembla rapidement son propre travail, son plan de l'extension des appartements de Heath Height conçus par Lehmann. Elle avait dessiné un passage pour piétons sur une terrasse ensoleillée, avec des coins pour jouer aux cartes, un labyrinthe composé de buis taillés en forme d'animaux, et, au centre, une fontaine qui se déversait dans un bassin d'eau turquoise. Il y avait une bambouseraie et un buisson de lauriers roses, et à chaque niveau de l'immeuble, elle avait ajouté de vastes terrasses en caillebotis reliées entre elles par des escaliers.

Durant toute la semaine Lily avait évité Grae, et, contrairement à leur habitude, les petites filles n'étaient pas venues la voir. Elle jeta son sac de voyage dans la voiture et, après un dernier coup d'œil à la mer et à la ligne d'horizon haute et tendue comme un câble, elle fit marche arrière dans l'allée.

La gare la plus proche n'était guère plus qu'un passage à niveau, avec deux quais et une barrière blanche en bois qui s'abaissait en travers de la route. Lily gara sa voiture sur le petit parking réservé aux usagers qui prenaient quotidiennement le train et traversa vite les rails. Personne d'autre n'attendait, et pendant un instant, elle espéra avoir manqué son train, mais on entendit alors une mélodie aiguë comme le chant d'une sirène tandis qu'entre deux clignotants orange les barrières s'abattaient pour barrer la route. Les voitures stoppèrent, de part et d'autre, attendirent patiemment comme des poneys derrière une clôture, et enfin le train apparut dans un sifflement. Lily monta et s'installa près d'une fenêtre. Il n'y avait que trois wagons et le sien était vide. Très vite, avant de se laisser aller à regarder défiler les prés, les arbres et la monotonie du paysage, elle sortit ses dossiers de travail. La lettre de Nick vint avec.

Chère Lily... Elle l'avait déjà lue, et plus d'une fois, mais ne s'en lassait pas. *On a décroché le contrat ! Neuf mois de travail assurés ! Je suis aux anges ! Tim, pareil. Pourrais-tu te réjouir aussi un tout petit peu ? Suffisamment en tout cas pour venir préparer le thé ? Non, mais sérieusement : nous ne pouvons embaucher que quelqu'un de diplômé. As-tu finalement décidé de faire ton accrochage ou bien as-tu proposé tes services de barmaid au* Ship *? Je ne doute pas qu'ils aient besoin de toi, mais j'en connais d'autres pour qui ce besoin est encore plus urgent. Je t'attends ce week-end, à moins que le cogneur d'à-côté ne t'ait prise en otage, auquel cas je te souhaite bonne chance. À bientôt, donc. Baiser tendre, N.*

Lily relut la lettre. Plus elle la lisait, plus elle avait besoin de la lire, tant elle espérait y découvrir des significations cachées. *J'en connais d'autres pour qui ce besoin est encore plus urgent.* Il parlait probablement de lui, à moins qu'il ne fît allusion au restaurant de Covent Garden où elle avait travaillé comme serveuse pendant tant d'années ? Elle finit par mettre la lettre de côté. L'accrochage était fixé au lendemain matin. Elle ouvrit son dossier et entreprit d'examiner ses dessins et de réfléchir à la façon dont elle les disposerait sur les murs de la fac, quel effet ferait ainsi exposée sa vision de l'univers lehmannien revisité par l'architecture durable. Elle feuilleta ses notes, les noms, les dates, les théories, entoura, cocha, souligna. Des listes et des tableaux, des majuscules et des points d'exclamation, des flèches pointant vers les endroits où elle avait fait des trouvailles. Le train filait devant un village situé au bord d'un estuaire, des voiles blanches faseyaient dans le vent, l'eau se ridait avec une telle précision qu'elle paraissait aussi solide que du sable. Lily appuya son front contre la vitre. Ils arriveraient bientôt à Ipswich, la correspondance où elle prendrait un long train interurbain aux lignes pures. Elle appréhendait de se retrouver à Londres, d'emprunter les escaliers métalliques pour descendre dans le métro, de pousser les lourdes portes de son immeuble, d'entendre le clic de la serrure se refermant. Pour ne plus y penser, elle sortit les lettres de Lehmann. Il était de retour à Hambourg et écrivait à Elsa depuis leur maison où tout était enfermé dans des cartons, et Elsa vivait apparemment seule à Londres, dans une chambre, non loin de Goodge Street, et attendait qu'il vînt la rejoindre.

Ma chère petite Londonienne,
Difficile de te dire ce qu'il y a de nouveau, car les choses n'avancent qu'à petits pas. L'employé du Bureau d'immigration m'a dit qu'il soutenait ma demande, mais qu'il fallait d'abord que celle-ci lui soit retournée par la Haute Autorité à laquelle il l'avait lui-même envoyée il y a trois semaines ! J'ai failli perdre patience. J'ai déjeuné avec ta mère, qui m'a lu à haute voix la lettre qu'elle vient de recevoir de toi. Elle était toute heureuse de l'avoir reçue, mais moi, j'ai été choqué par la façon dont tu décris ta situation. Tu sais bien que ces quelques semaines seront vite passées. Il y a aussi un malentendu dans le mot que tu m'as envoyé aujourd'hui. Tu m'as récemment demandé si je ne t'avais pas à moitié oubliée, et j'ai répondu, pour plaisanter, « une petite moitié, alors ». Et tu as pris cette phrase au pied de la lettre. Oh, Elsa L, que faut-il donc pour faire ton bonheur ? Je le sais, bien sûr, mais tu ne dois pas perdre espoir. Travailles-tu ton anglais, en

*attendant ? Il existe une nouvelle méthode, l'Anglais de base,
que tu devrais peut-être essayer. J'ai très envie de te revoir,
tout entière, très bientôt, et avec un bon moral. Je t'aime, ne
l'oublie pas. Bien à toi. L.*

Avez-vous déjà dit « je t'aime » sans le penser ? C'était
la question d'un test proposé par un journal que lisait
parfois Lily. « Non, jamais », répondaient la plupart des
gens, ce qu'elle trouvait assez prétentieux. Elle, elle avait
souvent utilisé ces mots abusivement, juste pour voir l'effet qu'ils produisaient, quand elle était amoureuse. La première fois, elle en avait été pour ses frais : le garçon pour
lequel elle éprouvait un sentiment étrangement vide et
puissant à la fois se tourna vers elle, interdit. « Oui, avait-
il dit. Moi aussi », mais en esquissant un sourire incrédule
que Lily avait remarqué. Il s'appelait Dominic, Dominic
Barton, et elle avait mis deux mois, jusqu'à son quinzième
anniversaire, à se détacher de lui. Plus jamais. Elle se jura
de ne plus jamais prononcer ces mots, mais ce fut plus
fort qu'elle. « Je t'aime », dit-elle un jour, les yeux fixés
sur la poitrine blanche et glabre d'un garçon qui faisait sa
dernière année d'études de céramique à l'École d'art de
Camberwell, et même en le disant, elle pensait, « si seulement ça pouvait être vrai... ».
Mais quand elle rencontra Nick, ce fut bien différent.
Elle comprit que c'est lorsqu'on aime vraiment que ces
mots-là sont difficiles à dire. Elle attendrait que Nick les
prononce le premier. Il n'aurait pas peur de le faire,
puisque c'était lui qui l'avait entraînée dans le nord de
Londres, qui l'avait obligée à s'arrêter devant l'immeuble
de Lehmann, l'avait embrassée à l'instant même où les
lumières s'étaient allumées. Maintenant, d'un moment à
l'autre, il allait lui dire qu'il l'aimait et elle, soulagée,
lâcherait sa propre déclaration. Lily attendit pendant toute
la première année. Presque chaque jour, elle imaginait
qu'il était sur le point de le lui dire, de lui murmurer ces

mots au lit, de les égrener au milieu des gouttes d'eau un jour où ils seraient tous les deux sous la pluie. Elle crut les entendre au cours d'une promenade d'automne dans le vent qui balayait Kite Hill. Et puis, le jour anniversaire de leur rencontre, un an après leur premier baiser, Lily rassembla tout son courage et lui souffla les mots à l'oreille. Nick lui serra l'épaule en souriant et, à ce moment, la sonnerie de son téléphone le fit sursauter, il fouilla dans sa poche et répondit.

Lily emménagea chez lui un mois plus tard. Nick ne le lui avait pas proposé, pas plus qu'il n'avait sauté de joie à cette nouvelle ; simplement, le propriétaire de Lily lui ayant annoncé son intention d'augmenter le loyer, il était plus commode qu'elle s'installât chez lui. Ils s'étaient demandé où ranger ses peintures, ses vêtements, son sac à linge, et même son paquet de coton hydrophile, ensuite ils avaient fait des plans pour agrandir la penderie – et Lily oublia que les mots tant attendus n'avaient pas été prononcés.

Mon El,

Une fois de plus, aujourd'hui, je suis déçu et atterré. Ma demande d'immigration a été renvoyée à la Haute Autorité ! J'ai aussitôt téléphoné et obtenu un autre rendez-vous pour demain à midi, ce qui risque fort de ralentir encore le processus. Ma visite au ministère sera repoussée au plus tôt à vendredi. Si tout va bien, je t'enverrai un télégramme. J'ai de plus en plus de mal à garder mon calme. Depuis deux jours, nous avons un temps exécrable, avec de tels déluges qu'on pourrait croire que papa et maman sont venus de Berlin me rendre visite ! Il fait meilleur aujourd'hui, mais j'ai donné mon manteau à nettoyer et à repriser chez Zirkov. Ainsi, il y a au moins quelqu'un à qui profite mon séjour ici.

Toujours à toi, L.

Tout en cherchant ses clefs, Lily sonna un petit coup à la porte, juste pour prévenir. « Nick ? » appela-t-elle une fois dans l'entrée, mais il n'y avait personne. Elle s'arrêta, fit un tour d'horizon. « Nick ? » répéta-t-elle. Elle rougit presque de voir à quel point leur appartement ressemblait à Nick. Tout en longueur, avec un parquet en bois clair bien brillant, des murs blancs et une cuisine profilée comme un bateau. Tout y était rangé derrière des portes bleu pétrole, si bien qu'il n'y avait pas le moindre indice pour vous aider quand vous cherchiez une petite cuillère ou la porte du réfrigérateur.

Lily se déchaussa et posa son sac de voyage par terre. Elle se sentait subitement sale et poisseuse. Elle avait du sable entre les orteils et des petits grains de pollen doré collés aux jambes. Ses chaussures abandonnées sur le parquet nu faisaient penser à un Van Gogh. En se servant un verre d'eau, elle s'émerveilla de la pression avec laquelle elle jaillissait du robinet, du poids du verre bien lisse, de l'aspect immaculé du plan de travail en aluminium, comme si elle voyait tout cela pour la première fois.

Faute de place, il n'y avait pas de baignoire dans l'appartement. Juste une douche, un cylindre transparent, dans un coin de la chambre à coucher. À Fern Cottage, Lily avait l'habitude de prendre des bains dans de l'eau légèrement rouillée, en rêvassant ou en ne pensant à rien. Ici, dans cette tour de verre, elle sentit son corps se raviver. Il lui sembla que ses épaules, striées de différentes nuances de bronzage, grinçaient et soupiraient sous les jets ; elle sourit de voir ses jambes si blanches au niveau des cuisses et de plus en plus foncées vers les pieds. Le visage que lui renvoyait le miroir de la salle de bains était piqueté de taches de rousseur. Elle s'aperçut que, depuis des semaines, elle n'avait plus moyen de jauger son physique. Ce miroir-là était sa référence, son ami sincère, le seul en qui elle eût confiance, et elle s'imaginait que le monde entier la voyait telle qu'elle y apparaissait.

Elle s'enveloppa dans un drap de bain blanc moelleux et s'allongea sur le lit. La femme de ménage avait dû venir ce jour-là, car tout était impeccablement plié et rangé. Seule sa lampe de chevet, avec son vieil abat-jour en perles auquel il manquait quelques franges, indiquait quel côté du lit était le sien. Elle ferma les yeux et prêta l'oreille aux bruits qui montaient de la rue, le ronronnement des moteurs au feu rouge et le chant des oiseaux, juste en face de la fenêtre, dans l'unique arbre de la rue. Nick doit être à l'agence, pensa-t-elle en bâillant et en jetant un coup d'œil à la pendule. Au même moment, le grondement d'un métro qui passait derrière l'immeuble d'en face ébranla la chambre. Elle aurait dû se lever, ouvrir la penderie, retrouver ses vêtements oubliés, s'habiller. Nick resterait tard au bureau, il rentrerait tard, tous les soirs. Neuf mois, disait-il dans sa lettre, ce qui voulait dire un an, elle le savait. Lily ferma les yeux. Des motos, des bicyclettes, des voitures, le cliquetis alerte de chaussures à talons, le glissement pressé de sandales plates, les crissements de pneus. Une porte qu'on claque à l'étage au-dessous. Puis un moment de silence pendant lequel Lily s'endormit.

« Je les mets où ? » lança une voix féminine, puis une autre, plus grave, qui n'était à l'évidence ni celle de Nick, ni celle de Tim : « Vous n'avez qu'à les poser là. »

Lily se dressa sur son séant. Le drap de bain qui l'enveloppait était humide, et l'empreinte de son corps marquait les carrés gris du dessus de lit, comme une ombre.

« Parfait. » Encore cette voix aiguë, suivie du claquement métallique de la porte de l'appartement. Lily regarda le réveil. Il était six heures passées, et elle avait froid. Elle se débarrassa du drap de bain, enfila le peignoir noir de Nick, avança à pas de loup vers la porte ouverte. Tout d'abord elle n'entendit rien, mais une fois dans l'entrée, elle perçut, dans la cuisine, un léger bruit de pas sur le carrelage et les petits claquements secs des portes de placards. Elle se penchait et tordait le cou pour mieux voir, lorsque les pas se rapprochèrent. Elle rentra précipitamment dans la chambre. Ses vêtements étaient en tas par terre, fripés et bien peu présentables ; d'un geste inutilement énergique, elle les ramassa et les fit disparaître. La porte de la penderie coulissa sans bruit, laissant apparaître des jupes, des robes, un manteau d'hiver dont le bas effleurait les chaussures rangées par terre. À côté, sur les étagères, s'empilaient les chemises de Nick emballées séparément dans un papier transparent, plastron dressé, boutonnées du haut en bas, les manches repliées, invisibles, comme les bras d'un serveur qui s'incline exagérément. Lily en prit une dont l'emballage de cellophane était si neuf qu'il scintillait, et en la regardant, elle pensa au cageot de jouets qui traînait dans un coin de la salle de séjour, chez Grae, plein de poupées, de peluches usées et de lego.

Lily se dressa sur la pointe des pieds pour passer en revue sa garde-robe, se remémorant avec application la raison pour laquelle elle ne mettait plus tel ou tel vêtement. Trop serré, trop court, trop long. Trop transparent, trop décolleté. Mais aucun ne méritait pour autant d'être mis au rebut, alors elle les gardait, et ce depuis des années. Elle finit par choisir un pantalon en lin noir qui se froissait dès qu'on s'asseyait, et un chemisier noué à la taille qu'elle avait déjà essayé maintes fois. À pois sans manches, il était joli sur le cintre, mais une fois de plus, après l'avoir enfilé, elle décida de chercher autre chose. Avisant un corsage blanc, elle s'apprêtait à le décrocher lorsque le téléphone sonna.

« Holly. C'est Nick. »

Holly ? Qui était cette Holly ? « Nick, c'est moi. » Avait-il oublié jusqu'à son prénom ?

« Lily ! Qu'est-ce que tu... ? » Il était littéralement suffoqué, comme si, aux dernières nouvelles, elle avait été perdue en mer. « Je suis désolée, enfin, c'est juste que... »

Il se mit à rire. « Tu es revenue ! Super. Bienvenue à la maison.

– Où es-tu ? demanda Lily. Je m'apprêtais à venir te rejoindre.

– Oh... Non, surtout pas. » Nick semblait avoir la tête ailleurs. « Dis-moi, est-ce qu'il y a quelqu'un là-bas qui s'appelle Holly ? Il faut que je lui parle.

– Ça se peut. » Lily passa la tête dans l'entrebâillement de la porte et appela.

« Oui ? J'arrive », répondit une voix. Lily attendit. Dans la cuisine, quelqu'un tourna le robinet, ferma une porte de placard, puis, dans un léger froufrou, une blonde aux cheveux longs apparut dans le couloir. Elle sourit en prenant le téléphone.

« Une centaine de verres, oui », dit-elle, sans bouger d'un pouce. « Non, Pauline les attend en bas. Oui, oui, et je m'occupe des amuse-gueule. » Nick fit sans doute un commentaire, car la fille sourit. Elle sourit même de tout son corps qui ondula et se déhancha. Lily la regardait de la tête aux pieds, ses mèches couleur miel, son ventre légèrement rebondi qui saillait au-dessus de la ceinture de son jean.

« D'accord. C'est tout ? » Lily tendit la main pour bien montrer qu'elle attendait. « D'accord. À tout à l'heure. » Holly appuya sur le bouton et, souriant toujours, rendit le téléphone à Lily. « Merci », dit-elle. Elle pivota sur ses sandales et s'éloigna.

Aussitôt Lily composa rageusement le numéro. « Nick ? » Mais c'était Tim. « Salut, Lil, dit-il. Où es-tu ?

– Je suis ... à Londres. Chez moi. Nick est là ?

– Non, attends. Il est parti... il y a une demi-heure. Eh, tu veux que je t'en raconte une bonne ?

– Euh...

– C'est l'histoire d'une femme qui se présente à l'hôpital, dans le Suffolk. On l'emmène aussitôt passer une radio, on l'examine, on lui fait des prises de sang, on l'installe dans un lit. En fin de journée, elle demande à voir le médecin. « Je voulais vous dire, docteur : si je suis venue ce matin, c'était simplement pour vous informer que mon amie ne pouvait pas venir. »

— Ha, ha.

— Tu sais ce qu'un médecin du sud-est de l'Angleterre écrit dans ses notes, quand il vient de constater que son patient ne sait ni lire ni écrire ?

— Non.

— RAS. (Tim partit d'un grand éclat de rire.) « Rien d'Anormal pour le Suffolk ». C'est vrai, c'est un terme médical.

— Je vais essayer sur le portable.

— Bon, à tout à l'heure, alors », et Tim, qui gloussait toujours, raccrocha.

« Nick ? » Lily l'avait au bout du fil. Il avait l'air essoufflé. « Où es-tu ?

— Ici.

— Comment ça ?

— Ici, je te dis. » Et au même moment, elle entendit fourrager dans la serrure.

Lily avança dans l'entrée, le téléphone toujours à l'oreille. « Ça va ? » lui demanda-t-elle, tandis qu'il jouait des épaules pour franchir la porte.

« Très bien. »

Elle reconnaissait maintenant ce sourire et ce mouvement des lèvres quand il parlait. Il serrait sous son bras gauche un énorme bouquet de fleurs. Des roses rouge foncé, en bouton, un kaléidoscope de petites spirales, une centaine au moins, rassemblées en un faisceau compact.

« Salut », dit-elle en coupant la communication. Elle avança pour enlacer Nick, malgré ce coude dressé qui serrait les fleurs dans leur papier froissé. Au même moment, Holly sortit de la cuisine et vint discrètement chercher le bouquet. « Je vais les disposer », dit-elle, laissant seuls Nick et Lily.

194

Nick la regarda. « Salut », dit-il, puis il jeta un coup d'œil au sac de voyage tout poussiéreux qui était resté dans l'entrée. Il haussa un sourcil. « Tu comptes le laisser là ? »

Lily sourit et se hissa sur la pointe des pieds pour l'embrasser. « Contente de te voir », dit-elle, mais son baiser était glacial. Elle ramassa d'un seul élan son sac et ses chaussures, se rua dans la chambre, ouvrit la penderie et y jeta tout en vrac. Une chaussure atterrit sur les chemises de Nick, l'autre tomba à l'envers. Elle recula, regarda autour d'elle d'un air coupable, mais Nick était dans la cuisine qui discutait avec Holly ; elle entendit un crissement : il devait être en train de grimper sur une chaise pour atteindre les vases rangés en haut d'un placard.

« Je peux faire quelque chose ? » demanda-t-elle depuis le seuil, tout en vérifiant qu'elle avait bien boutonné son chemisier. Holly avait dénoué le papier, et les tiges vertes et humides des roses s'étalaient sur le plan de travail.

« Bien sûr que tu peux nous aider, Lily, répondit Nick, d'un ton impatient. Les gens arrivent dans une demi-heure, tu te rends compte ?

— Les gens ? » Elle adressa un salut à Holly. « Bonjour, nous n'avons pas vraiment été présentées.

— Oui, on a décidé de faire une petite fête, pour arroser notre victoire. Juste quelques personnes... »

Holly coupait l'extrémité de chaque tige, les débarrassait de leurs feuilles, les plongeait dans l'eau. « Bonjour, répondit-elle.

— Nick, c'est une journée importante pour moi, demain. »

Nick la dévisagea, impassible.

« D'accord, mais c'est un peu tard, maintenant. »

Lily sentit son estomac se nouer. « Comment ça ? »

Mais il s'était déjà tourné vers Holly pour passer en revue les choses qu'il restait à faire. « Bon. Pauline apporte le vin. Les fleurs, la bouffe, les nappes, les cendriers, c'est

195

fait ? On a intérêt à ouvrir grand les fenêtres. Lily ? » Elle était déjà en train de le faire.

Une demi-heure plus tard, la pièce n'était plus que brouhaha. Des assiettes de canapés au saumon fumé et des bols de crudités, de pistaches, d'abricots secs étaient disséminées ici et là. Les vases avaient été disposés sur toutes les surfaces disponibles. Tout cela donnait à l'appartement un air de fête, de fête de Noël même, à cause du rouge et du vert des roses.

Tim était déjà ivre. « Tu es superbe, dit-il à Lily, les yeux brillants et la bouche ramollie. RAS, je suppose.

– Ça va se tasser, dit Nick à neuf heures et demie, ils vont bientôt partir, il faut bien qu'ils aillent dîner. » Mais à dix heures trente, Holly se mit à faire des tartines de fromage. Elle avait vidé la huche à pain et le contenu du réfrigérateur, et tout le monde venait lui en redemander.

Lily alla dans la chambre et sortit son sac. Elle y jeta un coup d'œil peu enthousiaste, lorgna le dossier contenant les dessins, les notes, les livres et les stylos. Ce n'était plus le moment, Nick avait raison, mais dans un ultime effort, elle disposa le tout sur la table de nuit, le plus près possible du lit. Avec un peu de chance, le contenu du dossier s'imprimerait dans son cerveau pendant la nuit et nourrirait son inspiration.

Enfin il ne resta plus qu'eux quatre. Nick et elle, Holly et Tim. « À nous, s'écria Tim en levant son verre. À moi ! » Il riait encore quand ses yeux se fermèrent tout seuls.

« Je vais y aller, dit Holly. Je l'emmène.

– Tu es un amour. » Nick se leva. « Je me demande comment on faisait quand tu n'étais pas là.

– Moi aussi », répondit-elle, et, hochant la tête pendant un instant en regardant Lily, elle passa le bras de Tim autour de son épaule et sortit en le soutenant de son mieux.

« Ça fait longtemps qu'elle... ? Je ne savais pas que vous aviez embauché quelqu'un.

– Ça fait une semaine. » Nick lui prit la main. « On ne pouvait pas attendre plus longtemps. On avait besoin de quelqu'un, tu comprends ?

– Oui, répondit Lily. *Tu* avais besoin de quelqu'un. » Allongée contre lui, elle réfléchissait, attendait, en écoutant la musique choisie par Holly, du jazz, un long solo de flûte. Son bras finit par s'engourdir. « Nick ? » dit-elle en se tournant vers lui. Mais il dormait.

Chapitre 23

Max attendait dans la gare centrale de Hambourg, une petite valise verte posée à ses pieds. Au fond de la poche intérieure de son manteau, il y avait un portefeuille contenant les dix marks auxquels il avait droit.

« Tu commenceras à chercher un endroit pour nous, lui avait dit son père. Nous viendrons bientôt. » Partout les gens chuchotaient la même chose. Bientôt. Le mot semblait glisser le long des rails, ramper sur les quais gris. « Bientôt. Bientôt. » Max regarda autour de lui, observa les accompagnateurs qui biffaient de leurs listes les noms des arrivants.

« Les escrocs de la bourse, gardes-chiourmes de la nation... » Ce chant de marche nazi fit irruption dans sa mémoire au moment où les enfants blêmes, exagérément emmitouflés, montèrent dans le train. « Quand le sang des Juifs giclera de nos lames » – Max avait vu les bouches des jeunes hitlériens qui défilaient se dilater en articulant ces paroles – « tout ira mieux. »

« Nous ne viendrons que si nous ne pouvons pas faire autrement. » Autrement. Max secoua la tête. Il savait que sa mère pensait à leur jardin, au bois qui s'étendait derrière la mare. À l'escalier, au palier, aux fenêtres du grenier qui donnaient sur les champs. « Nous voulons te garder tout cela. » Il vit ses larmes retenues lui voiler les yeux.

Max monta dans le train. Désormais il ne faisait plus qu'un avec eux, les escrocs et les gardes-chiourmes, et il imagina Helga collant à la vitre son nez retroussé, soulagée de le voir là. Il réussit à atteindre une fenêtre et à sortir un bras pour effleurer la joue de sa mère, et juste à ce moment, l'aiguille de la pendule suspendue à la verrière de la gare avança d'un cran en tremblotant.

« Embrasse bien Kaethe pour nous. » Tous les deux tendaient les bras vers lui, puis il y eut sans doute un coup de sifflet. Max sentit le son strident vibrer dans son corps et, simultanément, tous ceux qui étaient sur le quai ouvrirent la bouche, comme autant d'oiseaux en détresse. Il fut frappé par ces voix, ces cous et ces doigts tendus ; puis le train s'ébranla. Sur le quai, les têtes s'inclinèrent alors, visages blancs sur fond de chapeaux noirs. Dans le wagon, les enfants regardaient autour d'eux comme s'ils n'avaient jamais cru possible que le train partît vraiment.

Max avança en vacillant jusqu'à sa place. Le siège voisin était occupé par un petit garçon avec son étui de violon ; il le serrait si fort que ses articulations en étaient devenues blanches. Il ne devait pas avoir plus de douze ans, mais quand il croisa son regard, Max y décela une lueur d'excitation. « Je ne suis jamais allé en Angleterre » dit-il quand Max s'assit, et il poussa un grand soupir.

Tout en remuant son thé, Max se demandait ce qu'avait pu devenir ce garçon. Il s'appelait Walter Lampl, et il se rendait dans le Kent. Là-bas il y avait une école réservée aux réfugiés. « Mes parents, lui avait expliqué Walter, viendront bientôt. Et s'ils ne peuvent pas... » – il y eut un bref instant de doute – « me ramener à la maison, je veux dire, alors ils pourront travailler dans cette école. Ma mère enseigne le piano et mon père... » Que pouvait faire le père de Walter ? « Mon père pourrait travailler comme cuisinier. » Walter Lampl avait été un agréable compagnon de voyage, parlant de temps à autre, souriant souvent. Il n'avait pleuré qu'une fois, quand, arrivant à Hoek van Holland, ils avaient lu sur un grand panneau blanc : *Aidez les Juifs d'Allemagne.* Et au moment de monter à bord du bateau, sur la passerelle, Max avait dû lui donner le bras.

« Bonjour, Max. Je suis juste venue me changer. » C'était le matin du vernissage de l'exposition historique. Gertrude s'était levée à six heures.

« Un peu de thé ? » Max allait se lever pour chercher une deuxième tasse, mais Gertrude montait déjà l'escalier.

« Non, je ne vais pas avoir le temps. »

Elle revint dans une robe d'été à fleurs cintrée, tout à fait différente des amples tailleurs qu'elle portait habituellement. Elle s'arrêta devant le miroir de l'entrée. « Bon... » Des épingles fichées dans la bouche, la tête penchée d'un côté, elle marmonna quelque chose, des mots tout tordus, incompréhensibles pour Max. « Nous avons dix-sept gâteaux de Savoie, trois douzaines de gâteaux papillons, un plateau de brioches, un autre plateau de sablés, et des tas de bonnes choses à venir ! » En glissant un coup d'œil vers Max, elle le vit tendu, mais impossible de se taire tant elle était agitée.

« Quand je pense qu'on a eu peur de manquer de nourriture ! En plus, Mavis et Peter sont en train de faire des sandwiches, personne n'a pu les en dissuader, et dès que je vais y retourner je mettrai la bouilloire à chauffer. C'est qu'il est presque dix heures... » Elle se tourna vers Max. « Tu m'accompagnes ? »

Max fit de grands gestes désolés pour signifier qu'il n'avait pas fini son thé.

« Oh, s'il te plaît, viens. Si j'y vais seule, je suis capable de me mettre à courir. Imagine que je me torde la cheville ? » Sa force physique lui procura un frisson de plaisir. « Je n'ai pas envie de claudiquer pendant ces trois jours... »

Max et Gertrude se dirigèrent vers la salle Gannon. Les mains vides, sans son sac à dos, ni sa frise sous le bras, Max avait l'air quelque peu diminué. « Ça va ? » lui demanda Gertrude en souriant, espérant sans doute lui communiquer un peu de sa bonne humeur, mais Max resta tête basse. Le temps était couvert, le ciel d'un gris clair pâteux, et quand ils arrivèrent à la Pelouse, il se mit à pleuvoir. Des gouttes effilées comme des pointes de lance, très clairsemées et tièdes. Il ne pleuvait pas assez pour retenir les gens chez eux, espérait Gertrude, mais suffisamment pour pousser les flâneurs à entrer dans le presbytère.

Devant la salle Gannon, une foule déjà grouillante bavardait en attendant dix heures trente.

« Tu peux venir avec moi, si tu veux, lui chuchota Gertrude. Ça ne dérangera personne. » Pourquoi fallait-il qu'elle le traite comme un enfant, en distillant ainsi ses faveurs, à la manière de Kaethe ?

« Non, répondit Max. Je préfère attendre. » Il tapota sa poche pour lui montrer qu'il avait de la monnaie.

Elsa et Klaus s'étaient mis à l'abri sous un arbre. Max les rejoignit. « Tout se passe bien, à Londres ? se força-t-il à demander.

– Infernal. » Klaus hocha la tête, agacé. « Un contre-maître stupide, des ouvriers qui prennent deux heures pour déjeuner. Comment voulez-vous que ça avance ? » Elsa regardait par terre. Elle avait un cardigan beige gansé d'un galon brodé sur les épaules, et sous les plis souples de la laine pendait son bras, frais, tout proche. « Impossible, impossible. » Klaus se mit à rire. « Bon, j'arrête de me plaindre. Plus un mot là-dessus. J'ai promis. N'est-ce pas, mon El ? » Elsa glissa son bras sous le sien et le serra.

« Mais vous... » Il s'adressait à Max. « Vous avez fait un choix raisonnable : des vacances studieuses. Elsa me dit que vous travaillez à une peinture du village. J'aimerais bien la voir quand elle sera finie. »

À ce moment, les portes de la salle s'ouvrirent et tout le monde chercha une pièce de deux pence pour entrer. « Oui, bien sûr », souffla-t-il, en suivant la foule. Elsa avait probablement omis de dire que leur maison ne figurait pas sur sa frise.

La salle avait été entièrement réaménagée. Des tables sur lesquelles étaient exposés des objets, chacun avec son étiquette, étaient disposées en enfilade. Çà et là, entre ces objets, se dressaient de minuscules gerbes de fleurs, campanules, genêts, herbes au lait, bruyères, tormentilles, roses sauvages, ajoncs, qu'on avait fichées une par une dans de petits récipients en verre, fioles de médicament, verres à liqueur ou flacons.

Max s'intéressa à une collection de pièces de monnaie. Certaines en parfait état, ni écornées, ni bosselées, d'autres usées et incrustées de vert-de-gris. *Ne pas toucher SVP*, affichait un écriteau posé au milieu de la table. Max eut un mouvement de recul : il avait besoin de soupeser les objets pour les regarder vraiment.

La table suivante présentait des sabots hollandais en bois blanc ornés de décorations rouges. Il y en avait un légèrement plus grand que l'autre, et Max les imagina flottant sur l'eau, des mâts miniature plantés dans les semelles. Plus vraisemblablement, ils avaient dû être oubliés par une famille de touristes et ramenés le lendemain à la marée montante.

Avançant encore, Max se retrouva auprès d'Elsa. Elle était en train de lire une copie du bail, daté de 1577, qui autorisait le bac à faire la navette sur la rivière. Max examina les mots de plus près : c'était de l'anglais, mais avec tellement de fioritures, de volutes et d'abréviations qu'il s'éloigna jusqu'à la table où Gertrude trônait devant un piège à taupes et un tournebroche mécanique. Derrière elle, un comptoir où l'on servait du thé. Des tranches de génoises étaient présentées sur des assiettes vert pastel, ainsi que des scones et des muffins beurrés. Quatre tables à jouer étaient garnies de nappes en lin, et Mrs Wrenwright, la potière, se frayait déjà un chemin vers l'une d'elles, un sandwich aux œufs durs et au cresson dans une main, une tasse de thé dans l'autre.

Klaus examinait une copie du Livre de l'Apocalypse. Les gens s'agglutinaient autour de lui puis passaient leur chemin. Max s'était arrêté devant un panneau de photos quand subitement – presque comme s'il l'avait adjurée de venir à lui – Elsa se retrouva à ses côtés. Ils regardèrent ensemble une photo de l'ancien passeur posant près de sa cabane, avec son petit-fils, filiforme, nerveux, celui qui manœuvrait désormais le bac. En bas, sur le port, étaient rassemblés des pêcheurs coiffés de leur casquette à visière, dont le galon tressé ressortait dans tous ses détails ; le noir et blanc leur dessinait des profils superbes.

Max s'installa à une table tandis qu'Elsa allait chercher du thé ; en l'attendant, il s'efforça de refouler les images de Heiderose, le visage du jardinier moustachu, les filles de la ferme avec leurs nattes en couronne sur la tête. Qu'était devenu Georg, le garçon qui leur apportait le courrier à bicyclette depuis Rissel ? Et le fils du menuisier qui fourrait toujours le pain et la confiture qu'on lui donnait dans le bavoir de sa salopette ? « Je vous ai pris un muffin. » Elsa posa les tasses, et au même instant, il vint à l'esprit de Max que même un enfant en short tyrolien était désormais symbole de pourriture et de haine.

Chapitre 24

Le dimanche, Nick proposa une promenade à Hyde Park. Allongée sur leur lit, Lily s'était plongée dans un livre pour essayer d'oublier sa journée de la veille à l'université. La difficulté de trouver un espace où exposer ses dessins, la cohue, le regard attristé de son directeur de thèse la rattrapant dans l'escalier pour lui demander pourquoi elle n'avait pas répondu à ses e-mails.

« Nick » Lily se redressa. « Ça va ?

– Ça va, oui. » Il avait l'air en colère.

« Tu sais... » Elle se força à sourire. « Depuis qu'on se connaît, c'est la première fois que tu me proposes une promenade dans un parc. »

Nick la regarda. « C'est tout simplement parce que... » – il parlait lentement, comme s'il avait réfléchi à la question et qu'elle l'exaspérait – ...d'habitude, c'est toujours toi qui prends les initiatives, sans me laisser la moindre chance de le faire. »

Ils se dévisagèrent avec froideur.

« D'accord, dit-elle, allons-y. »

Hyde Park était grillé d'aridité. Il y avait des zones totalement dépourvues d'herbe, des ovales de terre dépouillée où un trop grand nombre d'amateurs de base-ball avaient dû jouer en s'attardant sur la première base.

« J'envisage de... commença Lily, dont chaque pas écrasait des tiges d'herbe desséchées... de garder encore un peu le cottage. Ce serait dommage de laisser tomber ce travail, si près du but... On pourrait y passer le mois d'août, ou alors tu viendrais me voir quand tu aurais un peu de temps ? »

Nick continua à marcher, les yeux vissés au lac. « Financièrement, je ne vois pas comment tu vas faire.

– C'est vrai. » Lily ne voulait pas le lui dire, mais un mois plus tôt, elle avait écrit à sa banque pour contracter un prêt.

« Je ne comprends pas. » Il fronçait les sourcils en fixant quelque chose que Lily ne voyait pas.

« Il faut que tu fasses un stage pratique. On te paiera, même si ce n'est pas beaucoup.

– Oui... » Lily était triste. Ils étaient presque arrivés au lac Serpentine, et elle entendait encore le bruit des voitures qui descendaient Park Lane. « Je vais peut-être trouver un job à Steerborough pour cet été, vendeuse ou serveuse. Il y a un salon de thé à Eastonknoll où ils ont besoin de quelqu'un.

– Je plaisantais, tu sais, quand je parlais du *Ship*. Mais ça te plaît à ce point, le boulot de...

– Serveuse ? » Elle avait dit cela d'un ton cassant.

Ils continuèrent d'avancer en silence, dépassant les gens qui flânaient, musardaient, jetaient du pain aux canards. Au bout du lac, là où l'étendue d'eau glissait sous le pont, il y avait un café où ils s'étaient arrêtés pour boire un verre le jour de leur rencontre. Ils avaient commandé chacun un jus de fruits grumeleux et tiède, servi sans glaçons, et quand la note était arrivée, ils l'avaient trouvée tellement salée qu'ils n'en croyaient pas leurs yeux. Nick avait passé son bras autour de l'épaule de Lily en lui murmurant à l'oreille : « Je t'inviterai ici pour ton anniversaire si tu n'es pas sage. » C'était devenu une blague entre eux, un curieux emblème de leur amour. Aujourd'hui, ils passaient devant, tête baissée, en pressant le pas pour remonter sur la route.

« Qu'est-ce qu'on fait ? » Lily s'arrêta sur le pont et regarda de l'autre côté de la route, vers Kensington Gardens. « On fait marche arrière ou on continue ? » Mais ni l'un ni l'autre ne semblait pouvoir se décider.

Lily avait rempli une pleine valise de vêtements d'été : serviettes de plage, livres, sandales, un chapeau de paille au bord un peu gondolé. Nick la regardait y entasser de plus en plus de choses.

« Mais, tu viens vraiment le week-end prochain, hein ? » Elle avait dit cela comme si c'était pour lui qu'elle prenait toutes ces affaires.

« Oui, dit-il, agacé. Oui, je viendrai. »

Sa voiture l'attendait sur le parking de la gare. Il ne restait plus qu'elle. Son capot était couvert de poussière et son pare-brise barré d'une longue fiente de goéland durcie, qu'on aurait pu prendre pour une tache de peinture verte. N'empêche, Lily était contente de la retrouver : elle entoura tendrement le volant de ses bras et conduisit dans cette position en franchissant le passage à niveau, et même après, sur la route. Elle reconnut bientôt les haies, l'enclos à cochons dans le virage, et là-bas, sur l'horizon, la cathédrale, démesurée, et les pattes du château d'eau qui se rapprochaient. Lily s'arrêta à l'épicerie du village pour acheter du lait et du pain, et aussi, trop tentants, sur le comptoir, deux œufs en chocolat Kinder, pour Arrie et Em. Une fois dehors, elle passa en revue les annonces de la vitrine. Aucune proposition de travail mais des maisons à louer, une bicyclette et un lave-linge à vendre, et sur la porte une petite note manuscrite :

Trouvé une certaine somme d'argent dans Palmers Lane.
S'il vous appartient, veuillez S'IL VOUS PLAÎT contacter
Mrs Townsend à Old Farm.

Lily lut l'annonce deux fois, étouffa un rire, et regarda autour d'elle, espérant pouvoir partager son amusement avec quelqu'un, mais il n'y avait personne, hormis une vieille dame toute frêle qui d'ailleurs était peut-être Mrs Townsend elle-même. Elle reprit sa voiture, et chaque fois qu'elle repensait à l'annonce, le « s'il vous plaît » la faisait glousser. Elle descendit la rue principale en roulant au pas.

Une odeur désagréable flottait dans Fern Cottage. Le renfermé, le moisi même, comme si tous ces meubles bon marché n'étaient pas faits pour endurer d'aussi grosses chaleurs. Lily mit la bouilloire en marche et passa dans la salle de séjour. Le plaid avait glissé du canapé et les rideaux n'étaient qu'à moitié tirés. Elle parcourut du regard l'étagère. *Tricoter en s'amusant, Coquillages décoratifs,* et son préféré, *Vins, sirops et liqueurs,* un livre de recettes réunies par l'Amicale des femmes. À l'origine il valait cinq shillings, mais un jour, lors d'une fête de village, il avait été marqué à deux shillings soixante. Elle ouvrit les fenêtres, regarda vers la Pelouse, mais n'y vit que des inconnus : deux femmes allongées près d'une poussette et un homme qui suivait un enfant en train d'escalader la pente de l'aire de jeu. En un tour de main, elle remit le plaid en place, tapota les coussins, rassembla les vases de fleurs dont l'extrémité des tiges étaient devenue visqueuse.

Dans la cuisine, la bouilloire avait oublié de s'arrêter, si bien que des volutes de vapeur blanche grimpaient le long des vitres et roulaient comme un épais brouillard tout autour des murs. Lily se fit du thé avec le peu d'eau qu'il restait et l'emporta dehors, en laissant porte et fenêtres ouvertes pour aérer. Le jardin était étonnamment bien rangé. Pas de linge sur le fil, pas de vélos qui traînaient, la remise vide – loquet fermé. Lily s'adossa au mur, abattue. Sans vouloir l'admettre, elle avait espéré être accueillie à son arrivée. Elle avait imaginé les fillettes se jetant à son cou, leur empressement à lui raconter les dernières nouvelles, et, en arrière-plan, le sourire tranquille de Grae.

Elle était assise par terre, jambes au soleil, tête à l'ombre. Le parfum d'une rose qui avait fleuri sur les espaliers du mur lui flattait les narines. De temps en temps elle tournait la tête du côté de chez Grae. Il n'y avait décidément personne. La maison paraissait vide. Pire : fermée. Abandonnée. Où pouvaient-ils bien être ? Son cœur se serra à l'idée de les avoir perdus. Elle avait eu tort de revenir, cela lui sautait aux yeux maintenant. Elle était seule ici, dans une maison qui n'était pas la sienne. Pour retrouver son calme et penser à autre chose, elle sortit de sa valise l'enveloppe contenant les lettres.

Mon El chérie,
Me voici dans notre appartement vide, dans notre chambre vide, pour la dernière fois. Demain, je dormirai à Greenberg. Tout est emballé. Tous les meubles et tous les cartons sont prêts et enveloppés dans leur papier rouge. J'attends ici avec ma seule valise, fatigué, mais soulagé. Les meubles seront expédiés par bateau d'un jour à l'autre, et je tiens à être à Londres pour les réceptionner, de façon à pouvoir prendre mes cartons et les tiens avant qu'ils ne soient envoyés au garde-meuble. Tu t'étonnes que j'aie si peu écrit ? La mise en cartons a demandé un travail considérable et il fallait que je sois là pour superviser, sinon tout aurait été rangé n'importe comment. J'ai réussi à sauver ton beau tissu dans l'armoire à linge, mais impossible de trouver la clef de ton secrétaire. Maintenant, je te demande une chose : je veux que tu m'écrives pour me dire comment tu t'entends avec les gens que tu viens de rencontrer. De quoi parlez-vous et dans quelle langue ? Ont-ils succombé à ton charme ? À la beauté de tes cheveux châtain et du petit triangle duveteux de ta nuque, que tu ne peux heureusement pas voir : si tu le pouvais, tu

en tirerais une telle fierté que cela te monterait à la tête. Je veux savoir. Réponds-moi par retour du courrier.

Reçois toute mon affection (sincère), L.

Mon El,

Aujourd'hui, le dimanche le plus paisible depuis ton départ, je n'ai rien reçu de toi. Mr Field est venu me faire la conversation en anglais, et nous avons parlé de choses tellement intéressantes qu'il a probablement oublié de me corriger. Hier, je suis retourné au Bureau d'émigration. Je ne veux pas t'ennuyer avec les résultats de cette visite, mais il faut que je me rende la semaine prochaine au ministère du Commerce. Ce ne devrait plus être très long, maintenant. Je sais que, bientôt, nous comprendrons que nous n'avons pas perdu grand-chose en partant, et une fois que je serai avec toi, et, le temps passant, nous n'aurons plus besoin de côtoyer ces gens que « nous apprécions moins », comme tu le dis si élégamment. Ici, il fait un temps radieux.

Avec tout mon amour, L.

Mon El,

Lis-tu la presse anglaise ? Il faut que tu comprennes le jargon des petites annonces immobilières. Il y a le choix entre des hôtels avec petit déjeuner à 6 livres par semaine, 9 livres en pension complète, et un meublé où il nous faudrait faire nous-mêmes la cuisine ou aller au restaurant, ce qui nous coûterait 5 livres par semaine. Par la suite, quand nous serons fixés sur l'emplacement de mon bureau, nous pourrons louer un appartement non meublé et nous installer comme il convient. Peut-être devrais-tu demander à quelqu'un de te promener un peu dans Londres, chose que je voulais faire avec toi, et que je ferai bientôt. Il faut qu'on te montre ce qu'il y a de bien et de moins bien, que tu saches où sont les beaux quartiers et les faubourgs hideux, les parcs, la City, et

les secteurs où nous pourrions habiter. Je crois que je commence à voir le bout du tunnel ici. Encore dix jours, tout au plus. Sois forte, courage.
      L.

Plus tard, Lily alla se promener jusqu'au moulin. Elle suivit les petits chemins de planches, jetant un coup d'œil à sa gauche, chaque fois qu'elle apercevait une silhouette en haut de la crête de galets qui dominait la mer. Mais dans le marais, plus personne : elle avait le sentier pour elle seule. Elle chemina lentement, bercée par le léger froufrou du carex, passa devant un buisson d'aubépine qu'entourait une flaque d'eau : ses fleurs étaient tombées et leurs pétales blancs s'éparpillaient à la surface comme autant de bulles dans le chaudron d'une sorcière. Près du moulin, Lily s'assit sur le muret de cailloux concassés et regarda, à sa droite, au-dessus des champs le soleil qui, en se couchant, peignait le dessous des nuages d'un rose éclatant. Elle s'allongea pour contempler la métamorphose du ciel : le rose s'ébouriffait en moutons pastel pour se fondre dans la dernière lueur bleutée du jour. Subitement, avec une sorte de coup au cœur, elle s'aperçut qu'elle n'avait pas peur. Tout cela est-il bien raisonnable ? Ne suis-je pas en train de faire n'importe quoi ? Elle se releva, se mit debout sur le mur. Il n'y avait rien ni personne à des kilomètres à la ronde. Étrange. C'était une sensation nouvelle. Elle se sentait parfaitement en sécurité, alors que, depuis des années, elle en prenait conscience maintenant, il lui arrivait souvent d'allonger le pas, dans une rue ou un parc de Londres, uniquement par crainte de se faire agresser. Elle se retourna et étouffa un cri. Le ciel était d'or. Des traînées, des tourbillons, des filigranes dorés, si flamboyants que sur une carte postale ils eussent prêter à rire. Le tout se reflétait dans les flaques, la rivière et même la mer, dont les vagues roulaient sur la grève, couronnées de cuivre.

211

Lily sentait, entre ses doigts, que l'air avait changé. Il était devenu granuleux, s'épaississait à mesure que la lumière diminuait, lui effleurait doucement la peau. À regret elle sauta du muret et rebroussa chemin. Une petite flèche jaune peinte sur le pied d'un panneau indiquait qu'il fallait tourner à gauche, et elle s'enfonça dans un sentier moelleux comme un tapis qui s'élargit bientôt pour déboucher sur une trouée de verdure. Il y avait un bois un peu plus loin, un îlot d'ombre, et en le contournant, Lily aperçut le dos du bunker dont les murs gris surgissaient de terre. Elle s'arrêta, prêta l'oreille, mais n'entendit que le bruissement du carex. Très lentement elle s'approcha et risqua un œil par une étroite fenêtre. Elle eut un mouvement de recul et se pencha derechef pour regarder encore.

Au milieu du bunker, un homme était agenouillé au-dessus d'une bougie. Il portait une barbe qui lui masquait la figure, des oripeaux noirs autour des épaules, de gros doigts graisseux qui cherchaient fébrilement une autre allumette. Lily le connaissait. C'était le type qui avait surgi des ajoncs. Qui lui avait fait peur. Elle prit une grande inspiration et parcourut des yeux son antre. Le lit, fait de sacs en plastique noirs, était toujours là, et tout autour, il y avait des rouleaux de longs sacs-poubelle noirs attachés avec des élastiques, comme si un éboueur les avait jetés là pêle-mêle. Bob le Gueux. Em et Arrie le connaissaient. D'ailleurs, tout le monde dans le village devait savoir qu'il vivait là. Il y avait des bols, des tasses et des paquets de gâteaux entamés. L'homme leva alors les yeux. Lily recula. Il l'avait vue, elle en était sûre, mais ne pouvait rien faire. Lentement, pour ne pas l'abandonner avec trop de précipitation, elle s'éloigna en direction de la mer.

Elle escalada la crête de galets et chemina au sommet. Au loin, on voyait le début d'un incendie, et lorsqu'elle se retourna pour regarder le marais salant, elle crut entendre l'écho d'un coup de feu : le chant d'un butor.

Enfin elle arriva en vue des cabines de plage de Steerborough à demi ensablées. Elle coupa vers l'intérieur des terres par le pont de bois et remonta en direction du village. Des lumières brillaient déjà à presque toutes les fenêtres teintées de reflets orange. Elle rentra à Fern Cottage par la porte de service, alluma elle aussi la lumière, et quand elle tira les rideaux, elle imagina sa fenêtre brillant comme un phare dans l'obscurité.

Chapitre 25

« Je l'ai louée. » Max sentit les doigts d'Elsa l'effleurer. « Elle est à moi ! »

Ils étaient parvenus à l'extrême pointe de l'estuaire, au point le plus avancé dans la mer, et venaient de se retourner. L'immense étendue de sable dégagée par la marée basse se divisait en îlots où des enfants couraient d'une flaque à l'autre. Max tourna la tête vers l'intérieur des terres, vers la Maison mer : ses fenêtres étaient ouvertes, des gens, assis sur les marches, avaient l'air heureux.

« Tous les ans, le pasteur loue bien Little Haven pour y passer deux semaines de vacances ! Les gens d'ici l'appelle « Little Heaven[1] ». Eh bien, moi, je suis son exemple en louant la Maison mer à partir du premier du mois prochain. Je l'aurais bien louée avant, mais elle était déjà prise. »

Toujours debout l'un près de l'autre, ils se turent un moment.

« Pourrai-je venir vous voir ? demanda Max.

— Si Gertrude peut se passer de vous.

— Je veux dire, dans la journée. » Max baissa la tête. Son cœur battait à la folie. Avait-elle loué la Maison mer pour lui ? Voulant cacher son émoi, il se pencha pour ramasser un caillou.

« Marchons », dit Elsa. Elle glissa les pieds hors de ses

---

1. Jeu de mot sur haven (le port) et heaven (le paradis) [N.d.T.].

sandales et enfonça ses orteils dans le sable. On aurait dit du pudding, de la pâte à gâteau. Timidement, Max délaça ses bottines et laissa lui aussi le sable engloutir ses pieds. En direction du sud, ils avancèrent sur ce sol mouvant d'un pas aussi léger que possible pour ne pas trop s'enfoncer, se retournant de temps en temps pour regarder leurs empreintes avant qu'elles ne s'évanouissent.

Votre mari ne sera-t-il pas vexé que vous délaissiez sa maison si parfaite pour vous installer dans un cabanon en bois ? Max brûlait de lui poser cette question, mais il commençait à connaître Elsa : il savait que s'il gardait le silence assez longtemps, elle finirait par aborder le sujet qui le tracassait.

« La Maison mer appartient à une certaine Mrs Bugg, reprit-elle, alors qu'ils pataugeaient pour traverser un bras d'eau. Elle y passe normalement tout l'été, mais cette année son mari est malade et ils ont décidé de rester à Londres pour être plus près de l'hôpital. » À cet endroit, le terrain s'élevait légèrement, formant un étroit cordon de sable sur lequel trois petits garçons du village jouaient au cricket, pieds nus. « Elle était autrefois correspondante de guerre, mais maintenant elle écrit des livres sur la campagne. Elle milite pour que ce village ne meure pas. Des maisons et des emplois pour les gens d'ici, voilà son mot d'ordre. L'été dernier, elle a écrit une pièce de théâtre sur le village ; nous sommes tous allés à la représentation, aussi bien les gens qui viennent pour le week-end que les autochtones, et nous avons bien ri de nous voir, c'était irrésistible. » Relevant sa jupe, Elsa marchait à présent vers le large en testant du pied la profondeur de l'eau. Max fut bien obligé de la suivre pour saisir ce qu'elle disait. « Je lui ai écrit, et elle m'a dit oui, prenez-la. Elle déteste l'idée que sa maison soit vide et délaissée. »

Max avait remarqué qu'on les observait. Quelques promeneuses modestement vêtues, et un homme qui jetait des bouts de bois à son chien. La jupe d'Elsa était tout éclaboussée, son chignon presque défait. Elle s'arrêta et leva la tête vers le ciel. « Je ne m'en lasse pas », dit-elle, et, la voir ainsi cambrée et la tête rejetée en arrière, obligea Max à se détourner pour ne pas lui passer un bras autour de la taille.

Elsa, Elsa. Max s'écrasait contre le matelas. Son désir d'elle se déployait douloureusement au creux de son ventre. Il ferma les yeux et, juste au moment de glisser dans le sommeil, il prit conscience qu'il en avait oublié sa maison. Le combat épuisant qu'il menait toutes les nuits pour la retrouver en rêve avait cessé. Il reprendrait sa quête, se promit-il avec fermeté, avant de s'obliger à sombrer dans le sommeil.

« Gertrude, risqua-t-il, le lendemain matin, je cherche une maison à louer.

– À louer ? » Gertrude se tourna vers lui, yeux écarquillés, bouche béante sous le coup de l'affront. « Mais pourquoi donc ?

– Euh... » Max hésitait. « J'aimerais rester à Steerborough, et je me disais que... si je te gêne...

– Mais tu n'as pas fait mon tableau ! » Le cou de Gertrude paraissait exagérément long et son visage aussi féroce que celui d'un rapace. « Finis-le, comme il était convenu et ensuite – elle sourit pour montrer qu'elle était bien capable d'en plaisanter – tu seras libre de partir.

– C'est vrai. Pardon. Bien sûr. » Max avait oublié la toile qui prenait la poussière, debout contre la plinthe. « Je vais m'y mettre tout de suite.

– Ce serait ridicule, voyons ! Quand tu seras prêt, quand tu auras fini ta frise. » Elle se leva, et il vit ses mains trembler. « J'ai fait cette promesse à Kaethe de te proposer de venir chez moi. J'ai promis et j'entends tenir parole.

– Oui... Je me disais simplement que...

– Non », coupa Gertrude. Et elle quitta la pièce.

Gertrude constata avec stupeur qu'elle tremblait. Elle était là, debout dans sa cuisine, incapable de réagir au sifflement strident de la bouilloire qui crachait un énorme nuage de vapeur, honteuse d'avoir déformé le souhait de Kaethe. Mais Max l'avait prise au dépourvu. Elle avait suivi l'avancement de sa frise. Vu la longueur de papier vierge qui restait, et sachant combien de maisons comptait le village, il lui faudrait bien plusieurs semaines encore pour le finir. « Pardon », dit-elle dans un souffle. Elle se souvint qu'à Londres, dans les premiers temps, Max passait des journées entières assis à ne rien faire, dans le minuscule appartement qu'elle partageait avec Kaethe. Comme elle avait détesté ce garçon, alors ! Sa sœur était aux petits soins pour lui, elle voulait à tout prix l'installer, lui consacrait tout son temps et tout son amour. Ce n'est que lorsqu'il fut parti en camp d'internement et que Kaethe vint travailler avec elle à la crèche de guerre, que Gertrude retrouva toute l'attention de son amie. Elle se demandait si ça n'avait pas été une erreur de prendre un congé sabbatique cette année-là, car les problèmes rencontrés dans son travail lui auraient changé les idées. Mais après la mort de Kaethe, elle s'était sentie incapable de se remettre à travailler comme si de rien n'était. Gertrude remplit d'eau la théière, mais si distraitement qu'une grande éclaboussure vint marquer de rouge le dessus de son pied. Elle se dit en elle-même, d'un ton neutre, professionnel, qu'il était tout naturel de vouloir chérir les gens, même s'ils n'étaient pas là pour cela. Naturel, mais pas nécessairement bon pour eux, et sur ce, elle empoigna la théière et l'emporta à côté.

« Mrs Wynwell ? appela-t-elle du bas de l'escalier. Mrs Wynwell, vous êtes là-haut ? »

On entendit un matelas retomber d'un coup sec sur son sommier, puis la voix de Mrs Wynwell : « Je fais les lits. » Un instant plus tard, elle descendit, le teint écarlate.

218

« Pourriez-vous dire à Alf que ce n'est pas la peine qu'il vienne aujourd'hui ? » Gertrude sourit pour montrer que ce n'était rien, qu'elle n'était pas en colère, mais Mrs Wynwell la dévisagea, malgré tout, d'un air inquiet.

« Il n'y a pas de problème, insista-t-elle. Dites-lui simplement de ne pas venir, c'est tout. »

Mrs Wynwell se rembrunit. « Comme vous voudrez », dit-elle et, d'un pas plus marqué qu'il n'était nécessaire, elle remonta les escaliers.

Gertrude s'installa dans son fauteuil. Qu'allait-elle faire, à présent ? Elle était désemparée. Si au moins les mûres avaient été bonnes à cueillir, elle aurait pu affronter les ronciers, se piquer les doigts, en ramasser un bon panier en se barbouillant de jus rouge sang, jusqu'à ce qu'elle en eût assez. Il y avait un livre de recettes sur la table, *Vins, sirops et liqueurs*. Gertrude le feuilleta rageusement. Vin de groseilles à maquereau, vin de baies d'aubépine, liqueur d'épinards, de navets, de cosses de pois. Cocktail Pussyfoot... Bière d'orties... Pissenlit – un tonique, disait-on. *Cueillez 4,5 litres de fleurs de pissenlits...* Cette consigne la fit sourire : elle prit un grand panier, sortit, remonta l'allée.

Toute la matinée, Gertrude parcourut le village de part en part pour trouver des pissenlits. Elle les cueillait par bouquets ; les vieux se cassaient facilement, les plus jeunes, tout imprégnés de lait visqueux, lui glissaient dans les mains. Elle arpenta le chemin du moulin, passa au crible les bas-côtés de la grand route, poussa jusqu'à la piste cavalière et finit par le terrain communal. C'était un jour dans les jaunes et les bleus, typique de Steerborough, un jour où il était impossible d'être triste. On avait beau faire, se renfrogner, fermer son esprit, tout à coup une envolée de chants d'oiseaux vous parvenait aux oreilles, à moins que ce ne fût le trot d'un cheval. Une douce odeur saline flottait dans l'air, et Gertrude dut bien admettre que ce n'était pas facile d'être en colère.

Elle rentra à l'heure du déjeuner et versa les fleurs dans sa plus grande casserole. Cette masse de duvet jaune... on eut dit des poussins dans une baignoire. « Quatre litres et demi », murmura-t-elle. Et elle repartit.

Cette fois, elle se dirigea vers la Pelouse, écuma les terrains vagues qui s'étendaient derrière les courts de tennis, avança dans le marais presque jusqu'aux dunes où elle trouva des pissenlits par dizaines, mais plus petits, en forme d'étoile. Ils constellaient les berges de la rivière, encerclaient les touffes d'herbe du sentier qui courait au pied du bois de Hoist. Cette fois, elle était certaine d'en avoir assez. Elle déversa ses fleurs dans la casserole, et quand elle se retourna pour prendre son tablier, Alf était là.

« Bonjour. » C'était idiot, mais elle était ravie de le voir, assis à sa place habituelle. « Je suis désolée d'être en retard. »

Avec précaution, Alf tira quelque chose de la poche de son short. Gertrude tendit la main, Alf avança d'un pas et y déposa une fleur.

« Oh, merci. » Les pétales du pissenlit étaient tout flétris, la tige était humide et en lambeaux. « Merci beaucoup. » Ne voulant pas montrer combien ce geste était important pour elle, Gertrude mit très délicatement le pissenlit avec les autres, dans la casserole.

Ils restèrent assis tous les deux pendant dix minutes, Alf examinant ses pieds, Gertrude ne pensant à rien, pour une fois. Enfin, elle se leva. « Alors, on la fait, cette liqueur ? » Alf la suivit. Gertrude rechercha la bonne page dans son livre de recettes. *Faites bouillir 4, 5 litres d'eau...* Elle mit deux bouilloires à chauffer et remplit encore une casserole, espérant que les trois réunies suffiraient, et en attendant, ils coupèrent les tiges ensemble. Versez l'eau bouillante sur les fleurs, disait ensuite la recette. Elle ajouta avec prudence le contenu de la première bouilloire. Une odeur de verdure se dégagea, une odeur de chaleur et d'été auquel se mêlait le parfum amer des tiges. La deuxième casserole d'eau transforma le mélange en une sorte de soupe. Gertrude versait plus doucement, maintenant, en enfonçant les fleurs dans l'eau à l'aide d'une cuiller en bois. Elle trouva une spatule pour Alf, et ils se mirent tous deux à touiller et à brasser. Deux alchimistes qui fabriquaient de l'or en remuant dans l'eau de minuscules ailettes de feu. Gertrude se pencha pour lire la recette. *Laissez reposer trois jours...* Trois jours ! Ils venaient à peine de commencer, et comme pour la consoler, une des aimables personnes de l'Amicale des femmes avait ajouté : ... *en remuant de temps en temps.*

« Dans trois jours, dit-elle à Alf – elle songea qu'elle faisait semblant d'être adulte – reviendras-tu m'aider dans trois jours ? Il faudra passer ça à travers un linge, ajouter du sucre, un zeste de citron et... – elle vérifia sur sa recette – ...du gingembre pilé ». Elle aurait mieux fait de la lire jusqu'au bout avant de commencer. Ses yeux glissèrent en bas de la page où elle vit qu'il lui faudrait des bouchons, de la cire, des bouteilles et une cave fraîche qu'elle n'avait pas. « Donc, dit-elle à voix haute, rien ne presse. Nous continuerons samedi après-midi. » Alf leva les yeux vers elle et lui sourit. Gertrude vit que ses premières incisives larges, carrées, commençaient à pousser, et elle eut un coup au cœur en pensant que, lorsque la liqueur de pissenlits serait prête, son visage aurait bien changé.

Elsa et Max se tenaient sur le pont comme deux braconniers guettant leur proie. Il y avait de nouveaux locataires dans la Maison mer. Un groupe d'aquarellistes, deux hommes et deux femmes qui, chaque jour, s'asseyaient ensemble pour peindre le même paysage. Max se demandait s'ils se jugeaient mutuellement, ou si l'un d'eux était le maître et les autres des élèves qui s'appliquaient à suivre son exemple. Elsa fit quelque pas vers eux. Venez, dit-elle à Max d'un regard, mais il ne bougea pas. Ils étaient assis tous les quatre face à Eastonknoll, qui affleurait sur l'autre rive. Lui n'éprouvait nul besoin d'aller voir quatre répliques du même phare. Elsa, qui se pencha bientôt au-dessus de leurs épaules, explorait chaque dessin, posait des questions, écoutait les réponses que Max ne parvenait même pas à imaginer. Il pensa alors à sa frise. Il y avait, sur Palmers Lane, une moustiquaire verte qu'il voulait peindre. Si l'on s'en approchait, que l'on collait son visage tout contre, le treillis s'effaçait et l'on voyait un potager tiré au cordeau, des rangs de choux verts et de choux de Bruxelles soigneusement buttés. Le matin même il était assis devant, en train de mélanger ses couleurs pour la journée et de se demander comment il allait restituer le fin maillage de la moustiquaire tout en donnant une idée ce qui se trouvait derrière, lorsque Elsa était arrivée. « Je vous en prie, lui avait-elle dit. Je me sens seule.

– Bien sûr. » Max s'était levé d'un bond. « Bien sûr. » Et il avait aussitôt remballé son matériel.

Chapitre 26

Le vendredi arriva, et toujours pas de Nick. Lily fut d'abord furieuse, puis soulagée. Tout occupée à se demander si elle devait ou non lui téléphoner, elle ne remarqua que vers cinq heures le paquet déposé près de la porte par le facteur. Une grande enveloppe qu'en son absence il avait pris soin de cacher derrière une branche folle de jacobée qui poussait près de la gouttière. L'enveloppe marron, toute fripée, portait au dos un petit mot griffonné par Nick : *Ceci est arrivé pour toi, ça m'avait l'air important.* La retournant, Lily constata non sans surprise qu'à l'origine, elle avait été postée dans le Suffolk. « Je ne connais personne dans le Suffolk. » Sa gorge se serra, et elle pensa à Grae. *Pardon, pardon,* avait écrit Nick sur le pourtour de l'enveloppe. *Je ne pourrai pas encore venir ce week-end. Toujours pour les mêmes raisons. Peut-être le prochain ? APPELLE-MOI. Baiser tendre. N.*

Rentrée dans la cuisine, Lily glissa l'index dans le rabat de l'enveloppe. Le paquet était mou et presque vide en apparence, mais quand elle le renversa sur le réfrigérateur, il en tomba plusieurs liasses de petites enveloppes crème, flétries, qui, toutes, portaient la même adresse tapée à la machine : Mrs Elsa Lehmann. Il y en avait douze, plus un mot à l'attention de Lily, rédigé sur une feuille de papier ligné provenant d'un bloc à spirales.

Chère Miss Brannan, J'ai retrouvé ces lettres cachées quelque part et j'ai pensé que cela vous intéresserait de les lire. En espérant qu'elles vous seront utiles.
Cordialement, A. L. Lehmann

Lily détacha les liasses et lissa du plat de la main les lettres froissées. Septembre 1953, indiquait le cachet de la première, et les autres s'échelonnaient sur tout l'automne de la même année. « Mrs Elsa Lehmann. La Maison mer, Steerborough. » Lily suivit du doigt les mots de l'adresse et les prononça à voix haute. Steerborough. Les voir écrits lui procura une énorme de joie, même si elle savait déjà, bien sûr, que les Lehmann avaient vécu là. Raison pour laquelle elle y était venue. Elle sortit timidement la première lettre. Dans l'en-tête, il y avait le titre d'« Architecte », en anglais désormais, et une adresse à Londres, NW3. Mais avant toute chose, Lily devait trouver la maison. Elle ne pouvait attendre une minute de plus. Elle posa le paquet de lettres sur l'étagère, elle verrait plus tard, se chaussa et se rua dehors.

Ce nom de Maison mer lui disait quelque chose. Elle voyait encore mentalement la pancarte. Elle courut jusqu'au milieu de la Pelouse et hésita. De quel côté aller ? Des panneaux, des barrières et des vérandas défilaient devant ses yeux, et tout à coup elle se souvint : la maison blanche sur pilotis. La dernière du village. Lily bondit dans cette direction. Elle passa devant le *Ship*, dévala vers le port pour remonter, puis franchir la digue. Au-dessous d'elle s'étendait le parking. Un terrain plat, plein de flaques et de cailloux, séparé du marais par une rivière, envahi par la boue noire et lisse de la marée basse. Elle y vit un marchand de glaces ambulant et, ici et là, des enfants qui pêchaient des crabes. Pendant un instant, elle crut apercevoir Em et Arrie assises au bout du pont.

La rivière décrivait une courbe avant de revenir en un seul méandre vers l'estuaire, et c'était dans cette anse que se tenait la maison, toute blanche, si trapue. Elle était laide vue sous cet angle, avec sa peinture toute écaillée et ses grosses pattes vert kaki. Il y avait une barque amarrée sous son ventre et une bicyclette rouillée couchée le long de son flanc. Lily reprit sa marche le long de la rivière. Un escalier en bois montait jusqu'à une véranda, et là, derrière les carreaux, une pancarte indiquait : *À louer.* La véranda était vitrée, de même que la porte d'entrée. De dehors, Lily aperçut une cuisine avec une longue table et un vaisselier rempli d'assiettes. Plus loin, tout au fond, une échelle droite menait à une trappe. Elle colla son nez contre la vitre et se tordit le cou pour mieux voir sur le côté ; à ce moment, la porte s'ouvrit brusquement. Lily en perdit l'équilibre et trébucha sur le seuil. Elle se releva d'un bond et pivota pour regarder autour d'elle, mais ne vit personne. « Il y a quelqu'un ? » demanda-t-elle, comme si elle était venue pour visiter. Elle traversa la pièce, le cœur battant. « Il y a quelqu'un ? » Sous la trappe, elle hésita un instant, se mordant la lèvre, puis gravit les échelons.

La pièce du haut était extraordinaire : un guéridon, des natures mortes de fleurs sur tous les murs lambrissés. Lily se tenait toujours debout sur l'échelle. Un regard circulaire lui donna l'impression d'être dans un bateau. Du bois, du sol au plafond, de l'eau tout autour, à perte de vue. Il y avait un lit, une armoire, et elle se dit qu'au lieu de vivre dans sa tanière où tout était couleur de terre, elle aurait aussi bien pu habiter ici, en pleine mer. Et soudain elle retrouva ses esprits, se souvint qu'elle se trouvait dans une propriété privée et redescendit. En trois enjambées elle regagna la porte, sortit précipitamment et ne reprit haleine qu'une fois dehors. Très lentement, elle traversa le parking. Elle s'arrêta au pont et observa ces enfants trop propres et trop bien habillés pour être ceux qu'elle connaissait. « Em ? appela-t-elle. Arrie ? » Mais sans un regard pour elle, ils continuèrent à lancer leur ligne avec le morceau de lard qui leur servait d'appât et à remonter les mêmes crabes gris.

Ma chère Elsa, lut Lily dans le rayon de soleil qui entrait à cette heure-là par sa fenêtre. *Je pensais qu'à présent tu serais de retour à Londres auprès de moi, sinon je n'aurais jamais entrepris ces travaux de construction avec Kett. Mais si nous ne finissons pas le travail maintenant, nous devrons remettre cela à l'été prochain, et l'été prochain, j'ai prévu de le garder pour nous. Alors, ma doucette, ça te plaît de vivre dans une cabane ? J'aimerais bien y être avec toi, mais comme d'habitude, il faut que j'attende d'obtenir l'agrément pour les plans, que je me mette au projet des Bermann, que je m'occupe des chaises que j'ai promis à Jones de dessiner. Porte-toi bien, décris-moi TOUS les moments de ta journée. Je veux être sûr que tu as tout ce que cette vie si précieuse peut t'apporter.*

L'été prochain, songea Lily. Lehmann gardait pour eux l'été prochain, et dans un brusque regain d'énergie, elle se leva d'un bond et traversa la Pelouse au pas de course. Elle tira d'un coup sec sur la porte de la cabine téléphonique et enfila précipitamment ses pièces dans la fente. « Nick, dit-elle avant qu'il eût le temps de dire "allo", tu me manques, tu sais... »

Il y eut un bref silence à l'autre bout du fil. « Tant mieux. » Il semblait content.

« Viens passer quelques jours ici avec moi. » Cela faisait des mois qu'elle lui tendait la perche pour qu'il vienne. N'était-il pas plus simple de le lui demander carrément ? « Réserve quelques jours tout de suite. Note-le, au besoin, dans ton agenda. Imagine que c'est du travail.

— Voilà, c'est fait, répondit-il. Merci. J'essaierai d'être là vendredi prochain... disons vers dix-huit heures.

— Essaie. C'est superbe ici, ce soir, ajouta Lily d'une voix suave. Si tu étais là, on pourrait faire une balade sur la plage...

— Lily, dit Nick, en fait je suis en réunion.

— Très bien. Alors on se voit le week-end prochain ?

— Rappelle-moi quand même d'ici là. »

Pourquoi ? se demanda Lily. Pour que tu puisses me dire que tu as un empêchement ? « Bon alors, salut. » Les pièces inutilisées descendirent en cliquetant dans le réceptacle. Elle les ramassa. *Appeler le 999. Attendre près de la digue...* Le mot était toujours là, avec la petite marque qu'elle y avait faite dans un coin. Elle tâta ses poches à la recherche d'un stylo et en dessina une deuxième, un petit L, au beau milieu de la feuille. En rouvrant la porte de la cabine elle eut la désagréable impression d'être observée. Ce message était-il surveillé ? Quelqu'un venait-il voir, la nuit, s'il était toujours là ? Tout à coup elle se figea. Le papier. C'était exactement le même. Une feuille lignée et arrachée à un bloc à spirales de la taille du billet qu'elle avait reçu le jour même de A.L. Lehmann. Lily regarda au loin vers le marais. Elle avait l'impression que ses cheveux rampaient sur son crâne. Il devait exister des centaines de blocs de papier du même format, tous les marchands de journaux en avaient, et pour se prouver qu'elle n'avait pas peur, elle se força à sortir de la cabine et descendit vers la mer.

Elle était toujours saisie par sa beauté. Par l'aplatissement inattendu du relief, une fois cette dernière dune franchie. Il vous ouvrait grand les yeux, détendait vos muscles cardiaques, vous forçait, chaque fois, à vous arrêter. La plage était presque déserte. Cette journée assez fraîche succédait à une longue semaine de soleil et de chaleur, et les vacanciers, rassasiés des plaisirs de la plage, avaient dû s'abstenir, ce jour-là.

Lily s'assit sur le sable. La mer montait, rétrécissant peu à peu la grève et clapotant calmement sur un ruban de galets. Lily ramassa des cailloux saupoudrés de sel qu'elle réunit en un petit tas. C'était la première fois de sa vie qu'elle passait autant de temps seule. Enfant, elle était presque constamment avec sa mère ; elles avaient toujours en réserve d'énormes tranches de temps libre à partager. Sa mère, pour compenser peut-être l'amputation familiale, semblait mettre un point d'honneur à remplir chaque instant de la vie de Lily.

« Je fais le serment, lui avait-elle dit, un jour que celle-ci la questionnait à propos de son père, de t'aimer, de te gâter, de t'aider en tout. » Sur quoi elle lui avait tendu un macaroni piqué sur le bout de sa fourchette. Lorsqu'elle y repensait, Lily s'imaginait installée ce jour-là dans une chaise haute, entourée des grandes feuilles de rhubarbe qui se déployaient devant les fenêtres, mais elle savait qu'elle devait être plus grande que cela et assise plutôt sur une des chaises paillées disposées autour de la table. En effet sa mère l'avait gâtée, en effet elle lui avait consacré chaque minute de son temps, si bien qu'elles avaient vécu toutes les deux dans une proximité indéfectible. Il leur arrivait de passer tout un week-end à crayonner, à dessiner et à se lire à haute voix des livres empruntés à la bibliothèque, bien calfeutrées dans la pièce humide qui donnait sur la rue. Durant les grandes vacances, elles flânaient volontiers au marché aux puces de Portobello, raflant, sur les stands, des chutes de tissus, plongeant à pleines mains dans des montagnes de vestes pour, un beau jour, en exhumer une doublée de soie rose. Elles confectionnaient avec leur trésor des habits, des draps et des couvertures de poupée, tricotaient des écharpes en laine et, lorsque Lily fut plus grande, elles achetèrent des tailleurs, des robes et des jeans trop grands, rentrant aussitôt à la maison pour les démonter et les transformer, les essayant l'une après l'autre, passant des soirées entières à coudre et à découdre, à chercher les ciseaux, avec pour fond sonore les émissions de variétés de la télé. Lily avait songé à s'inscrire dans une école de stylisme pour créer une ligne de prêt-à-porter rien qu'avec des vêtements de récupération, mais en définitive, elle s'était retrouvée à l'école des Beaux-Arts, à l'autre extrémité de Londres, et quand trois de ses copines lui avaient proposé de partager avec elles un appartement proche de l'école, elle avait accepté.

« Ça va aller, ne t'en fais pas. » Sa mère avait le visage bouffi par les larmes. « Bien sûr, c'est la meilleure chose à faire. » Et elle avait cru indispensable de procéder au partage des couteaux et des fourchettes. Lily se demandait comment sa mère allait survivre à cette séparation, et au début, elle lui téléphonait plusieurs fois par jour, lui promettait de venir la voir tous les week-ends, lui envoyait des petits mots, pour s'apercevoir assez vite que toutes ces attentions étaient inutiles. Loin de détruire sa mère, son départ l'avait rajeunie. Elle avait vendu l'appartement du rez-de-chaussée pour acheter celui du dernier étage, qu'elle avait repeint en jaune. Et au bout de quelques semaines, ou d'un an peut-être, elle avait rencontré et épousé Clive. À présent, elles ne se parlaient plus que rarement. La mère de Lily s'était engagée à l'aimer et à la choyer, mais apparemment pas au-delà de ses dix-huit ans, pas *ad vitam aeternam*. Lily en éprouvait de la culpabilité et de la tristesse, comme si c'était elle qui, pendant toutes ces années, avait empêché sa mère de s'épanouir. Désormais elle voyageait, elle venait de partir en Inde avec Clive.

« J'avais d'autres priorités quand j'étais jeune », avait-elle déclaré d'un ton détaché lors de la petite fête que Clive et elle avaient organisée en guise d'adieux, et les dernières nouvelles que Lily avait eues étaient écrites sur une carte postale du temple de Chivanundra qui portait leurs deux signatures.

Lily se leva et s'étira. Il ferait bientôt nuit, la mer s'était éteinte, et de vagues odeurs de cuisine flottaient dans l'air. Elle n'avait pas fait de courses, exprès, se disant que si elle ne préparait rien, cela ferait venir Nick, et maintenant qu'elle marchait contre le vent, elle songeait à son buffet vide, aux trois œufs qui restaient dans le réfrigérateur, aux carottes fripées. Elle pourrait toujours se faire une omelette et improviser une salade. C'est alors qu'elle contourna les dunes et vit de la fumée s'élever d'un feu de camp.

Elle provenait des cabines de plage, qui n'étaient presque plus utilisées, tant le sable s'amoncelait devant leurs portes, empêchant de les ouvrir. Certaines étaient tellement enfouies sous le niveau de la plage que des hommes passaient la moitié de leur été à les déblayer, juste pour pouvoir y entrer et se faire une tasse de thé. Elle huma de nouveau l'odeur de saucisses aux herbes et, en flairant comme un animal, elle se laissa guider par ce fumet. Elle pressa le pas, ne s'arrêtant que pour chasser le sable de ses chaussures, et tout à coup, elle aperçut au loin une silhouette de petite taille qui courait en portant un fagot de bois. Elle la suivit silencieusement dans le sable et découvrit, au détour d'un buisson, un espace dégagé où brûlait un feu. La fillette lâcha son fagot et se retourna : Lily reconnut Arrie. Elle s'accroupit pour se cacher, juste au moment où la porte d'une cabine de plage s'ouvrait. Grae apparut dans un rectangle de lumière. L'intérieur de la porte était bleu, et derrière, Lily aperçut le coin d'un lit.

« Em, cria-t-il, Arrie ! » Lily n'avait plus le choix : il lui fallait avancer vers le feu.

Grae fit un pas en avant, scrutant l'obscurité. Tout à coup, les feux fillettes, comme surgies de nulle part, se jetèrent sur Lily, l'enlacèrent, enfouirent leurs têtes dans son giron. « Te revoilà enfin, dirent-elles, tu es revenue ! »

Lily rit. « Je ne me suis pas absentée bien longtemps...

– Tu dînes avec nous ? » Em s'était pendue à son bras. « On va faire griller des marshmallows.

– Oh, oh ! » Elle jeta un coup d'œil en direction de Grae accroupi près du feu. « Je veux bien, à condition que ça ne vous prive pas. »

Grae retourna vers la cabine. Elle le vit se pencher, ouvrir des cartons, sortir une tasse. Il y avait une certaine langueur dans ses gestes, et elle se souvint de ses épaules qui tressautaient en silence quand il se mettait à rire. Elle se dégagea de l'étreinte des fillettes et le suivit. La cabine était minuscule, à peine plus de trois mètres sur trois. Deux lits superposés fixés aux murs latéraux, une table, une plaque chauffante, une bouilloire, des étagères, et même un bouquet de fleurs.

Lily s'arrêta sur le seuil. « C'est là-dedans que vous habitez ? » demanda Lily, assez choquée. Elle ravala tant bien que mal sa consternation.

Grae se redressa, un chapelet de saucisse à la main. « Officiellement, non. Un arrêté municipal l'interdit.

— Mais, les gens du village doivent bien le savoir ? » Le chat noir et blanc sauta d'un lit et vint se frotter contre les jambes de Lily.

« Tant que personne ne se plaint, répondit Grae dans un haussement d'épaules. Ça durera ce que ça durera. » Comme il levait les yeux vers elle, Lily remarqua qu'il ne restait plus de sa balafre qu'une fine cicatrice. « Ce sera marrant, l'hiver.

— Vous voulez rire ? » Elle avait dit cela sans réfléchir.

« Non », répondit-il en lui tendant une tasse.

Ils retournèrent vers le feu de camp, et Grae tendit à Lily, Em et Arrie une saucisse chacune, fichée sur la pointe d'une brochette. « Vous la tenez au-dessus de la chaleur en la tournant sans arrêt », recommanda-t-il. Ils attendirent que leur dîner fût grillé et croustillant. Ils mangèrent le reste de saucisses dans des tranches de pain pliées, avec des pommes et des marshmallows qui, en fondant, avaient pris des formes de fantômes.

« Quel merveilleux endroit », dit Lily, tandis que Grae tisonnait le feu. Puis, imitant les fillettes, elle prit un couteau bien aiguisé et commença à écorcer un bout de bois qu'elle tailla ensuite en pointe. Ça vous plaît de vivre dans une cabine de plage ? avait-elle envie de leur demander. C'est l'aventure ? Mais que répondrait-elle si les petites filles lui rétorquaient que non, que cela ne leur plaisait pas, qu'elles s'ennuyaient de leur chambre, de leur jardin et de leur maman ? Tout le monde resta donc assis en silence à contempler l'éclat cristallin des étoiles, jusqu'à ce que Em et Arrie s'enveloppent dans des couvertures et se pelotonnent sur le sable.

« Je vais les coucher. » Grae se leva et prit Em dans ses bras. Lily le suivit avec Arrie, dont la joue soyeuse se frotta contre la sienne. Ils glissèrent les fillettes dans leurs couchettes et restèrent quelques instants debout l'un près de l'autre, dans cette pièce minuscule, ne sachant que faire de leur bras qui ne portaient plus les enfants. Lily retourna dehors et resta en arrêt, tournée vers la dune, pour écouter. De l'autre côté, la mer était haute.

« Elle est calme, ce soir », murmura-t-elle. Grae avança alors la main pour la toucher. Elle fut traversée par une étincelle, une douleur exquise qui s'éteignit lorsqu'il retira sa main.

« J'ai cru que vous aviez quitté le village, dit-elle.

— Et vous — Grae baissa la tête — vous étiez bel et bien partie...

— Juste quelques jours. » Elle rit, secouée d'un frisson. « Mais... » commencèrent-ils tous les deux en même temps, et, sans préméditation aucune, elle tendit une main que Grae prit dans la sienne. Ce contact lui envoya une décharge dans tout le bras, et voilà qu'il l'attirait maintenant à lui, l'enlaçait, prenait doucement sa tête entre ses mains, effleurait du bout des doigts sa joue, son cou, ses yeux.

« Pourquoi ne m'as-tu pas trouvé ? » lui demanda-t-il, mais sans lui laisser le temps de répondre, il posa sa bouche sur la sienne. Son souffle était doux comme un zéphyr ; sa barbe de plusieurs jours, chaude et rugueuse, lui picotait le menton. Il la fit basculer dans les grandes

herbes lisses et mille flammèches explosèrent en elle lorsqu'il glissa les mains sous ses vêtements. Il la soulevait
délicatement, la pétrissait, chuchotait à son oreille, et elle
se disait qu'il n'y avait rien de meilleur au monde. À qui
devait-on cette invention ? songeait-elle. Qui avait inventé
le sexe ? L'odeur de Grae, celle de la chaleur, du sel et du
feu de bois, tout cela participait de son désir. Soudain il
s'interrompit net. Il se souleva en raidissant les bras, resta
penché au-dessus d'elle. « Ça va ?

— Oui, dit-elle en riant. Oui. »

Il replia ses coudes et s'étendit près d'elle. Elle respira
plus lentement, imagina les étoiles quittant le ciel pour
descendre en tournoyant jusqu'au sol.

« Doucement », dit-il. Il semblait s'être parlé à lui-
même.

Allongés côte à côte, ils se dévoraient des yeux, comme
si cela leur avait été jusqu'alors interdit, puis, pendant
des heures et des heures, ils s'embrassèrent, soupirèrent,
chuchotèrent, jusqu'à ce que leurs lèvres n'en puissent
plus.

« Il vaudrait mieux que je parte, dit Lily quand le jour
commença à pointer.

— Viens dormir près de moi. » Il la serra dans ses bras,
mais elle imagina Em et Arrie la foudroyant du regard
quelques heures plus tard. Il devina ses pensées : « Dors
dans la couchette du haut, si tu préfères. » Ils piétinèrent
les dernières braises du feu qui couvait encore et rentrèrent
comme à regret. Grae ferma la porte à clef. Ils s'arrêtèrent
dans le petit espace qui séparait les lits pour un dernier
baiser, après quoi Lily se hissa jusqu'à l'étroite couchette
et tomba dans un sommeil noir d'encre.

Au réveil, elle avait oublié où elle se trouvait. Le soleil
entrait par une porte ouverte, son lit jouxtait une paroi
de bois. En se tournant, elle faillit tomber par terre. Et
tout à coup, la mémoire lui revint : la cabine de plage.

Elle se rallongea. Il y avait le murmure d'une radio et quelqu'un faisant la vaisselle. Elle reconnut le sifflotement habituel de Grae au travail. Le chat monta sur elle et la fixa de ses yeux jaunes. Au moment où elle voulut le caresser, il arrondit le dos d'un air hautain et sauta par terre. Lily resta allongée, les yeux au plafond. Comment avaient-ils pu passer toutes ces heures ensemble en taisant autant de choses ?

Chapitre 27

*On ne peut comprendre un sujet qu'en le dessinant
constamment,* lui avait écrit Henry, tout au début de leur
échange épistolaire, et Max hésitait, maintenant qu'il avait
peint plus de la moitié d'un village, à y inclure quelques
personnages. *Si vous avec la certitude qu'il faut passer par
la destructuration, alors allez-y, destructurez allègrement et
aussi souvent que nécessaire. Abandonnez toute idée conven-
tionnelle de ce que peut être une tête. Si elle ressemble à une
pomme de terre percée de deux yeux, dessinez-la telle quelle.
Exercez-vous à traiter la chaise et le personnage assis sur la
chaise comme un seul et même objet. Votre vénération pour
la forme humaine me fait penser à une sorte de trac. Vous
avez devant vous un personnage. Regardez-le comme s'il
s'agissait d'un morceau d'argile. Mais, et je parle maintenant
de votre croquis de « Helga », pourquoi la dessiner si légèrement ? Et où sont ses cheveux ?* Mais Max n'avait pas eu le
choix. Les cheveux de Helga, pareils au marbre, pesaient
sur son front comme un casque. Il les avait gommés jusqu'à n'en laisser qu'une ombre et, plus tard, il avait sup-
plié Helga de le laisser faire une nouvelle tentative, mais
elle l'avait mis si mal à l'aise qu'il n'avait pu continuer.

« Ton père... lui avait-t-elle demandé. Était-il vraiment
officier ?

— Oui. Il s'est battu à Loos, et ensuite, quand il a été
guéri... il est devenu éclaireur, au péril de sa vie.

— Mais il avait vraiment le grade d'officier ? » Ses cheveux

235

étaient tressés. Une natte pendait d'un côté de son croquis comme un cordon. Max avait compris le sens de sa question et, bien qu'il trouvât cela déloyal (sans trop savoir envers qui), il expliqua : la conversion de son père, son service militaire, le cheval Appelsnout. « Il a été décoré pour sa bravoure.

– Ça, je le savais », fit-elle, comme si elle le prenait pour un demeuré. « Tout le monde le sait, sur l'île, tout le monde. C'est le reste dont je n'étais pas sûre... » Elle tournicota distraitement sa natte et l'amena sur le dessus de son crâne. « C'est la mère, reprit-elle plus lentement, si ta mère est... – elle ravala le mot en tressaillant – tu l'es forcément aussi. »

Max sentit son corps s'appesantir. Il posa son crayon, vint s'asseoir près d'elle et lui prit la main. « Mes parents sont larges d'esprit, tolérants, ça leur serait égal. Nos enfants... »

Helga retira sa main. « Oui, dit-elle. Oui. »

Au bout de quelques instants, Max se leva et reprit son dessin, mais rien à faire, les cheveux de Helga tombaient comme des cordons de rideau ; il finit par admettre qu'il était vain de s'obstiner.

Quel temps faisait-il ce jour là ? Comment était le ciel ? demandait Henry. *Montrez-moi cela. L'herbe était-elle fraîche et bien verte ? Ou brûlée et roussie ?*

Une semaine plus tard, Helga passait en bicyclette devant sa fenêtre. Juste derrière suivait Gottschalk, un fils de pêcheur devenu pêcheur à son tour, qui avait monté une coopérative pour acheter un bateau neuf. Il rattrapait Helga en maintenant son guidon avec ses genoux, et Max vit bien, à sa façon de tourner la tête de côté, qu'elle lui disait de se dépêcher. Max se leva d'un bond, ouvrit brusquement la porte d'entrée, contourna le poirier et surgit dans la ruelle. Mais Helga et son pêcheur amorçaient déjà le virage en dérapant ; les rayons de leurs roues dessinaient des cadrans solaires, leurs pneus quelques traits noirs furtifs. Il leur courut après, jusqu'à la boulangerie qui faisait l'angle : ils avaient déjà disparu.

Max avala d'un coup le dernier morceau du sandwich à l'œuf que Gertrude avait glissé dans son sac. Il était presque arrivé au bout de Palmers Lane, devant Teal House, dont les fenêtres, hautes comme celles d'une chapelle, donnaient sur un champ. Il ne tarderait pas à achever sa seconde frise. Ralentissons, pensa-t-il en mesurant, du bout de son crayon, la taille de la cheminée. S'il ne se réfrénait pas, il devrait bientôt rentrer chez lui. Teal House avait des murs rouge sombre et un toit arrondi comme un chapeau melon. Cela lui rappela le patron de la société où il avait travaillé comme comptable, dès la fin de la guerre. On lui avait accordé une semaine de congé, après la mort de Kaethe. Max n'y était jamais retourné, pas plus qu'il n'avait écrit pour s'en expliquer, comme il en avait l'intention. En vivant modestement, il pouvait tenir avec l'argent que Kaethe et lui avaient mis de côté, et ensuite il ferait peut-être ce que sa sœur lui avait interdit : essayer de retrouver le chemin de Heiderose pour aller voir ce qu'il en restait.

Le premier septembre, il se mit à pleuvoir. Dès le matin, alors que Max s'habillait. Il regardait par la fenêtre et pensait à la clef de la Maison mer. C'était une certaine Mrs Cobbe, au numéro 17 de Church Lane, qui l'avait. Cette dame devait aller faire un grand ménage dans la maison, au cours de la matinée, et à midi, Elsa pourrait officiellement s'y installer. Bien sûr, Mrs Cobbe aurait pu lui laisser la clef sur la porte, mais elle avait insisté pour qu'Elsa monte la chercher à son domicile : elle tenait à ce que les choses fussent faites dans les règles.

« Eh bien, dit Gertrude à Max. Elsa Lehmann emporte une quantité d'affaires impressionnante ! Des livres, des assiettes et deux énormes valises de vêtements. Il va falloir que je sorte la voiture pour l'aider à déménager. Elle dit qu'elle va se débrouiller, transporter tout cela progressivement, et c'est vrai que lorsque Kett commencera les travaux, il pourra toujours charger des cartons sur une brouette. »

Max la regarda sans comprendre.

« Kett. L'entrepreneur du village. Il fait des travaux dans la maison des Lehmann. Il doit modifier la montée de l'escalier, une idée de Klaus pour donner à ces marches un caractère plus majestueux. » Gertrude rit et secoua la tête. « Sinon, tu peux me dire pour quelle raison ils iraient s'installer dans une cabane ?

– Je ne m'étais pas posé la question. » Max fronça les sourcils et tourna les talons.

Au milieu de la matinée, la pluie n'avait toujours pas cessé. Ne supportant plus d'attendre, Max mit son chapeau sur sa tête et sortit. Comme il n'avait pas emporté sa frise, de peur de la mouiller, il en profita pour flâner dans le village, observer certains détails, choisir des couleurs estivales pour la dernière maison de Palmers Lane. Steerborough était son village à présent, songeait-il, et effectivement, les rares passants qu'il croisait le saluaient de la tête ou d'un signe de la main tout en courant se mettre à l'abri. Max ferma les yeux. Il voulait se tester lui-même, se prouver qu'il connaissait exactement chaque rue et chaque haie, chaque banc et chaque arbre qui dépassait des grilles. Il avança lentement, en se fiant aux sens dont il s'était accordé l'usage, le toucher de la route sous ses pieds, l'odeur des différents jardinets devant les maisons. Enfin, le sol étant devenu plus meuble, il comprit qu'il avait devant lui sa vue préférée et ouvrit les yeux. L'herbe avait été coupée, le blé était en chaumes, le carex fauché. Des ronces parsemées de mûres s'accrochaient au grillage du court de tennis, et partout flottait l'odeur du feu de bois qui traversait en fines volutes le rideau de pluie.

Max s'engagea sur le chemin de terre. Droit devant s'étendait la mer, une feuille d'argent martelée par un soudain rayon de soleil. Il longea un champ pour atteindre le bois où le sentier décrivait un virage en épingle à cheveux, revenait vers l'intérieur, franchissait des levées de terre et des buttes herbeuses avant de rejoindre le marais salant, juste au-dessus du moulin. Il y avait là trois hommes qui réparaient la toiture. Ayant bifurqué dans une sente plus étroite, Max parvint bientôt devant l'entrée d'une casemate couleur de granit qui s'intégrait mal à ce paysage d'un autre âge. Il se contorsionna pour y pénétrer, à la manière d'un escargot rentrant dans sa coquille et, s'arrêtant devant l'une des étroites fenêtres, il se demanda quels hommes du village s'étaient relayés ici, jour et nuit, pour monter la garde. Pas une seule maison de Steerborough n'avait été bombardée, et c'était peut-être ce petit bunker qui avait dissuadé les Allemands d'approcher. Max s'adossa à un mur. Aujourd'hui, il n'avait d'énergie que pour Elsa. Il regarda de nouveau sa montre pour voir s'il était enfin une heure. Une fois ressorti de sous terre, il se remit en route et, sans un regard pour les ouvriers, fila le long des ornières gorgées d'eau sur un sentier transformé en bourbier qui courait parallèlement à la mer.

Trois cygnes étaient posés sur l'eau, énormes, tout blancs, à l'exception de l'un d'eux qui était encore tacheté de brun. À l'approche de Max ils se mirent à battre des ailes, décollèrent en déployant un maximum d'effort et s'envolèrent. Max arracha une tige de carex qui lui servit à se frayer un chemin le long de la rivière, dans la boue et les roseaux. Il ressortit sur le pont qu'une barrière en chicane interdisait au bétail, le seul objet fabriqué de main d'homme qui séparât la Maison mer de l'eau.

La vitre de la porte vibra lorsqu'il frappa. Il était une heure passée, et pourtant il n'y avait personne. Max tourna la poignée : la porte était fermée à clef. Il battit en retraite vers les dunes. Le soleil gagnait en force, la pluie avait cessé. Il s'assit dans l'herbe rugueuse et contempla la boue qui commençait à former une croûte sur ses chaussures et les auréoles sombres qui séchaient au bas de son pantalon.

« Juste ciel ! » Gertrude croyait être tombée sur un cadavre dont les jambes seraient à moitié enterrées dans le sable.

Max se redressa. « Ah, bonjour ! » Il jeta un coup d'œil vers le soleil, stupéfait de le voir aussi haut au-dessus du clocher de l'église. S'étant relevé tant bien que mal, il s'immobilisa à côté de Gertrude. Ses vêtements étaient constellés de petites fleurs de fenouil qui collaient obstinément au tissu.

« Ça y est, soupira Gertrude. La voilà installée, avec toutes ses affaires. »

Max se tourna vers la Maison mer, mais Gertrude glissait son bras sous le sien. « Cela fait une éternité, dit-elle, que je n'ai pas vu la plage. » Était-ce une ombre ou Elsa elle-même qui, debout à la fenêtre, se tendait vers lui en agitant la main ? « Si nous allions faire quelques pas ? » Gertrude ne put s'empêcher de chasser les minuscules balles de fleur accrochées aux manches de Max.

Il se laissa guider le long de la plage, autour des petites criques. « Il y a un vieux qui vit près de la Pelouse, lui dit Gertrude. Ça doit faire quinze ans qu'il n'est pas descendu au bord de la mer. Il dit qu'il n'a pas le temps. » Max acquiesça, bien qu'il lui fût presque impossible de lire sur les lèvres de Gertrude et de marcher en même temps. « Il n'y a que nous autres Londoniens pour penser qu'il faut révérer la nature nuit et jour, poursuivit-elle. Qui n'osons pas passer devant un lilas ou un pommier sauvage sans nous arrêter pour humer son parfum. Nous sommes sevrés de tout cela, voilà la vérité, et quand les gens de la ville se retirent ici, ils passent le reste de leur vie à rattraper le temps perdu. Ma tante, tu sais, celle qui m'a légué la maison, eh bien, jusqu'à l'âge de quatre-vingt-onze ans, elle allait se promener tous les jours. »

Max trébucha alors qu'ils s'engageaient sur le chemin pentu, passé le ponton où était amarré le bac. Quand Gertrude le rattrapa et le tira vers elle, leurs hanches se cognèrent violemment. « Pardon », dit-elle en lui lâchant le bras.

Max jeta un coup d'œil discret derrière lui. La Maison mer avait disparu du paysage. Il ne restait, à sa gauche, qu'une vaste prairie inondée et aucune autre issue, devant, que le chemin sur lequel il fallait continuer de marcher. Max voyait les heures s'écouler sans lui. La lumière s'amenuiser, les moucherons former des essaims de plus en plus épais, et il imaginait Elsa se faisant à l'idée qu'il ne viendrait jamais.

Ils atteignirent enfin le pont et revinrent vers l'intérieur en longeant la voie ferrée. Le sentier suivait les ondulations des collines jusqu'au village. Gertrude s'arrêtait de loin en loin pour cueillir une mûre et souriait à Max de ses dents noircies. Ils ne parlaient pas, et, plus ils avançaient vers le soleil couchant, moins Max se sentait oppressé. Il s'était résigné. Il acceptait la compagnie de Gertrude et le fait que, lorsqu'ils arriveraient enfin au village, il serait trop tard pour aller voir Elsa. Cependant Gertrude ne s'arrêta pas à la bifurcation qui menait vers Marsh End. « J'ai laissé ma voiture sur le port », dit-elle. Ils descendirent donc vers la mer.

Ce fut une étrange sensation pour lui que de s'asseoir sur le siège en cuir, de s'appuyer au dossier, et de sentir la pluie, le sel et le soleil de la journée se dissoudre à mesure que la voiture remontait l'allée. Ils préparèrent le dîner ensemble : purée de pommes de terre, côtelettes grillées, persil et petites tomates sucrées cueillies sur une plante grimpante près de la porte de service. Max mit le couvert, Gertrude apporta les plats, et, levant les yeux au même moment, ils s'adressèrent un hochement de tête satisfait. Après le dîner, ils jouèrent aux cartes, une partie puis une autre, et, enivrée par ses victoires, Gertrude voulut absolument lui lire des extraits d'une anthologie de poésie du Suffolk, dont un poème auquel Max ne comprit pas un mot.

Ô vous, brins de couleur, si fins et si dociles
Que de nuits sans sommeil vous avez apaisées !

C'était, lui expliqua-t-elle, une ode au tricot.

Et au long des jours sombres jamais n'avez manqué,
De repousser l'ennui, ennemi toujours possible ;
Grâce à vous, le travail silencieux et aisé
Exige peu d'effort du corps et de l'esprit,
Qu'il laisse à leur gré, en toute liberté,
Prendre une bouffée d'air frais, méditer ou prier.

Il était dix heures passées. Max regarda dehors : il faisait nuit noire. « Je vais aller lire un peu », dit-il. Il se leva et s'étira. Gertrude fit de même. « Tu as raison », et ils montèrent l'un derrière l'autre se coucher.

Max s'assit sur son séant, dans un bain de lumière. Il avait oublié de tirer les doubles-rideaux et les premiers rayons du soleil marquetaient les vitres. « Viendrez-vous me voir ? » Les mots d'Elsa le hantaient, et il n'en revenait pas d'avoir laissé passer cette première chance.

Il enfila vite ses vêtements, le réveil indiquait cinq heures trente, et descendit l'escalier aussi discrètement que possible. L'euphorie s'empara de lui dès la première bouffée d'air. Il faisait doux dans ce matin bleu émergeant tout juste du noir de la nuit ; les pointillés sombres des oiseaux migrateurs en partance zébraient le ciel. En courant, il remonta le chemin jusqu'à l'angle où se dressait la maison désertée par les Lehmann, puis traversa la Pelouse où tout dormait encore. Mais la rivière, elle, était bien vivante. De petits bateaux de pêche faisaient des allées et venues pour décharger leurs filets que des mouettes hystériques survolaient en hurlant.

Max fila dans l'ombre des cabanes, zigzaguant entre les pilotis, les yeux rivés sur la fenêtre de la Maison mer où brillait une lumière. Cette lumière, il en était sûr, était là pour lui. Il se hâta vers elle en respirant fort par le nez et ne s'arrêta pour reprendre haleine qu'au pied de l'escalier en bois. Il monta sur la véranda, frappa et attendit. Puis il tourna la poignée et entra. La pièce du bas était vide. « Elsa ? » Il y avait un carré de lumière en haut de l'échelle, et peut-être lui répondait-elle de là-haut. Une main, un pied se suivant l'un l'autre, il était dans son rêve. Chaque barreau lui semblait chaud, et enfin il se retrouva en haut, clignant des yeux.

Il y avait bien là l'armoire, le guéridon et les chaises, le lit à moitié défait, mais pas d'Elsa. Un livre était posé sur le lit, et Max le saisit en s'asseyant. Il semblait neuf, sa couverture était toute lisse.

Le Journal d'Anne Franck,
Un extraordinaire document sur l'adolescence.

Max scruta le visage de la jeune fille. Des cheveux bruns séparés par une raie de côté très basse, deux grands yeux ronds perdus dans le blanc et une bouche dont la lèvre supérieure, charnue et chargée d'espoir, lui rappelait un bec de canard. Il ouvrit le livre. Sur la jaquette intérieure figurait la photo d'une maison de quatre étages, dont les grandes fenêtres étaient très rapprochées, et, à côté, une autre photo d'une bibliothèque pleine de dossiers.

C'est alors qu'Elsa apparut par la trappe. Il la vit pousser un cri et l'étouffer de sa main, avant de comprendre que c'était lui.

« Pardonnez-moi... » Il se leva précipitamment. « Je n'ai pas pu venir avant et je voulais vous souhaiter... »

Elle portait une chemise de nuit à manches ballon, et ses cheveux étaient défaits. Elle avança d'un pas vers lui. « Quelle heure est-il ?

— Je suis navré... reprit-il.

– Ce n'est rien. » Elle lui tendit la main. « Je n'arrivais pas à dormir. »

Max était trop près d'elle, à présent, et ne voyant pas d'autre moyen de s'éloigner, il se rassit. Elsa en fit autant. Le lit geignit et se creusa, menaçant de les jeter l'un contre l'autre. Max ne réussit à maintenir la distance entre eux qu'en contractant tous ses muscles. Elsa prit le livre et ils contemplèrent ensemble le visage lumineux de la jeune fille.

« Peut-être vaut-il mieux ne pas avoir d'enfant. » Elle frissonna dans sa chemise de nuit trop légère, et Max dit : « Je vais m'en aller.

– Oui. Merci. » Elle avait posé sa main sur le bras de Max. « Soyez heureux », murmura-t-elle. Puis, comme si une idée venait de lui traverser l'esprit, elle se pencha et l'embrassa. Max resta parfaitement immobile lorsque ses lèvres effleurèrent sa joue, et, l'instant d'après, il l'attirait à lui. Il embrassa le dessus de ses cheveux, ses sourcils, si rectilignes et si sérieux, ses paupières bombées. Comme elle ne protestait pas, il lui baisa le nez, le menton, le cou. Il s'agenouilla devant elle et appuya sa tête contre son ventre, sentit sa chaleur à travers les plis du tissu. Alors, elle l'embrassa à son tour. Elle déposa un baiser sur son front, sur son menton mal rasé, sur son cou, ses épaules, son bras, ses oreilles. Lui la prit à bras le corps, la coucha, et commença à se déshabiller avec frénésie. Il enleva ses bottines, tira violemment sur les lacets, terrifié, priant le Ciel, suppliant la terre entière de lui permettre de continuer. Il sentait les larmes lui monter aux yeux et n'osait regarder Elsa, de peur que la fureur avec laquelle il arrachait ses vêtements ne l'eût fait reculer. Mais quand il se retourna, elle s'agenouillait devant lui, nue. Son corps avait la minceur d'un corps de jeune fille, ses seins, bien pleins, un galbe parfait. « Vous savez, murmura-t-elle en baissant les yeux, je n'ai jamais eu d'enfant. » Max lui

244

tendit les bras et, une chaussette lui pendant encore au pied et la chemise déboutonnée, il l'attira jusqu'au lit. Ils tombèrent sur ce lit, exactement comme il en avait rêvé. Il ouvrit la bouche et rit de bonheur tandis que la grande couverture se repliait sur eux.

Chapitre 28

La Maison mer, Steerborough, Suffolk. Lily étala les lettres sur la table et les caressa voluptueusement du bout des doigts. Sa peau était encore sensible, à cause du manque de sommeil. La tête lui tournait un peu, elle pensait à Grae, à ses mains posées sur elle, à l'extrémité sucrée de sa langue contre ses dents.

Ma douce Elsa, écrivait Lehmann en 1953. *J'ai rêvé cette nuit que je descendais en parachute en Allemagne, comme nous l'avons fait durant les derniers mois de la guerre. Nous étions agglutinés autour de la porte, prêts à sauter, lorsque la lumière verte s'est allumée dans la carlingue. Je suis tombé dans l'obscurité, mon parachute s'est ouvert, tandis que mon sac à dos pendait au-dessous de moi au bout de son cordon, et dans mon rêve, comme cela s'était produit dans la réalité, je flottais, je dérivais, léger comme l'air, ne sachant où j'allais atterrir. J'étais là, en suspens au-dessus de l'Allemagne, cette terre qu'il avait été si difficile de quitter. Une étrange sensation s'est emparée de moi. Mon esprit s'est détaché de mon corps. Il semblait flotter au-dessus de moi, comme s'il demandait « Qui est donc ce fou ? Que fait-il ? » C'est une sensation que je n'avais plus jamais éprouvée jusqu'à la nuit dernière : je me suis réveillé en sursaut avec le même sentiment. Est-ce que tout va bien ? Je pense à toi maintenant, comme j'ai pensé à toi, alors, et j'espère de tout cœur que tu apprends enfin à être heureuse, là où tu es, dans ta cabane, au-dessus de la plage.*

Ma douce,

Je suis tellement content que tu te débrouilles sans moi et que les moustiques aient la bonté d'épargner au moins ta cheville gauche. Ici, il y a énormément de travail. C'est sans comparaison avec l'époque où je pensais ne plus jamais avoir de commande. Alors je serais bien ingrat de me plaindre. Sammel, Liebnitz et Koenig sont partis depuis longtemps pour l'Amérique. Moi, je ne me sens pas la force de repartir à zéro, encore une fois. Et je sais que toi non plus. J'espère que tu es d'aussi bonne humeur que tes lettres le laissent supposer. N'hésite pas à venir me rejoindre si la solitude te pèse, quoi-qu'il soit difficile d'être seul à Steerborough, je le sais. C'est vraiment merveilleux de recevoir des lettres, et elles arrivent très vite, maintenant. Autrefois, te souviens-tu, je te repro-chais de laisser un intervalle trop long entre deux envois, ou te réclamais des lettres plus courtes mais plus fréquentes, pour que tu ne t'épuises pas à m'écrire un roman-fleuve. Je regrette d'avoir été aussi sévère, mon El, mais je ne pouvais supporter l'idée que tu vives ta vie sans moi, alors qu'aujourd'hui, au bout de vingt ans de mariage, je le tolère, pour quelques jours en tout cas. Si je peux, je prendrai le train samedi prochain. Iras-tu à la criée m'acheter des flets ? Je les ferai pocher. J'en ai une envie folle, subitement, et aussi de ces crevettes grises qu'ils vendent sur le port. Comme les moustiques, j'aime par-ticulièrement ta cheville droite. Et, bien entendu, tes mollets, tes coudes et tes poignets. Garde-les moi au chaud.

Ton L.

Au moment de lire la lettre suivante, Lily aperçut Ethel, au coin de la Pelouse. Elle venait juste de trébucher, et la ceinture de son peignoir flottait au vent, tandis qu'elle moulinait des bras pour retrouver son équilibre. Lily ouvrit la fenêtre.

« Ça va ? »

Ethel se rétablit. Cet appel l'avait remise d'aplomb. Elle avança vers Lily, d'un pas raide.

« Ah vraiment, ce n'est pas beau, croyez-moi, soupira-t-elle. Ce n'est pas beau de vieillir !

— Non, dit Lily, tout en espérant que la vieillesse eût, tout de même, un petit quelque chose de positif. Vous allez vous baigner ?

— J'y allais justement, répondit Ethel en fronçant les sourcils. Une fois dans l'eau, je suis bien. C'est juste pour y entrer et en sortir... Ça ne prévient pas, vous voyez, tout d'un coup comme ça, je chancelle.

— Attendez-moi. » Lily monta vite chercher son maillot de bain. Une pincée de sable s'échappa des coutures élastiques. Elle le roula dans un drap de bain et sortit en coup de vent par la porte de service.

Ensemble, elles traversèrent la Pelouse. Ethel clopinait à côté d'elle, le corps et les jambes raides. Lily pensa à un poussin sortant de son œuf, avec son duvet de cheveux blancs, et l'ovale de son peignoir que coupait la ceinture.

Arrivée en vue de la plage, Lily chercha fébrilement Grae des yeux. Les cabines se trouvaient sur sa droite, mais le cordon de dunes les lui cachait.

« On se voit plus tard ? » Grae l'avait regardée, ses doigts étaient à quelques millimètres de sa main, et tous deux savaient que cela signifiait cet après-midi, ce soir, pas dans une demi-heure, pas avant qu'ils aient eu le temps de se changer.

« Alors, vous venez ? » demanda Etel en laissant tomber son peignoir sur le sable.

Lily ôta son jean. Sa chemise, froissée, à moitié boutonnée, sentait à la fois le feu de bois et l'air frais. Ses doigts effleurèrent sa peau quand elle enleva le reste de ses vêtements. Elle ferma les yeux pendant une fraction de seconde, s'imaginant que c'était lui qui la touchait.

« Prête ? » dit Ethel en toussotant. Lily rougit et enfila son maillot de bain. Timidement, elles se donnèrent la main et descendirent jusqu'à l'eau. Elle était glaciale. C'était la marée haute, et bientôt, bien trop tôt, elles avancèrent bravement, bras tendus. Lily sentit l'eau la brûler en pénétrant dans son maillot, une source froide au niveau du nombril, de la glace à la pointe de son soutien-gorge. « Ça va aller, maintenant », cria Ethel en lâchant la main de Lily, et, sans plus hésiter, elle s'élança avec bonheur vers l'horizon. Lily fut renversée par une vague. Elle se débattit, suffoqua, gesticula, et lorsqu'elle ressortit, elle n'avait plus froid. Elle se hissa sur la pointe des pieds pour s'allonger sur le dos, bras et jambes en croix, comme une étoile de mer, le visage offert au soleil. Alors, venu de nulle part, un éclair de bonheur pur comme de l'or se propagea en elle. Une sensation d'une telle intensité qu'un frisson parcourut sa colonne vertébrale et alla lui picoter le bout des orteils et des mains. Elle se retourna pour chercher des yeux la tête de phoque toute blanche d'Ethel. L'apercevant sur l'écume d'une vague, elle fonça vers elle, en dos crawlé, avec des mouvements désordonnés, fermant la bouche et plissant les yeux à cause du soleil. Elle la rattrapa enfin. Ethel faisait du surplace le long d'une frontière invisible, bras en croix, allongée sur la vague. Lily ne comprit pas tout de suite qu'elle était nue. Son maillot orange flottait non loin d'elle au bout d'une ficelle, et juste sous la surface de l'eau, son corps blanc, soulagé, respirait le bonheur.

« Mon bain de sel, dit-elle en souriant, il n'y a rien de meilleur. » Lily se sentit subitement trop habillée : elle fit glisser les bretelles noires de son maillot et l'enleva. La gerbe d'eau qui jaillit autour d'elle lui donna envie de sauter et de virevolter. Il lui semblait que la mince enveloppe de nylon qu'elle portait jusqu'alors l'alourdissait comme une cotte de maille.

« C'est grâce à cela que je reste jeune, lui dit Ethel avant de se rallonger sur le coussin d'une vague.

– Depuis combien de temps vivez-vous ici ? lui demanda Lily.

– Depuis combien de temps ? Nous sommes arrivés...

Attendez, j'ai quatre-vingt-quatre ans, ça doit bien faire vingt ans, maintenant. Quand mon mari a pris sa retraite.
– Et... il est... ?
– Oh non ! Il est mort peu de temps après. Mais à vrai dire, nous ne nous sommes jamais entendus. J'ai maintenant un ami qui est un amour. Il habite à Stowminster. Il vient ce week-end. »

Enfin elles regagnèrent la plage, chacune remorquant son maillot trempé ; elles s'accroupirent dans les hauts fonds pour le remettre. Lily tendit un bras à Ethel pour l'aider à se relever, et elles mirent pied ensemble sur le sable sec.

Mon El,
Je sais que tu vas être furieuse. Je ne peux pas venir et j'en suis navré. Dans son bain teinté de rouille, Lily grignotait un toast et plissait les yeux pour distinguer les caractères gris de la lettre qu'elle avait posée debout entre les robinets. *Ne va surtout pas te faire de fausses idées. Si je ne viens pas, c'est que je dois aller visiter d'urgence une cité ouvrière dans le Sussex, et me rendre ensuite à Hambledon pour voir un mur que les maçons sont en train de monter au mauvais endroit. Je prendrai le premier train dès que j'aurai fini. Es-tu allée voir notre maison ? Kett a-t-il commencé ? Est-ce que tout est bien couvert, bien protégé ? Comment va Meyer, ce drôle d'oiseau, avec sa frise ? Je te trouve bien gentille de continuer à lui parler alors qu'il n'a même pas dessiné notre maison. Pardonne-moi. Je te laisse cinq minutes pour enrager, après quoi je veux que tu m'écrives pour me dire que c'est oublié.*

Lily se rallongea dans son bain. Elle pensait de plus en plus fort à Nick. « Salaud », murmura-t-elle, comme si c'était lui qui l'avait trompée, et elle essaya, à force de jurons, de le chasser de ses pensées. Mais son esprit continuait de passer en revue tous les moyens par lesquels il l'avait offensée, niée, entretenue dans l'incertitude et l'espoir, refusant de lui dire ce que, de toute évidence, elle avait le plus envie d'entendre. Elle entrevit, dans la rangée de carreaux réfléchissants, son visage coupé en petits carrés minables, et en guise de punition, elle se versa du shampoing sur les cheveux et se gifla les oreilles. Une fois qu'elle se sentit châtiée et complètement éreintée, elle monta au premier à l'étage et se coucha dans un des lits jumeaux, avec ses lettres.

Ma chère El, lut-elle. *On dirait que je revis tous les grands moments de mon existence. La nuit dernière, j'ai rêvé que j'étais assis à une immense table ronde en compagnie d'un groupe d'officiers. J'étais là en tant que membre de l'armée britannique pour les sommer de me céder leur aérodrome, et tandis qu'ils discutaient à n'en plus finir, incapables de prendre une décision, quelqu'un me tapait sur l'épaule. « Lieutenant Lehmann... » C'était un gradé nazi qui me demandait de sortir parce qu'il voulait me parler seul à seul. « Lieutenant Lehmann, dit-il, j'aime les Juifs. J'avais un petit-cousin juif que j'ai protégé pendant toute la guerre. Je vous en prie, pourra-t-on en tenir compte quand tout cela sera fini ? » – « Oui, lui disais-je, tout sera pris en compte. » Et je retournais m'asseoir. Cinq minutes plus tard, on me tapait à nouveau sur l'épaule. – « Puis-je vous parler en privé ? » C'était un autre nazi qui m'entraînait lui aussi dehors. « La sœur de la femme de mon meilleur ami est mariée à un Juif. J'ai fait tout ce que j'ai pu pour elle. » Et ainsi de suite. « Oui, leur disais-je, tout ce que vous avez fait sera pris en compte. » Ces types savaient que les procès pour crimes de guerre approchaient, et j'éprouvais un plaisir indicible à lire la peur sur leur visage. Je les regardais, dans leur uniforme d'apparat, bardés de galons et de médailles, s'efforçant de sourire, faisant de leur mieux pour avoir l'air civilisés, alors que pour eux, la civilisation avait été synonyme d'esclavage et d'extermination d'hommes comme moi. S'ils avaient eu un tant soit peu de courage* – les mots dansaient à présent devant les yeux fatigués de Lily – *ils m'auraient fait fusiller.*

« Lily ! Lily ! »

L'avait-on appelée ? Il lui semblait s'être assoupie juste quelques instants, mais en réalité, l'après-midi tirait déjà à sa fin. *S'ils avaient eu un tant soit peu de courage, ils m'auraient fait fusiller.* Ces mots reposaient près d'elle, sur le lit, au bas de la lettre qu'elle tenait encore à la main. Elle prêta l'oreille, mais n'entendit rien d'autre que le gloussement rauque des pigeons ramiers dans les arbres. « Lily ? » Quelqu'un l'appelait de l'intérieur de la maison, au niveau de la porte de derrière. Son cœur bondit puis s'arrêta. Nick ? Elle osait à peine respirer, et à ce moment, la porte claqua. Le visiteur, quelle qu'il fût, était parti. Très lentement elle se glissa hors du lit et s'en alla voir par la fenêtre. Trois petits enfants munis de seaux et de pelles empilaient des copeaux de bois en bas du toboggan. Elle courut de l'autre côté et scruta le jardin. Personne. Qui l'avait appelée ? Il fallait qu'elle le sache. Elle enfila un jean et un T-shirt et descendit l'escalier quatre à quatre. Aucune voiture garée à côté de la sienne. *Lily ?* Elle s'efforçait d'identifier la voix. Grae ? Oui, c'était peut-être Grae, et elle eut un peu honte qu'il se fût donné la peine de venir et de grimper les escaliers pour la trouver endormie. Comme elle rentrait en hâte dans la cuisine, elle se vit dans la glace. Ses cheveux, tout aplatis d'un côté, rebiquaient de l'autre : on aurait dit un koala. Cette vision l'arrêta net et la fit rire. Elle se souvint qu'elle mourait de faim et, plutôt que de se précipiter dehors pour aller voir s'il y avait quelqu'un sur la Pelouse, elle mit la bouilloire en route et se prépara à manger. Parmi les enfants qui jouaient sur le toboggan, il y en avait peut-être un, ou plusieurs, qui s'appelait Lily. Assise dans le jardin avec son omelette et sa salade, elle essaya de manger lentement et ne s'autorisa qu'un regard par minute vers la barrière. À chaque bouchée, son espoir de voir revenir Grae s'amenuisait. Comment se diraient-ils bonjour ? Devraient-ils attendre toute la soirée avant de pouvoir se toucher ? Elle avait l'estomac tout retourné et la gorge serrée. Et en même temps, le soleil délicieusement chaud et le ronron des vagues, au loin, la faisaient vaguement somnoler.

À sept heures, elle prit sa veste et une bouteille de vin et, comme si elle était officiellement invitée à dîner, ferma la porte à clef. Elle longea lentement la rivière, passa sur le pont de bois, descendit le chemin vers les cabines. La porte de Grae était ouverte, et ce grand pan de bleu tranchait vivement sur le gris du bois défraîchi. Une petite table était installée dehors, trois chaises autour. Il y avait là trois tasses de thé à moitié vides et une assiette pleine de miettes, mais personne. Lily resta sur le pas de la porte et jeta un coup d'œil à l'intérieur. Une étagère de livres, surtout des livres pour enfants, le manuel d'entretien d'une voiture, une histoire du littoral de la région d'East Anglia. Sous les lits, des valises de vêtements, ainsi que le cageot de jouets que les fillettes avaient dû vouloir à toute force emporter. Par terre, comme s'il venait d'être livré, gisait un exemplaire du *Village News*. Lily le ramassa. On y annonçait une exposition commémorant le millénaire – Steerborough en photos. Exposition ouverte au public, droit d'entrée 20 pence, pendant trois jours, le dernier week-end du mois d'août, plus le lundi férié. « Toutes propositions d'aide et suggestions sont les bienvenues. Contact : Alf et Cassie Wynwell. »

Et au-dessous, écrit en gras :

Exposition surprise
Tombola Buvette

Une main vint agripper l'épaule de Lily qui sursauta et laissa tomber le *Village News*, Grae. Lily le comprit à l'instant. Elle se retourna mais son visage était tellement près qu'elle le voyait à peine.

« Où sont-elles ? » murmura-t-elle et, comprenant très bien ce qu'elle voulait dire, il sourit et l'attira vers la couchette du bas.

« Elles sont sorties. » Ses yeux étincelaient. « Parties avec leur mère. Elles ne rentreront pas ce soir.

– Mais... » Lily était partagée entre son désir et sa curiosité. « Je pensais que... »

Mais déjà Grae l'embrassait, la déshabillait. C'est à peine s'il s'interrompit pour aller, d'un bond, fermer la porte. Lily le regarda déboutonner sa chemise, ôter son T-shirt ; à moitié nu, maintenant, il se serrait contre elle, sur le lit ridiculement étroit. Son corps était du même doré que ses cheveux, et il lui sourit, tout en enlevant ses chaussures.

« Oui », dit-elle, avant même qu'il ne s'interrompe pour lui demander s'il pouvait continuer. Elle garda les yeux ouverts et le dévisagea avec ravissement, ivre de joie.

Puis ils restèrent allongés en silence, à admirer les couleurs contrastées de leurs corps. Ils se marquaient mutuellement les bras avec des pressions des doigts qui faisaient apparaître de petites taches d'un blanc lumineux.

Il faisait nuit lorsqu'ils ressortirent de la cabine. « Si on allait boire un verre », suggéra Lily. Grae, lui, cherchait dans le sable l'emplacement de son feu.

« Je n'ai pas d'argent.

– Je...

– Non », dit-il fermement, puis il ajouta : « Je vais allumer un feu. » Il restèrent assis sans rien dire. Grae se mit à genoux et se pencha pour souffler sur les brindilles qui commençaient à prendre. Après quoi il y empila du bois de grève. Ils furent bientôt enveloppés d'un halo de lumière.

« Tu sais, je ne suis pas d'ici, dit-il, je suis indésirable au pub.

– Je suis sûre que...

– À Steerborough – il avait l'air en colère – ou bien tu fais partie d'une vieille famille, ou bien tu arrives avec assez de fric pour acheter une résidence secondaire. Pour toi, c'est un petit paradis, ici, je sais. Mais pas pour les gens ordinaires. Pas pour ceux qui sont obligés de travailler.

– Mais moi aussi, je suis obligée de travailler. » Lily se représenta le prêt dont elle vivait comme une petite montagne qui, au fur et à mesure de l'ascension, devenait une gorge de plus en plus étroite.

« Tu sais que Guiness est interdit de séjour à la boutique d'artisanat !

– Guiness ?

– Notre chat... » Grae secoua la tête. « Un jour, il m'a suivi et il a fait tomber une cruche. »

Lily fit claquer ses doigts pour appeler le chat. « Guiness ! » Elle vit glisser vers elle une ombre noire surmontée d'un éclair blanc. « Alors, il paraît que tu es un danger public ? » Elle fit monter le chat sur ses genoux et sentit son nez humide et ses moustaches quand il fourra sa tête dans la paume de sa main. « Et... – elle toussa pour cacher son trouble – ...votre maison... vous avez été obligés de partir ?

– Ici, nous sommes dans notre résidence de vacances. » Elle sentit Grae se hérisser. « Tout le monde en a une. Pourquoi pas nous ? »

Lily appuya son épaule contre la sienne, comme pour lui signifier « calme-toi, c'est moi », mais savait-il seulement qui elle était ?

« On ne pouvait plus payer le loyer, dit-il enfin. Quand Sue est partie, il a fallu que je rachète une voiture. J'aurais pu reprendre mon boulot à la centrale mais... Ils font les trois-huit, là-bas, et je ne vois pas qui se serait occupé des filles.

– Excuse-moi. » Bon sang, pourquoi fallait-il toujours qu'elle pose toutes ces questions, alors qu'ils avaient été si heureux, là, couchés l'un contre l'autre, dans l'obscurité, se murmurant des petits riens ? N'étant pas sûre de pouvoir ravaler ses autres questions, elle préféra se lever pour aller chercher la bouteille de vin.

« Comment se fait-il que tu parles allemand ? » lui demanda Grae. À défaut de tire-bouchon, elle enfonça le bouchon dans le goulot, avec son pouce. « Tu traduis des lettres ? C'est Emerald qui m'a dit que tu passais tes journées à ça, dans ta chambre.

– Euh... » Donc, il l'avait observée. « Au lycée, on faisait de l'allemand et j'étais assez bonne. Mon père était d'origine allemande... » Elle ne s'attendait pas à lui raconter cela. « Il est venu ici à l'âge de douze ans, envoyé par ses parents qui pensaient venir le rejoindre après... Alors, ça doit faire partie de mon patrimoine génétique. » À côté d'elle, Grae se taisait, attendant la suite. « Il était violoniste. Walter Lampl. »

Walter Lampl. Aux gens qu'elle ne connaissait pas, elle mentionnait toujours son nom, pour voir s'ils l'avaient déjà entendu jouer, mais en général, ils s'esclaffaient en lui disant : « Heureusement que tu portes le nom de ta mère ! »

« Il jouait dans un orchestre, et quand ma mère... Quand ils ont commencé à se fréquenter... il était déjà marié. » Marié, depuis l'âge de dix-huit ans, à une fille rencontrée à l'école qu'il n'avait pas du tout l'intention de quitter. Elle était sa seule famille, et réciproquement.

– Et... tu le voyais souvent ? »

Lily s'efforça de répondre d'un ton enjoué. « Non. Je ne l'ai jamais vu.

– Ah bon. » Grae opina. « Ah bon...

– Il voyageait... dans le monde entier.

– Tu n'as jamais eu envie de le retrouver ? »

Elle secoua la tête. « Je ne sais pas pourquoi. » Ils étaient toujours assis là, à contempler le feu. « En revanche, je suis allée en Allemagne, une fois, pour un échange entre correspondants. Pendant tout un trimestre. J'étais à Ulm. Je crois que mon père, lui, était de Hambourg, alors ça n'aurait servi à rien de l'y chercher. Ce que je ne savais pas, c'est qu'à Ulm on parle une sorte de dialecte, le schwäbisch. C'est comme si tu voulais essayer d'apprendre l'anglais... je ne sais pas, moi, à Newcastle par exemple... »

Sa famille d'accueil comptait huit enfants, sept filles plus un garçon, le petit dernier. Le père, comme s'il essayait d'en faire un autre, avait un ventre énorme et dur comme un ballon de football. La voiture avec laquelle ils étaient venus chercher Lily avait trois rangées de sièges ; seule la mère, souffrante, n'était pas venue, et, tandis que les enfants discutaient et se chamaillaient, Lily ne cessait de penser à Sabine, sa correspondante, qui devait être train de rentrer en métro, seule avec sa propre mère.

« J'avais douze ans. Je me sentais très seule. Même avec tous ces enfants. Même quand j'ai commencé à parler schwäbisch couramment. J'écrivais à ma mère tous les jours. J'écrivais à tous les gens que je connaissais. » Grae s'allongea près du feu. « À toi aussi, je t'aurais écrit, même si je ne t'avais vu qu'une fois. Un jour, une fille de ma classe, Astrid, m'a invitée à venir dormir chez elle. On était partis en voyage scolaire à la campagne, par le train, et au retour, la mère d'Astrid était censée venir nous chercher à la gare. À l'arrivée, je me souviens que je suis restée plantée sur les marches de la gare, à regarder les élèves de ma classe s'engouffrer dans les voitures de leurs parents. La foule était de plus en plus clairsemée. Je m'attendais à ce qu'Astrid vienne me taper sur l'épaule, d'un moment à l'autre. Et tout à coup, je n'ai plus vu personne. J'ai attendu. Elle allait s'apercevoir qu'elle m'avait oubliée, elle allait revenir. Alors j'ai pris mon mal en patience. Ma famille d'accueil, elle, ne m'attendait pas avant le lendemain. Mais Astrid allait se rappeler, ce n'était pas possible autrement. Ou bien alors sa mère allait lui demander pourquoi je n'étais pas là... J'ai bien dû attendre quatre heures. Il y avait un arrêt d'autobus, de l'autre côté de la gare, et de temps en temps j'y courais, mais aucune des destinations ne me disait quoi que ce soit. Ma famille habitait en banlieue, dans un immeuble en briques rouges, et je connaissais parfaitement le nom de cette banlieue, mais impossible de me le rappeler. Tu vois ce que ça fait, quand tu as un nom sur le bout de langue ? Je prenais l'autobus pratiquement tous les jours pour rentrer de l'école, mais toujours avec les autres enfants. J'avais bien lu le nom du terminus, à l'avant du bus, mais sans jamais le prononcer à haute voix. La nuit commençait à tomber. Il y avait des gens qui me regardaient, qui m'observaient, alors je me suis mise à marcher, sans même savoir si je prenais la bonne direction. À un moment donné, je me suis retrouvée sur une autoroute. Il n'y avait pas de trottoir, et les voitures passaient à toute allure en me frôlant. Et subitement, j'ai eu la certitude qu'Astrid s'était souvenue de moi. J'ai fait demi-tour, j'ai essayé de retrouver le chemin de la gare, mais je me suis complètement perdue. Et enfin, miracle ! J'ai vu mon bus. Donaurieden. Mais oui, c'était ça ! J'ai couru après le bus et j'ai sauté dedans juste avant que les portes ne se referment. Seulement, je n'avais pas assez d'argent.

« S'il vous plaît, est-ce que vous pourriez me dépanner ? » Il ne me manquait que six pfennig. Mais personne ne voulait m'aider. Il y avait pourtant plein de gens dans ce bus, mais ils regardaient tous fixement par terre. C'était comme dans un cauchemar, tu sais, quand tu veux crier ou sauter sur quelqu'un pour le poignarder, mais que tu es incapable de bouger. Enfin, je me suis souvenu que j'avais droit à un tarif réduit. J'ai dit : « Un ticket demi-tarif, s'il vous plaît. ». Le conducteur a poinçonné mon ticket en haussant les épaules. Ouf, j'étais montée.

« Quand je suis arrivée dans ma famille d'accueil, tout le monde était sur le point de se coucher. Ils ne m'ont pas remarquée tout de suite. Je suis entrée et je me suis assise sur une chaise. Et c'est alors que le père m'a vue. « Qu'est-ce qui s'est passé ? » Il s'est agenouillé devant moi. « Was macht's, mein Liebchen ? » Il m'a prise dans ses bras et je n'ai pas pu m'en empêcher, j'ai éclaté en sanglots.

J'ai pleuré, pleuré, sans pouvoir m'arrêter. Il me serrait contre son gros ventre et je sentais la peau humide de sa joue. Ça m'a fait rire : il était tellement gentil, cet homme. « Meine kleine Mädi... » Il m'a apporté un verre de lait, et m'a demandé si j'étais juive.

« Je ne sais pas. » Je riais et je pleurais en même temps. « Mon père l'était. »

Il a acquiescé, comme si cela confirmait ce qu'il pensait, et après, ils ont été adorables avec moi. Ma Petite Demoiselle, ils m'appelaient tous, même la femme qui venait faire à manger quand la mère a commencé à aller plus mal. Ils m'embrassaient, me cajolaient, me chouchoutaient, et la veille de mon départ, ils m'ont emmenée faire des courses et m'ont acheté plein de vêtements. »

Grae avait les yeux fermés, mais il tendit une main vers elle. Lily s'allongea auprès de lui.

« Excuse-moi. Ça fait des mois que j'ai pas autant parlé. »

Grae glissa son bras autour d'elle. « Un mot de plus, et je t'envoie en Allemagne avec six pfennig en poche.

— D'accord. » Elle se serra contre lui. « Mais j'ai encore une chose à dire.

— Oh non ! » Il leva les yeux au ciel. « Quoi ?

— Je n'ai jamais porté ces vêtements et j'en ai encore un peu honte. »

Ils dormirent dehors. Grae alla chercher les trois duvets et ils installèrent un lit bien moelleux. Derrière eux, on entendait la mer rouler ses vagues, et, de l'autre côté de la rivière, les lumières du village brillaient dans le noir. Les étoiles tombaient en cascade ; chaque fois qu'ils regardaient le ciel, il y en avait une centaine de nouvelles, si bien qu'au bout d'un moment, pour pouvoir dormir, Lily s'obligea à se coucher sur le côté, les bras autour du torse de Grae.

Il y avait un mot épinglé sur la porte de Fern Cottage. *Où étais-tu, NOM DE DIEU ?* C'était l'écriture de Nick, dont la rage s'exprimait par ces mots écrits en capitales. *Je t'ai appelée cet après-midi, tu n'étais pas là. Je suis revenu ce soir, TU N'ÉTAIS PAS LÀ. J'ai attendu toute la nuit ! Il est 9 h 30 J'ABANDONNE.* Lily regarda sa montre. Il était dix heures et demie, et elle avait presque réussi à persuader Grae de venir prendre un bain chez elle. Elle entra, s'assit sur le canapé. Elle aurait pu téléphoner à Nick, si elle n'avait craint qu'il ne fasse demi-tour. Mieux valait attendre une heure avant de l'appeler : le temps qu'il soit rentré. Incapable de bouger, elle resta assise là, la tête dans les mains, à se demander comment elle avait pu devenir aussi déloyale. De temps à autre, elle avait une pensée pour Grae qui préparait le petit déjeuner et devait s'étonner qu'elle mît aussi longtemps à se laver les dents. Elle finit par monter jusqu'à la cabine. Il y avait quelqu'un à l'intérieur, une dame qui s'égosillait à propos d'une fuite dans sa toiture, et quand elle regarda Lily, l'air de s'excuser, celle-ci secoua la tête pour lui signifier qu'il n'y avait pas de problème. « Je ne suis pas pressée », articula-t-elle silencieusement, et d'une main tremblante elle chercha des pièces au fond de ses poches.

Chapitre 29

Trois fois de suite, Max appuya de tout son poids sur la poignée métallique toute lisse, avant de se rendre à l'évidence : la porte d'entrée était fermée de l'intérieur. Gertrude avait dû se lever à l'aube et vérifier qu'elle avait bien donné un tour de clef. À moins qu'elle ne l'eût enfermé dehors à dessein. Inquiet, il courut derrière la maison. Le jardin était semé de gouttes de rosée, posées comme autant de brillants sur chaque brin d'herbe, et dans les parterres, les dernières fleurs de l'été avaient clos leurs pétales pour se protéger du froid. Max trouva fermées aussi les portes-fenêtres et la petite entrée de service, mais voyant le loquet de la fenêtre de la cuisine défait, il entreprit de se faufiler par là. Il y était presque parvenu, ses orteils n'étaient plus qu'à quelques centimètres du sol, lorsqu'un pan de sa veste se prit dans une casserole à pocher. Les trois petites coupes en aluminium s'éparpillèrent bruyamment sur le carrelage. Max se figea. L'aiguille des minutes de la pendule passa de sept heures vingt-deux à sept heures vingt-trois lorsque les pocheuses s'arrêtèrent de tourner.

Rassemblant son courage, il monta les escaliers sur la pointe des pieds. Il s'assit sur son lit, ôta son pantalon dont les revers laissèrent échapper une pluie de sable. En déboutonnant sa chemise, il s'aperçut qu'un bouton manquait, et le feu de la passion dans lequel il l'avait perdu se ranima en lui. Son visage se fripa sous l'effet de la douleur et du plaisir mêlés qui lui arrachèrent de petits gémissements. Elsa était là, accroupie au-dessus de lui. Que lui demandait-elle ? Il ne le savait pas. « Chut, chut. » Il secoua la tête, et recommença à lui faire l'amour. C'était comme si le savoir de toute une vie avait été conservé pour servir le moment voulu. Il l'embrassa et la caressa, jusqu'à ce qu'elle bondisse entre ses bras en riant aux éclats.

Gertrude était perturbée. L'automne. L'automne lui faisait souvent cet effet. Du jour au lendemain, l'air devenait plus vif et elle éprouvait subitement le besoin d'entreprendre quelque chose de nouveau. Elle détourna ses pensées de Londres où allait commencer la période la plus active de l'année. Elle voulait couper court aux doutes qui n'allaient pas manquer de revenir à la charge. Avait-elle vraiment bien fait d'en partir ? Et Max, où était-il ? Presque dix heures. Il aurait dû être réveillé. Elle se dit soudain qu'il était peut-être souffrant, elle monta d'un pas décidé, frappa très brièvement, puis ouvrit grand la porte de sa chambre.

Ses vêtements gisaient épars sur le parquet. Au milieu d'un chaos de literie – drap chiffonné, couverture roulée en boule – Max reposait, entièrement découvert. Gertrude ferma la porte. Son visage était tendu, livide. Dès qu'il serait réveillé, elle lui demanderait de partir. Puis elle se souvint qu'on la tenait pour une psychanalyste large d'esprit, très ouverte. Depuis des années elle supportait courageusement toutes les plaisanteries sur le sujet – masturbation, envie du pénis, sodomie, fellation, cunnilingus. Mais elle n'aurait jamais pensé voir un homme nu sous son propre toit. Le pénis de Max dansait devant ses yeux. Sa tête et le trou ovale de son œil.

Elle décrocha son panier en osier et partit faire les courses. Arrivée devant l'épicerie, elle était encore aveuglée par cette vision inattendue de poils et de testicules, et préféra rester un moment à lire les petites annonces de la vitrine. « Trois chatons cherchent bonne maison. » « Vends bicyclette et poussette Silver Cross état neuf. » « Cède à qui est intéressé tricot pour dame à moitié achevé pour lequel manquent trois écheveaux de laine turquoise. » Il y avait aussi une annonce pour un cours d'aquarelle. Sous la mention *Débutants acceptés* figurait le dessin d'une femme en train de contempler l'écorce d'un arbre. L'étalage de pénis qui l'obsédait depuis une demi-heure s'estompa enfin. Elle lut l'annonce plus attentivement. *Nombre de places limité. Contacter T. Everson, Fern Cottage, la Pelouse.*

Avait-elle vraiment des courses à faire ? Elle ne s'en souvenait même plus. Elle entreprit de descendre la rue. Tout d'abord elle ne vit pas Fern Cottage, mais finit par le trouver : c'était la minuscule maison qui faisait l'angle de l'allée. Elle frappa à la porte de service et attendit, tout en se demandant si *Débutants acceptés* voulait vraiment dire que l'on acceptait les gens sans aucune expérience.

« Oui ? » C'était un jeune homme hirsute, vêtu d'un pull-over troué à un poignet.

« Je viens pour les leçons d'aquarelle... Si... s'il reste de la place. » Gertrude était gênée de rester plantée là, dans la rue. « Je suis vraiment débutante. » Ce disant, elle regardait autour d'elle, dans l'espoir qu'il allait l'inviter à entrer.

« Oui, bien sûr. » Il fouilla dans sa poche d'où il sortit un bulletin d'inscription artistement plié. Il le posa verticalement contre le montant de la porte et, se rendant compte qu'il n'avait pas de stylo, disparut dans la maison. Gertrude attendit. Elle détourna la tête lorsque le pasteur passa à toute vitesse sur sa bicyclette. Elle souhaitait qu'il ne l'eût pas vue.

« Bien, dit le jeune homme lorsqu'il revint. Puis-je vous demander votre nom ?

— Miss Jilks, lui dit-elle. Il y aura de la place ? »

En feuilletant son bloc-notes, il fit tomber de petits bouts de papiers et des croquis au crayon. « Je crois bien que oui. » Et il lui donna rendez-vous sur le pont, le lendemain matin à dix heures.

« Dois-je régler d'avance... ? » demanda Gertrude, espérant ainsi obtenir davantage de détails, mais cette question parut agacer son interlocuteur, et elle rangea vivement son porte-monnaie. « Faut-il que j'apporte quelque chose ? Du matériel ou...

— Non », répondit-il, comme si c'était là au moins une chose dont il était sûr, puis il griffonna quelques mots sur son bloc-notes.

Max s'était fixé un but : il n'irait pas voir Elsa avant d'avoir achevé Old Farm. Old Farm et la maison attenante occuperaient le centre de sa frise. Il en était au troisième rouleau. Mis bout à bout, ils feraient quatre fois le tour de sa chambre. Max travaillait vite. Finie, la peur d'arriver au bout. Une soudaine liberté de style au milieu d'un travail excessivement laborieux. Il peignit les briques roses, rouges et brunes, les arêtes métalliques des fenêtres enchâssées dans leurs nouveaux cadres rectangulaires. À côté, la chaumière des ouvriers agricoles faisait figure de vieux taudis, avec son toit très bas et sa porte d'entrée tassée sur un côté. Max se souvint de cette phrase de Henry : *Quand on peint un comédien comique, il ne faut pas essayer d'en faire un portrait drôle.* Et il peignit le toit de la ferme en appliquant cette consigne à l'aspect pesant du chaume. Il n'eut terminé qu'à six heures passées et dut attendre que la peinture sèche. L'air commençait à fraîchir : Max resserra sa veste autour de lui. Il se demanda si, ce soir-là, enfin, Gertrude allait allumer un feu. Puis il se souvint qu'Elsa l'attendait et qu'il ne serait donc pas là.

« Elsa Lehmann voudrait que je lui montre les lettres de Henry, annonça-t-il à Gertrude. Elle pense que je devrais essayer de les faire publier.

— Ah oui ? »

Max s'était lavé, il avait mis des vêtements propres et repassés. Ses cheveux étaient peignés et bien plaqués, ses sourcils sagement lissés. Il lut un extrait de lettre : « "Faut-il se considérer comme un génie, même si rien n'indique que l'on en est un ?" »

Gertrude hésita à répondre. « Possible, approuva-t-elle d'un hochement de tête. Tout dépend si tu délires ou si tu as juste besoin de te remonter un peu le moral.

— Je ne dînerai pas là ce soir, dit-il.

— Oui, j'avais bien compris. » Il attendait sa bénédiction. « Eh bien, je ne t'attendrai pas, voilà tout. Mais Max — il allait partir —, ces lettres sont-elles à toi ? As-tu le droit de les publier ? Je veux dire, les lettres n'appartiennent-elles pas à l'expéditeur ? »

Max fronça les sourcils. « Et s'il est mort ? »

« "Méfiez-vous des sujets prometteurs. Souvent on s'ennuie à les peindre et en fin de compte ils s'avèrent sans intérêt." Max se sentit obligé de lire à Elsa au moins une des lettres de Henry, afin de mettre un peu de vérité dans son mensonge. "Il est difficile de faire un bon portrait d'une personne que l'on tient en trop haute estime. Oubliez votre admiration pour le sujet."

— Alors, à quoi bon faire un tel portrait ? demanda Elsa en fronçant les sourcils. Et de quel sujet prometteur parle-t-il ? » Elle fit le tour de la table et vint s'appuyer contre son bras. « À quel moment de ta vie as-tu été le plus heureux ? » Elle lui plantait de petits baisers dans le cou.

Max posa les doigts sur les pommettes d'Elsa, les promena le long de son maxillaire, autour de son arcade sourcilière. « La nuit dernière. Ce matin. Maintenant.

– Non. » Elsa éclata de rire. Il passa le bout de son index sur sa gencive, sur ses dents. « Dis-le moi.

– D'accord. » Il prit une feuille de papier. Il allait lui dessiner un plan. Lui faire visiter sa maison. « Regarde, commença-t-il en lui ménageant une place sur le bord de sa chaise. « De Rissen, tu prends la route de la forêt, celle qui passe entre le potager et les bois.

– Qu'est-ce que tu racontes ?

– Tu franchis la rivière par un pont de bois, et là, à l'ombre de trois arbres immenses, tu trouves la maison. Heiderose. Elle a été construite par une poétesse allemande. Au-dessus de la porte, il est écrit : *Pleurer ou rire. Tel est notre destin. La vie est trop courte, la mort trop longue.* »

Elsa lui passa un bras autour de la taille. « On n'a pas le droit de la rater », dit-elle en secouant la tête.

« Il y a un balcon de chaque côté de la porte d'entrée, pour prendre des bains de soleil ou contempler la rivière, et une terrasse où la cuisinière épluche les légumes quand il fait beau. En bas s'étendent des champs, et plus loin, la "grande forêt". Une fois dans cette forêt, quel que soit le chemin que tu prends, tu débouches dans une clairière où il y a un étang. » Max sentait l'eau sombre et fraîche entre ses orteils et entendait à s'y méprendre, le caquètement des poules de la ferme. « En revanche, tu ne peux pas emprunter n'importe quel chemin pour rentrer, sinon tu n'arriveras jamais là où tu veux. »

Max guida Elsa dans la maison. Il traversa le salon vert, avec son mobilier raffiné, sa table de jeu, le Renoir encore dans son cadre, au-dessus de la cheminée. Il prit une autre feuille pour dessiner la salle à manger aux murs bleus qu'occupait une grande table ronde. Dans le mur surmontant les longues fenêtres, il y avait un nid d'hirondelles, si bien qu'en mangeant, on pouvait observer les oiseaux qui descendaient en rase-mottes pour donner la becquée à leurs petits. La bibliothèque, toute lambrissée, donnait sur la salle de classe, par la fenêtre de laquelle Max avait vu pour la première fois le Père Noël. Un grand coup frappé à la vitre l'avait fait sursauter, puis une voix bourrue lui avait demandé s'il avait été sage. Le Père Noël avait parlé de sagesse et de coups de martinet, mais heureusement, il était reparti aussi vite qu'il était venu.

Max grimpa au premier étage, passa devant l'armoire à linge de sa mère où tout n'était qu'ordre et beauté, où chaque drap et chaque taie d'oreiller était roulé et noué à l'aide d'un ruban rose. Il passa devant la chambre maternelle impeccablement rangée, elle aussi, puis dans celle de son père, un fouillis de vêtements, de livres et de papiers. Dans un mur de cette pièce, son père avait aménagé une cachette qu'il avait montrée à Max, un jour, quand il était petit. Mais lorsque celui-ci y était retourné subrepticement, quelques mois plus tard, il n'avait pu la retrouver.

« Max ? » Elsa, la main sur son épaule, l'observait avec inquiétude « Ça va ?

– Oui, mais... » Il n'aurait su dire s'il avait rêvé ou s'il lui avait parlé à voix haute.

« Et toi, dit-il en se ressaisissant, quand as-tu été le plus heureuse ?

– Moi ? » Il vit ses yeux accomplir leur voyage dans le passé. « Au début de mon mariage, je crois. En 1931, Klaus avait dessiné une maison pour le directeur de la Deutsche Bank. Personne n'avait jamais vu un aussi beau bâtiment. J'étais jeune mariée, j'avais dix-huit ans, et la certitude que nous étions destinés à de grandes choses.

– Mais ici, il a également réussi ? Vous êtes partis à temps. Vous avez fait tout ce que vous avez pu.

– Oui, tu as raison. Je n'ai aucun regret à avoir. » Elsa posa les yeux sur l'horizon, puis se retourna et le conduisit vers le lit.

Chapitre 30

Nick se trouvait sur l'autoroute M25 lorsque Lily parvint enfin à le joindre. « Bordel ! cria-t-il. Je t'ai crue morte !

– Désolée, non, je ne suis pas morte.

– Il aurait pu t'arriver n'importe quoi, tu aurais pu tomber dans la rivière, dans un puits, je ne sais pas, moi... J'ai même commencé à penser que le voisin qui tabasse sa femme t'avait kidnappée. J'ai frappé chez lui, d'ailleurs. » Nick eut un rire furieux, et Lily sentit la chair de poule remonter le long de son bras.

« J'avais décidé d'aller camper. » Il fallait bien qu'elle invente quelque chose. « Il y a un petit terrain de camping au bord de la plage, et j'ai pensé que, histoire de changer un peu...

– La plage ? Mais j'y suis allé, sur la plage !

– Oui, mais c'est plus loin, dans un creux. Tu ne pouvais pas le trouver. Il faut connaître... »

Il y eut un silence, troublé seulement par le sifflement des voitures qui doublaient en trombe. « Je suis vraiment désolée... gémit-elle. Nick ! Je ne pouvais pas deviner que tu allais venir ! On avait dit vendredi... Si j'avais su... » Sous la pression de la culpabilité, sa voix montait dans les aigus : « Je n'aurais pas bougé, tu penses bien !

– Je voulais te faire une surprise, répondit-il avec tristesse. Eh bien, tu as en eu une quand même.

– Ce qui est sûr, c'est que ton mot aura surpris le

facteur », dit-elle. Ils en rirent en chœur. « Alors... le week-end prochain... si ça ne t'a pas trop découragé... ?

– On verra. » Il poussa un grand soupir de lassitude. « En fait, le trajet, ce n'est pas si terrible que ça, je commence à m'y habituer. Cette nuit, quand je te cherchais partout dans les fossés, j'ai vu... Il y a quelque chose dans ce... dans ce village, c'est peut-être seulement l'obscurité, le fait qu'il n'y ait pas d'éclairage public... ou le bruit de la mer, je ne sais pas, mais il y a quelque chose... »

Lily tremblait. « Oui.

– Peut-être que tu as raison. Je devrais prendre un peu plus le temps de vivre. Et peut-être que... Ahhh, merde, fait chier ! » Il se tut et l'air sembla se condenser. « Je viens de me faire flasher par un radar. Encore six points de permis en moins !

– Je suis navrée.

– Tu n'y es pour rien.

– Bon, à vendredi, alors ? reprit-elle d'une voix douce. Et je t'appelle avant ?

– D'accord. Mais au fait, Lily... » Elle sentit, au son de sa voix, qu'il hésitait. « Je ne savais pas que tu avais une tente.

– J'en ai acheté une. Dans le village, il y avait une kermesse au profit des missionnaires, ou je ne sais plus pour qui, et je... je l'ai payée trois livres.

– Fichtre ! Et... elle est comment ?

– Ben... » Lily regarda par la fenêtre, scruta de tous côtés, mais il n'y avait aucune tente en vue. « Elle est... tu vois ces tentes de scouts vert kaki qui se ferment avec des lacets croisés ? Le fond n'est même pas fixé aux côtés, ce qui fait que le matin, j'ai retrouvé mes fringues éparpillées partout dehors. » Que n'allait-elle pas chercher ! « Mais Nick... » – elle vit la rangée de 0 qui commençait à clignoter –, désolée, je vais être à cours de... » Elle se mit à fouiller ses poches. « Ça va cou... » La ligne fut interrompue.

272

Le coup de téléphone lui avait coûté plus cher que sa tente imaginaire. Elle monta sans se presser jusqu'à l'épicerie et regarda les petites annonces. Pas la moindre tente à vendre. Juste quelques maisons de vacances à louer, toutes dotées de belles vérandas et couvertes de vigne vierge.

Tout en faisant la queue entre deux gondoles, Lily finissait de remplir son panier. Des gâteaux secs et du thé en sachets, un journal qui montrait en première page la photo d'une jeune Palestinienne aux yeux noirs et à la mine sage, avec, en vis-à-vis, celle d'une rue de Jérusalem où gisaient les cadavres des sept passants qu'elle avait tués en se faisant sauter avec une bombe. Y A-T-IL UN ESPOIR DE PAIX ? disait le gros titre, et au-dessous, en caractères maigres, on détaillait les mesures de représailles annoncées par l'armée israélienne. Qu'allait-elle décider pour Nick ? se demandait Lily, mais elle esquiva aussitôt la question en parcourant, dans le journal, les pages Société et Actualité internationale. Il y avait là suffisamment de maladies, de sécheresses et de violences pour engloutir tout un continent. Pas besoin d'une guerre mondiale.

Installé devant la cabine de plage avec son établi, Grae construisait un petit escalier. Il avait déjà fait la structure, les côtés triangulaires montés sur pieds qu'il s'apprêtait à poncer.

« Excuse-moi, dit Lily, j'ai été retardée. » Elle étala son journal sur la table et y disposa le déjeuner. Pain, jambon, olives, fromage. Et des tomates rouges et jaunes qui dégageaient de la vapeur d'eau dans leur emballage en cellophane.

Grae arrêta de scier. « Merci. » Il la regarda, comme si on n'avait jamais rien fait d'aussi gentil pour lui.

Lily sourit. Ne voulant pas parler de Nick, elle

273

demanda : « Elle reviennent quand, les filles ? » Grae rompit un morceau de pain.

« À l'heure du goûter. À partir de maintenant, Sue les prendra un week-end sur deux. »

Instinctivement, Lily regarda sa montre. Il n'était qu'une heure.

« Elle a un boulot. Dans l'élevage de porcs d'Uggleswade. »

Grae ricana. « Et comme elle se lève à cinq heures du matin, elle ne peut pas les emmener à l'école. » Il eut un sourire en coin, comme s'il s'en réjouissait.

« Elle est originaire de là-bas ?

— Oui. Dans une ferme. Qui n'existe plus, évidemment. Elle a été vendue pour une bouchée de pain. »

Lily se prépara un sandwich. Elle avait tellement faim que la perspective de manger faisait gargouiller son estomac. Ne serait-ce pas merveilleux si les questions n'appelaient pas de réponse, si l'on n'avait jamais besoin de s'en poser ? pensa-t-elle. Ils mangèrent sans dire un mot, en rompant le pain à la main et en déchirant des morceaux de jambon ou de fromage avec les doigts.

« Il y a un terrain de camping, par ici ? » demanda-t-elle en chassant des moucherons du revers de la main.

« Oui, de l'autre côté de la rivière. Pourquoi ? Tu trouves ta maison trop confortable ?

— Non, non. Simple curiosite. ˙ Il y avait de l'eau sur la table, presque chaude. Lily en but une longue gorgée.

Grae la regarda. « La vieille qui le tient, Dolly, elle est... enfin... depuis qu'elle a quatre-vingts ans, c'est devenu difficile d'avoir un emplacement. Elle a changé de monnaie, elle est revenue à l'ancienne. Avec un peu de chance, tu peux rester une semaine pour un peu plus de deux livres. » Il se leva pour se remettre au travail. Il plantait des clous à petits coups précis. Lily ferma les yeux. Elle voyait sa silhouette à travers la lueur rouge de ses paupières. « En revanche, si elle te prend en grippe... » Il se parlait à lui-même. « Une fois, Sue lui a proposé 10 shillings, mais elle a refusé, disant que le camping était complet. »

Lorsque Grae eut passé une couche de peinture bleu roi sur ses planches, ils marchèrent le long de la plage en direction de la centrale nucléaire. Ils la voyaient briller depuis l'anse de la côte, où elle s'imposait avec son dôme d'un blanc nacré.

« Ça se passe comment, là-bas ? demanda-t-elle. Vous portez des masques et des combinaisons de protection ?

– Non. » Il hésita. « Mais je suis lié par le secret professionnel. J'ai dû prêter serment quand j'y suis entré.

– C'est vrai ? » Elle le dévisagea avec angoisse.

« Mais non, tu es folle ! De toute façon, je ne travaillais qu'à la cantine. »

Ils s'enlacèrent par la taille et continuèrent à marcher. Ils pataugèrent dans le sable mou et les galets instables, puis gravirent la crête pour atteindre un sol plus ferme. Là-haut, le vent soufflait si fort qu'ils furent obligés d'avancer tête baissée, l'un derrière l'autre. D'un côté, en contrebas, s'étendaient les prés, de l'autre, la mer démontée.

« Par ici. » Grae lui prit la main et ils dégringolèrent vers la rivière, puis traversèrent le pont en direction du moulin. Il n'y avait presque pas d'eau à l'intérieur de la bâtisse, et le chemin qui la contournait était tout craquelé. Des papillons blancs voletaient au-dessus des fougères, si près que l'on croyait n'avoir qu'à tendre la main pour les attraper. Lily s'allongea sur le mur de granit. Dans sa tête se bousculaient des questions qu'elle repoussait l'une après l'autre avec véhémence. Grae vint s'asseoir à côté d'elle. Il écarta de son visage ses mèches de cheveux collées par le sel.

« Il faut qu'on rentre, dit-il, si je veux avoir le temps d'aller chercher les filles.

– Ah, je croyais que c'était elle qui les ramenait ici.

– Non. » Il se leva. « Et c'est bien pour ça que je me suis acheté une voiture.

– Ah bon... » Il firent le chemin en sens inverse dans un silence grinçant.

Lily cueillit une herbe et en frappa toutes les tiges qui se dressaient le long du chemin. « Désolé. » Grae se retourna et lui tendit la main. « Désolé, dit-il, c'est encore... c'est... pas très facile. » Il l'embrassa, en noyant son regard dans le sien. « Ici, qu'est-ce que tu en dis ? proposa-t-il ensuite en penchant la tête pour montrer, à quelques mètres du sentier, une clairière, une sorte de tanière formée par les branches d'un arbre qui pendaient pratiquement jusqu'au sol.

Lily regarda alentour. « Non », répondit-elle sans trop savoir pourquoi. Grae glissa une main sous sa chemise, cala ses doigts entre ses côtes. Son pouce se mit à balayer doucement sa peau, frôlant au passage le galbe de son sein.

« Viens... » Il se courba pour la guider sous les frondaisons de l'arbre aux branches noueuses dont les feuilles commençaient à se raidir. Il y faisait sombre et frais. Ils s'embrassèrent encore et cette fois, Lily se laissa aller à respirer dans l'haleine chaude de Grae. Elle garda les yeux ouverts, alors que lui les fermait. Sourcils froncés, il se concentrait, la serrait fermement contre lui, debout, tout en dégrafant sa ceinture.

Chères Cathy et Clare... En rajustant ses vêtements, elle se souvint du courrier des lectrices. Elle avait les jambes flageolantes, une fesse marquée par les moulures de l'écorce, un bras écorché et engourdi. *Est-ce qu'on peut tomber enceinte même en le faisant debout ?*

ABSOLUMENT répondait le magazine, et même alors, à l'âge de quatorze ans, elle s'était émerveillée de la force de gravité exceptionnelle du sperme.

« Ça va ? » lui lança Grae qui, sorti de leur cachette, époussetait ses vêtements.

« Oui. » Elle se glissa sous les branches pour le

rejoindre. Grae lui prit la main, et ils se remirent en route d'un pas léger, les bras ballants d'insouciance, leurs deux corps soudés aux hanches par la liqueur jaillie de leur étreinte. Parvenus à un autre pont, ils avaient le choix entre descendre vers la mer et prendre le sentier bifurquant vers l'intérieur, bordé d'herbes si hautes qu'elles se refermaient au-dessus de leurs têtes. Rentrant les épaules, ils s'enfilèrent en courant dans ce tunnel au sol tout blanc et ressortirent sur une piste cavalière creusée d'ornières, dont les crêtes de boue séchée s'effritaient. Ils trébuchaient dessus, glissaient parfois dans les cratères formés par les sabots d'un cheval, s'aidaient mutuellement à se relever en riant aux éclats.

« Fin mai, dans ce bois, les rossignols chantent pendant au moins une semaine », lui dit Grae. Ils traversaient maintenant des taillis où ils s'arrêtèrent pour admirer les grands troncs noueux, les formidables branches horizontales, la couleur intense des feuilles qui faisaient écran à la lumière.

« Chut ! » L'époque des rossignols était passée depuis longtemps, pourtant ils tendirent l'oreille. Quelque part au loin, on entendait le gémissement désagréable d'une voiture. Grae regarda Lily. « Quelqu'un est embourbé », dit-il. Il courut jusqu'au bout de la piste et sauta pardessus la barrière. Lily le suivit. À présent, la voiture toussait, hoquetait, puis elle se mit à hurler comme un animal qui souffre. Lily la vit dès qu'elle eut franchi la barrière : c'était une vieille Morris grise.

« Vous voulez un coup de main ? » lança Grae. Lily le rattrapa juste au moment où il commençait à pousser. « Braquez à droite », cria Grae, et le conducteur, une jambe dehors, tourna le volant. Ils poussèrent de tout leur poids l'arrière de la voiture qui, d'un grand bond, sauta sur le chemin.

« Merci. » L'homme s'extirpa de la Morris. La cinquantaine, les cheveux touffus, les sourcils en broussaille.

« Mon Dieu, s'exclama Lily, c'est lui.

– Qui ça ? » demanda Grae en tournant la tête vers elle. Mais l'homme s'approchait d'eux.

« Monsieur Lehmann ? dit-elle. Je ne savais pas que vous étiez ici. Excusez-moi, vous ne vous souvenez pas de moi ? » Elle lui tendit la main. « Lily Brannan. Je fais cette thèse, vous savez... C'est à moi que vous envoyez les lettres. »

M. Lehmann la dévisagea en opinant. « Vous êtes venue jusqu'ici, en plus. Eh bien, vous ne faites pas les choses à moitié, vous !

– Non, c'est à dire... » Elle rit, ne voulant pas lui avouer qu'il se trompait lourdement. « Je voulais voir la maison que... Lehmann... La maison qu'il a dessinée. Et puis – elle jeta un coup d'œil à Grae –, j'ai été distraite. » Elle se tut, en espérant que Lehmann lui ajouterait quelque chose, mais non. Il se retourna simplement vers sa voiture. « Merci infiniment de m'avoir envoyé ces dernières lettres, reprit-elle. Ça m'a énormément aidée. Cette maison... Elle est belle. J'ai même jeté un coup d'œil à l'intérieur. »

Lehmann soupira. « J'ai une photo d'elle, qui a été prise quand elle venait tout juste d'être construite. »

Grae commençait à danser d'un pied sur l'autre. « Bon, il faut que j'y aille, dit-il, si je veux être à l'heure.

– On se voit plus tard ? dit Lily en lui effleurant le bras. Demain ?

– O.K., répondit Grae en tournant les talons.

– Enfin... si les filles... » Mais il s'éloignait déjà à grandes enjambées entre les lotissements, en direction de la mairie.

Lehmann ouvrit la portière du côté passager. « Vous voulez la voir ?

– Ah oui, dit-elle, cette photo... » Et elle monta.

Lehmann conduisait très prudemment sur le chemin creusé d'ornières. Un homme qui roule à dix à l'heure ne

278

peut pas être un fou dangereux, se disait Lily. Enfin, ils bifurquèrent dans la rue principale, puis, comme Lily l'avait deviné, dans la ruelle gravillonnée. La nouvelle construction qui faisait l'angle avait bien avancé depuis la dernière fois qu'elle l'avait vue. Les murs s'élevaient jusqu'au deuxième étage, et la charpente en bois était posée. Un homme fort, au teint buriné, coiffé d'un casque de chantier les salua d'un signe de tête. « Alf ! » A.L. Lehmann freina. « Comment ça va ? » Il se pencha par la portière et son visage se métamorphosa.

« Ça va ! » Alf pencha la tête. Les deux hommes regardèrent le bâtiment d'un air un peu nostalgique. « Tu veux que je te dise – Alf parlait lentement –, ça ne va pas être si mal que ça. Au fond, tu as bien fait de vendre le terrain. » Tout à coup, un grand sourire illumina son visage. « Mais tu ne devineras jamais ce que ce dingue veut qu'on mette, maintenant. Tiens-toi bien, Bert. Un système de chauffage central qu'il pourra télécommander depuis Londres ! S'il veut venir un week-end, il n'aura qu'à tourner un bouton, et quand il arrivera, la maison sera chauffée. » Les deux hommes se regardèrent avec une moue dégoûtée, et Lily se dit que Nick, lui, aurait applaudi des deux mains.

Bert ! songea Lily, Albert Lehmann. Et ils reprirent sans un mot la petite route qui tournait pour aboutir au petit terre-plein herbeux qui jouxtait Marsh End. « Depuis combien de temps habitez-vous ici ? lui demanda Lily.

– J'y suis né, et... eh bien, j'ai eu la chance d'hériter de cette maison.

– C'est une chance, en effet, approuva-t-elle. Et vous faites les allers et retours à Londres avec cette voiture ? »

Il se tourna vers elle, l'air de se demander si sa question avait ou non quelque chose de désobligeant.

« Non, répondit-il, je prends le train.

– Ah bon. » En sortant de la voiture, Lily posa les

doigts, comme par inadvertance, sur le capot gris et chaud.

« Miss Brannan ? » Il lui tenait la porte.

« Appelez-moi Lily », dit-elle en entrant.

La véranda sentait l'humidité. L'intérieur de la maison aussi. Albert Lehmann s'immobilisa un instant au milieu de la pièce, comme s'il était perdu. Où allait-il, au fait, avec sa voiture ? s'interrogea soudain Lily. Dans le marais ?

« Ah oui, la photo ! » s'exclama-t-il. Il tourna lentement sur lui-même. Il y avait là un bahut plein de tiroirs et d'étagères. Lily était derrière lui lorsqu'il l'ouvrit. Boîtes à biscuits, serviettes de table jaunies à la pliure, sets de tables et rubans, pics à cocktail et vieilles pailles. L'homme se pencha pour ouvrir le bas d'un buffet puis, un peu au hasard, sembla-t-il à Lily, traversa la cuisine et ouvrit le cellier. Sur une étagère, il y avait un pot de confiture et deux bouteilles à bouchon de liège qui contenaient un liquide brun plein de particules en suspension. Lily se retourna vers la pièce voisine. Un tableau accroché au-dessus de la cheminée représentait un jeune homme mince portant des vêtements amples, dont les contours étaient colorés à la gouache. Juste sous cette peinture, sur le manteau de la cheminée, il y avait une boîte. Lehmann dut la voir en même temps que Lily. Avec une soudaine exaltation, il se précipita dessus, la posa sur la table ovale et commença à fouiller parmi des photos écornées qu'il soulevait par petits tas. Lily en aperçut quelques-unes au passage – des femmes en chapeau marchant à contrevent, des silhouettes en uniforme militaire, mais impossible de dire de quel camp, ça allait trop vite. Sur un cliché sépia, on voyait un bel homme brandir fièrement une anguille à côté d'une femme brune, l'air accablé, qui portait deux bébés, deux petits paquets emmaillotés, calés au creux de ses bras. « La voici », dit-il à Lily qui tendit vivement la main pour saisir la photo. Mais ce n'était pas la Maison mer. Cette maison-ci avait une barrière tout autour du toit, et la haute paroi de verre qui se dressait près de la porte reflétait le feuillage sombre des arbres.

« Où est cette maison ? »

Lehmann s'était approché de la porte-fenêtre, comme s'il avait besoin d'air. Lily le voyait se débattre avec le loquet. « Je n'ai pas pu passer à côté ! » Le loquet céda enfin et Lehmann ouvrit grand les deux battants. « Elle n'existe plus, dit-il. Elle a été détruite il y a cinq ans.

– Non ! » Lily se sentait au bord des larmes. « Mais comment ?

– Il y a eu... une crise. Mon frère et moi... »

Lily l'interrompit. « Mais, il y a des plans ?

– Ils ont été perdus.

– Ce n'est pas possible ! » Elle se rendit compte qu'elle criait. Elle retourna la photo et lut l'inscription : *1950. Hidden House.* « Comment a-t-elle été détruite ? »

Lehmann secoua la tête. « Je suis désolé. Je n'aurais jamais dû vous amener ici.

– Mais on sait si peu de chose de lui ! Je suis allée à l'Association d'architecture, la RIBA[1], j'ai fouillé dans les archives et je n'ai trouvé que des photos de chaises et de bibliothèques. Quelques plans de réaménagement de lofts et les appartements de Heath Height. C'est tout. J'ai écrit en Allemagne, à Hambourg, aux Archives historiques, aux Archives du Land, son nom n'est mentionné nulle part, sauf dans la description détaillée d'une maison splendide qui n'existe plus.

– Tous les architectes juifs étaient rayés des fichiers », dit-il avant d'ajouter, presque malgré lui : « Voulez-vous que je vous en fasse une copie ? » Il se pencha sur la table pour prendre un crayon et une feuille de papier et se mit à dessiner avec minutie. Il gardait la photo dans son champ de vision mais dessinait pratiquement à l'aveugle : la tourelle, la montée d'escalier, les marches, comme une

---

1. RIBA : Royal Institute of Britsh Architects

281

ondulation à travers la vitre. « Voilà, dit-il lorsqu'il eut terminé. J'espère que ça pourra vous aider. »

Il la raccompagna à la porte. Lily tenait le dessin de Hidden House à bout de bras. « Vous avez hérité du talent de votre père, dit-elle en admirant la fluidité du trait.

— Oui, oui. » Mais il avait dit cela d'un ton presque courroucé, en ouvrant d'un coup sec la porte d'entrée.

« Nous aurons peut-être l'occasion de nous revoir ? »

Albert Lehmann haussa les épaules, et alors seulement, en repensant aux lettres, Lily se souvint que les Lehmann n'avaient jamais eu d'enfant.

Chapitre 31

Le lendemain matin il pleuvait, mais Gertrude affichait une belle détermination. Elle avait mal dormi, car elle guettait le retour de Max ; pourtant elle avait dû finir par s'assoupir, puisqu'à présent il faisait jour et que le chapeau de Max était posé sur la table de la véranda. Les premières gouttes de pluie crépitaient sur le toit, et Gertrude, qui s'attardait là en chemise de nuit, fut saisie par une étrange angoisse, comme une vague chaude : la crainte que son cours ne fût annulé. Vers dix heures moins le quart, elle était plus résolue que jamais. Elle enfila son ciré, noua autour de son cou un foulard assorti et prit, en guise de parapluie, un immense parasol. Le parasol limitait son champ de vision à quelques dizaines de centimètres autour d'elle, si bien qu'elle ne remarqua pas tout de suite Alf penché au-dessus du parapet, sur le pont.

« Que fais-tu ? » lui demanda-t-elle en s'approchant pour l'abriter de la pluie, mais au lieu de répondre, Alf remonta sa ligne pour mettre au jour une famille de crabes. Les crabes s'accrochaient à une tête de poisson dont la chair grise était toute déchiquetée. Gertrude eut un haut-le-cœur lorsqu'il secoua consciencieusement le tout pour faire tomber les crabes dans un seau. Elle les regarda un moment s'agripper aux bords. Alf replongea son appât dans l'eau. Cette fois il remonta un spécimen géant, dos rouge et pattes poilues. Avec beaucoup de lenteur et de prudence, Alf le hissa jusqu'au niveau du pont, mais ce crabe-là était un vieux roublard : il mordit une dernière fois dans l'appât avant de le lâcher et de replonger au fond.

« Je pensais que vous ne viendriez pas. » La voix du jeune homme la fit sursauter. Comme il était sans parapluie, son chapeau et son manteau étaient couverts de larges auréoles foncées.

« Bonjour » dit Gertrude dans un grande sourire. Le bras du jeune homme entra dans la zone protégée par le parasol.

« Thomas... Thomas Everson. Eh bien... » Il regarda en direction de la mer, puis, percevant la méfiance de Gertrude, il s'empressa d'ajouter : « ...on commence ? »

La grisaille enveloppait tout. L'herbe couchée, les dépôts de sable mouillé. Gertrude voulut abriter Thomas, mais comme il était plus grand qu'elle, son bras s'endolorit très vite. Ils faisaient les cent pas, en se raidissant l'un et l'autre pour éviter de se toucher. « Si nous allions plutôt travailler en intérieur ? proposa Thomas. Je vous installerai une nature morte et nous prendrons le thé.

– Entendu » approuva Gertrude et, le parasol incliné devant eux, ils gravirent rapidement la pente.

Fern Cottage était dans un désordre inouï. Il y avait là, pêle-mêle, des assiettes couvertes de peinture, des tasses, des tiges de fleurs fanées, un toast à moitié grignoté.

« Je suis vraiment désolé, dit-il. Mrs Wynwell est venue à un moment où je ne pouvais pas la laisser entrer. »

Gertrude chercha des yeux un endroit où s'asseoir. Il y avait une vieille chaise en rotin couverte de feuilles de papier en désordre, et un tabouret mité. En attrapant des livres pour les poser par terre, elle exhuma par hasard une lettre défraîchie partiellement déchirée et un paquet de tabac.

« Ah ça ! Je le cherchais partout ! » Thomas avait l'air ébahi.

Gertrude faillit ensuite s'asseoir sur un petit cutter enfoui dans les plis du fauteuil.

« Vous êtes complètement trempé », lui dit-elle, remarquant les poignets usés de son pull-over et les empreintes humides que laissaient ses chaussettes. Après quoi elle l'entendit, pendant un quart d'heure, fourrager dans la pièce du haut, ouvrir des tiroirs, claquer des portes de placard, lâcher de temps en temps un juron. Puis il y eut un bruit de roulettes lorsqu'il tira le lit.

Il redescendit enfin. « Une seule chaussette, annonça-t-il, l'air de s'excuser, et en plus, je viens de me rappeler que je n'ai pas de lait pour le thé. »

Gertrude admira l'ossature délicate de son pied, le dos très arqué, les orteils blancs, longs et noueux. « Vous allez attraper froid, dit-elle. Vous n'avez pas de pantoufles ?

– Si, si. » Son regard s'illumina puis, comme si la mémoire lui revenait : « Euh, enfin... pas sûr... » Il préféra allumer un feu. Par chance, il y avait du papier journal, des bûches et du petit bois près du pare-feu. Il monta très patiemment une pyramide parfaite. « Bon, maintenant, annonça-t-il, les allumettes... » Au grand soulagement de Gertrude, il les trouva dans l'âtre. Thomas resta un moment assis à surveiller les flammes. De ses bas de pantalon se dégageait de la vapeur d'eau.

« Alors, dit-il enfin, qu'allons-nous faire ? » Il rassembla plusieurs vases et choisit la fleur la moins abîmée de chaque bouquet : un chrysanthème aux pétales rouillés et une branche de menthe montée en graine, qu'il disposa en s'évertuant à leur redonner une certaine tenue.

Gertrude osait à peine bouger. Il lui mit un crayon dans les mains et sur les genoux une feuille de papier, avec une planche comme appui. Quand elle commença à dessiner les formes, elle se dit que chaque trait qu'elle traçait était bien trop net et révélait sa maladresse.

Thomas prit place face à elle et se mit au travail. Le grattement de son crayon sur le papier rassura Gertrude.

Le feu craquait, la pluie tombait dru dehors, et elle commençait à aimer le caractère naïf des pétales de sa fleur. Elle imagina une bordure décorative dans un livre de contes, une ribambelle de marguerites et de pensées qui se donnaient la main, et soudain, elle resta les yeux dans le vague, perdue dans un lointain souvenir.

« Bien », dit Thomas quand il la vit immobile. Il se leva et s'approcha de sa chaise. « Avez-vous des questions à poser ? »

Gertrude rougit. Son dessin aurait pu être celui d'un enfant. « À la semaine prochaine, alors ? » proposa-t-elle, puis, apercevant les traits élancés du croquis de Thomas, elle se pencha pour voir ce qu'il avait fait. Mais il fut plus rapide qu'elle. Il y jeta un bref coup d'œil avant de chiffonner la feuille et de la jeter au feu.

« Il faut que nous trouvions quelque chose qui vous intéresse vraiment », dit-il sans lui laisser le temps de réagir. Et sur ce, il la reconduisit à la porte. « Un shilling, ça ne vous paraît pas trop ?

– Non, bien sûr. » Gertrude fouilla dans son porte-monnaie. « À mardi prochain, alors ? J'apporte du lait ? »

Max scrutait le ciel depuis les fenêtres de la Maison mer, se demandant comment il allait terminer sa frise. Il y avait trois petits cottages qui s'étageaient comme autant de marches à flanc de colline sur le terrain communal, et il avait pensé les ajouter aux maisons déjà alignées sur un long ruban de ciel bleu. Il s'était installé une sorte de tente, avec des coupe-vent et des parapluies, mais une grande giclée d'eau subitement tombée du toit avait inondé son abri.

« J'attendrai. » Debout près de lui, Elsa lui tenait la main, sous l'appui de la fenêtre. « La pluie aura peut-être cessé demain. »

Ils s'allongèrent sur le lit. La mollesse du matelas qui se creusait au milieu obligea leurs corps à se rapprocher.

« Raconte-moi, dit-elle, où t'ont-ils envoyé ? Où as-tu été interné ? » Depuis maintenant trois jours, elle vivait sa vie et lui la sienne, chacun partageait les histoires de l'autre et s'appropriait son passé.

« Où ? En Australie. » Parler. Il y arrivait de mieux en mieux. Les mots roulaient presque avec bonheur sur sa langue, jusqu'à ses lèvres. « Je suivais des cours de comptabilité. C'était Kaethe qui m'y avait inscrit, afin que je puisse travailler dans une étude notariale ou une banque. J'étais assis dans une salle avec trois autres hommes, quand un policier est venu m'arrêter. "Je ne suis pas un criminel", lui ai-je dit, mais il m'a répondu qu'en temps de guerre, il y avait des criminels plus dangereux que les assassins et les voleurs. On m'a d'abord jeté en prison, ensuite j'ai été transféré dans une caserne et enfin envoyé sur l'île de Man. Au bout de quelques jours on m'a emmené à Liverpool et embarqué sur un bateau. Nous étions environ deux mille, tous autrichiens et allemands, émigrés ou réfugiés. On nous a entassés dans la cale, où nous ne pouvions dormir que les uns au-dessus des autres, sur trois niveaux. Il y en avait par terre, sur les tables en bois ; les plus chanceux étaient suspendus dans des hamacs, au-dessus des autres. »

Il préféra épargner à Elsa les détails sordides : le sol bientôt couvert de vomis et la Police des toilettes instaurée par les plus entreprenants d'entre eux, dans un style authentiquement prussien. Il y avait dix toilettes pour deux mille hommes. Le calcul était facile à faire : chaque prisonnier avait droit à sept minutes par jour. La Police des toilettes avait établi un roulement très strict et appelait les gens aussitôt que des places se libéraient. « Drei Männer rechts ran zum Pinkeln. » (Trois hommes à droite pour pisser.) Max constata avec surprise que ces mots étaient incrustés dans sa mémoire.

« Nous ne savions pas où on nous emmenait, reprit-il. Et plus les passagers étaient vieux, plus ils se plaignaient.

287

L'un d'eux est mort, puis un deuxième, et souvent, la nuit, je ne dormais pas, je me disais que les esclaves amenés d'Afrique avaient dû voyager dans des conditions autrement plus terribles. Il en mourait au moins un tiers à chaque traversée. Moi, j'avais de la chance. Je dormais dans un hamac et ne possédais presque aucun objet personnel. Certains avaient réussi à emporter avec eux quelques trésors, et quand ils les perdaient, ils étaient inconsolables. Nous avons fait trois escales. Une à Takoradi, un misérable bidonville pour autant que j'aie pu le voir, une au Cap, où je brûlais d'envie de descendre, et une dernière à Fremantle, sur la côte ouest de l'Australie, et là j'ai eu une otite qui me faisait tellement souffrir que je n'ai même pas pu monter sur le pont pour voir la ville.

« Enfin, au bout de neuf semaines, on est arrivés à Sydney. Avec le recul, je me rends compte de la chance que nous avons eue d'être envoyés là-bas. Nous avions la vie plus belle, à tous points de vue, que si nous étions restés. Le soleil brillait, nous étions copieusement nourris et parfaitement en sécurité dans notre camp de Hay, au bord du fleuve Murrumbidgee. En revanche, on nous privait de nouvelles. Pas le droit d'envoyer de lettres ni d'en recevoir, et ce silence était une torture. »

Max se souvenait des journaux australiens et de l'indigence de leurs informations sur la guerre. On y trouvait surtout les résultats des courses, et des articles relatant, avec force détails scabreux, des affaires de divorce. Dans la presse australienne, tout ce qui touchait au sexe était censuré. Néanmoins, le divorce était légal et les rédacteurs en chef en faisaient leurs choux gras. Pantalons, petites culottes, flagrants délits et maris cocus, rien n'y manquait. Les hommes se lisaient ces billets à voix haute, et aussitôt la toile de leurs sommiers se mettait à grincer. Parfois, en dernière page, on pouvait glaner quelques informations sur la guerre. Le bombardement de Londres, les atrocités commises en France. Mais rien ne lui disait si Kaethe était vivante, si ses parents avaient pu rester dans leur maison. Un jour, enfin, l'interdiction fut levée et ils eurent le droit d'écrire. La lettre de Max mit trois mois à parvenir à Kaethe, et la réponse de celle-ci trois autres mois pour arriver jusqu'à lui. Elle était vivante, et elle lui écrivit la semaine d'après, et la suivante encore. Kaethe était son fil d'Ariane, son ancre, sa mère, son père, sa sœur, son unique lien avec lui-même.

« Hay, c'est la joie, le bonheur ! » Il récita les paroles d'une rengaine de l'époque.

Plus question que tu meures.
Bien vêtu, bien nourri
T'as vraiment pas de soucis.
Tu donnerais pourtant
Ta chemise et tes bottes,
Pour mordre à belles dents,
Dans un bon butterbrot !

« Alors, tu étais heureux là-bas ? intervint Elsa.

– Oui. » Cela n'avait plus guère d'importance, mais à la réflexion, c'était vrai, il était heureux.

« Nous avions monté une école, expliqua-t-il à Elsa, de plus en plus libéré par le souvenir de cette joie. On pouvait y apprendre n'importe quelle langue, et j'ai travaillé mon anglais tous les jours. Je m'étais promis de ne plus jamais parler allemand. » Il leva les yeux vers Elsa et lui sourit. « J'ai suivi des cours de mathématiques supérieures. On enseignait aussi l'astronomie, la calligraphie, les lettres classiques. Parmi les internés, il y avait plusieurs grands pontes de la médecine. Ils m'ont tous examiné les oreilles. L'un d'eux pensait que c'était juste un bouchon de cérumen qu'on pourrait facilement éliminer avec une seringue, un autre a parlé de la maladie de Ménière et m'a dit que j'allais bientôt perdre l'équilibre, que j'irais de plus en plus mal et que je mourrais. Un troisième, qui avait aussi fait des études à Vienne, a prétendu que je n'avais absolument rien mais que je m'entêtais à refuser de communiquer. Et à partir de ce jour, je me suis entêté à ne plus lui adresser la parole.

Quand enfin, au bout de plusieurs mois, les Britanniques ont reconnu que nous n'étions ni des ennemis ni des espions, ils ont envoyé un major, un Juif d'origine anglaise, chargé de désigner ceux qui rentreraient. Je me trouvai sur ce premier bateau, avec plusieurs dizaines d'autres camarades, presque tous mariés. Cette fois, je disposais d'une cabine particulière et un aréopage de stewards chinois était aux petits soins pour moi. Ils me faisaient couler des bains et me gavaient de glaces ! À Cristobal, aux Caraïbes, le capitaine du navire m'a remis un passeport pour me permettre d'aller à terre. »

Toute la ville, Max s'en souvenait, était devenue un bordel pour les soldats américains qui surveillaient le canal de Panama. À chaque coin de rue, des femmes, dans des vitrines, exposaient leurs seins nus au soleil en gardant la tête dans l'ombre. Les hommes allaient, venaient, regardaient toutes ces poitrines, et disparaissaient à l'intérieur quand ils avaient fait leur choix.

« Et toi, tu avais de l'argent ? lui demanda Elsa. À Cristobal ? Tu as fait ton choix ? » Elle contourna la table pour se rapprocher de lui.

« J'avais juste de quoi acheter des bananes. » Les bananes étaient paraît-il introuvables à Londres, et il voulait faire une surprise à Kaethe. Seulement, elles avaient mûri trop vite dans sa cabine. Il avait mangé la dernière, noire et toute molle, en remontant la rivière Mersey et avait jeté la peau dans les docks de Liverpool.

À l'arrivée, Kaethe était là qui l'attendait, mais les autorités lui interdirent d'emmener Max chez elle. Pourtant, vu les égards auxquels il avait eu droit pendant la traversée, Max s'imaginait qu'on allait l'accueillir à bras ouverts, et même lui faire des excuses. Il était loin du compte. Papiers ! Pourquoi revenait-il au juste ? Était-il apte à faire son service militaire ? Dans le cas contraire, il serait renvoyé en camp d'internement. Il se dit alors qu'il aurait bien mieux valu rester en Australie, adhérer à l'Association Hay, qui avait fait vœu de se réunir une fois par an, mais Kaethe mit tout en œuvre pour convaincre les représentants de la loi.

« Il est inoffensif », leur répétait-elle. Elle lui hurla dans l'oreille : « Inoffensif ! » et voyant que Max ne réagissait pas, ils consentirent à le laisser partir.

Cette nuit-là, dans la nouvelle maison située à Muswell Hill, Max ne put fermer l'œil. Il se sentait perdu. En son absence, Kaethe avait trouvé le Renoir caché sous le plateau de sa table. Elle l'avait vendu trois cents livres à une galerie de Cork Street. Aux dires du marchand, il s'agissait d'un Renoir assez ordinaire et sans grande valeur. Mais cette somme lui avait tout de même permis d'acheter une maison de deux pièces, et, non sans fierté, Kaethe avait accroché dans son vestibule le portrait peint par Max.

Elsa lui passa les bras autour du cou. « Max... » Il n'entendait pas les mots qu'elle lui chuchotait. « Max. » En se retournant il la vit rire. « Regarde ! » Elle montrait du doigt une étiquette collée sur la porte de l'armoire. *Draps de rechange, couvertures, oreillers et gilets de sauvetage.*

Max l'embrassa. « Hé ! C'est la joie, le bonheur ! » Il essaya de fredonner une chanson.

« Tu n'as jamais appris la langue des signes ?

– Non avoua-t-il, consterné. Mon père disait que ce serait renoncer.

– Ne renonce pas. » Elsa commença à l'aguicher en glissant ses doigts entre les boutons de sa chemise. « Il ne faut jamais renoncer. » Et elle s'enroula au creux de son corps chaud, de sorte qu'avec ses mains, il pouvait écouter sa respiration.

Chapitre 32

Elsa, je t'ordonne de revenir à Londres. J'ai besoin de toi ici, et je ne vois pas ce qui peut t'occuper à ce point là-bas. Kett n'a tout de même pas besoin de toi tous *les jours pour superviser les travaux. Il m'a envoyé un mot disant que le chantier suivait son cours et que tout se passait au mieux. Je lui avais d'ailleurs fourni des plans on ne peut plus détaillés. Les Mendel sont d'une exigence impossible à propos de leur appartement, quant aux Greenberg — enfin je devrais dire les Green — ils veulent revenir pratiquement sur tout ce qui a été décidé, la cuisine devant, une salle de séjour à l'étage... Heureusement que Mrs Benson, elle, est satisfaite de ses chaises ; elle m'a demandé si j'accepterais de dessiner un meuble de rangement pour le docteur. J'ai imaginé une série de tiroirs où faire disparaître les instruments les plus macabres et une planche escamotable assez large et solide qu'il pourra tirer pour examiner les bébés, lors de la première visite post-natale. Je joins un vague croquis que tu pourras commenter quand tu ARRIVERAS.*
Bien à toi, sans toi, L.

Lily fouilla du bout des doigts l'intérieur de l'enve-loppe, espérant trouver le croquis collé à la doublure, mais il n'y avait rien.

Non, Elsa, je ne cherche pas à te faire de la peine. J'ai tout de même le droit de mentionner le mot « enfant » sans que tu t'insurges. De plus, j'ai dessiné le nourrisson en train de brailler, afin que tu te félicites d'avoir échappé à ce sort. Alors, il va falloir que je vienne te consoler, à présent. Était-ce prémédité ? Je ne te croyais pas aussi rusée et sournoise. Ma mère m'avait pourtant mis en garde, il y a des années : « Une aussi jolie fille... » Donc, j'admets ma défaite. Si tu es trop triste pour faire le voyage, c'est moi qui viendrai. À vendredi, donc. Tu vas voir ce que j'ai l'intention de faire pour te remonter le moral.

Tout à toi, par avance, L.

Ma chérie, bien sûr que je ferai attention aux inondations. À moins que tu n'insinues que je ne dois pas venir ? Je n'essaierai pas de prendre le train, mais je partirai d'ici samedi, très tôt, afin de voir l'effet que cela fait d'être emporté avec sa voiture par un typhon. Et puis, comme tu dis, je me garerai près du Ship *et tu viendras, s'il le faut, me chercher en barque. Y en a-t-il une d'amarrée sous la maison ? Est-ce possible qu'il pleuve à ce point ? Ici, nous n'avons eu qu'un ciel couvert, et d'habitude, c'est bien connu, le temps est toujours plus clément au bord de notre petit bras de mer orientale que partout ailleurs. J'ai vraiment hâte de voir la cabane. Toujours pas de nouvelles du mari de Mrs Bugg ? As-tu l'intention de louer la maison jusqu'à la fin de l'année ? Kett devrait avoir fini vers Noël, ainsi nous pourrons réemménager à Hidden House. Si jamais la mer passe par-dessus la rivière, tu pourras me pêcher quelques flétans, assise sur la dernière marche. Ou bien attraper une brassée d'épinoches et les faire frire farinés dans du beurre. Prends soin de toi et ne sois pas si malheureuse. Je pensais justement que, depuis peu, tu avais cessé de ressasser tes vieux chagrins et je te félicitais intérieurement. J'aurais dû le faire à haute voix.*

Amoureusement, comme toujours, L.

Lily remit les lettres dans leur enveloppe, celle qui portait son adresse écrite de la main de A.L. Lehmann, avec ses timbres soigneusement alignés sur le côté.

294

Pardon, pardon, avait écrit Nick sur le pourtour de l'enveloppe. *Impossible encore, ce week-end.* Mais cette fois, il était en route pour venir la voir ; il avait sûrement franchi la frontière du Suffolk, à présent. Il continuerait à monter, foncerait sur le dos du pont Orwell où il resterait un instant comme suspendu en plein ciel. Remarquerait-il que le pont ressemblait à un dinosaure, avec ses pattes grises trapues, sa mignonne petite tête et son dos voûté transformé en route ?

Lily secoua le panier à pain plein de miettes et nettoya l'évier. Elle ouvrit la porte donnant sur le jardin. Les fleurs des plates-bandes étaient envahies par les mauvaises herbes et le gazon avait bien besoin d'être tondu. Était-ce à elle de le faire ? Elle tira sur une tige de liseron qui plia mais s'agrippa obstinément. Elle cueillit deux roses jaunes, les mit dans un vase, puis, avec un serrement à l'estomac, monta à l'étage. Les lits jumeaux étaient pudiquement séparés ; elle posa les roses entre eux, sur la table de nuit. Celle-ci était déjà occupée par une lampe de chevet dont l'abat-jour à volants s'ornait de fleurs caramel : la tête d'une vieille tante revêche coiffée de sa charlotte de bain qui aurait monté la garde pour que les deux lits restassent bien séparés. Lily tapota les oreillers, lissa les draps. Enfin, avec la désinvolture propre à celui (ou celle) qui entreprend de ranger une chambre en désordre, elle jeta une robe par-dessus la porte de l'armoire – afin d'occulter son miroir.

Ne voyant rien de plus à faire, elle emporta ses notes et des lettres dans le jardin, où elle s'installa avec une couverture, des coussins et une tasse de thé. Ainsi, en arrivant, Nick la trouverait en train de travailler sagement.

Ma chérie, oui, je pense que nous devrions accepter ce souper chez Gertrude Jilks. Meyer est-il ENCORE chez elle ? C'est tout de même amusant que Gertrude ait un ami, non ? Meyer n'est-il pas vexé ? A-t-il fini son aquarelle ? Je n'arriverai que plusieurs heures après cette lettre, tu me répondras donc de vive voix.

Je viens de lire, dans le Times, *la notice nécrologique de Ronald Wilberforce (Sir Wilberforce !), qui était mon supérieur, dans les Forces spéciales. Cela m'a fait penser que, depuis huit ans, j'attends toujours d'être débriefé. Si un seul membre des Forces spéciales s'était intéressé à moi, cela aurait changé bien des choses. Notre cher Joseph Feuer aurait peut-être eu la vie sauve. Jamais interrogé, jamais appelé pour faire son rapport, après six mois de confinement dans la solitude, j'ai toujours mal quand j'y pense, mal de savoir qu'il n'aura pas eu le moindre témoignage de gratitude. Crois-tu que cela l'eût empêché de mettre fin à ses jours ? Ma fille, quand tu seras veuve, à quatre-vingt-cinq ans, je te donnerai la permission d'accepter une médaille pour moi. Non pas pour mes maisons, elles sont toutes envahies et défigurées par ceux qui se les sont appropriées, mais pour cet instant où mon parachute s'est ouvert et où je suis descendu derrière les lignes ennemies.*

Mon El, ma douce, ma petite femme, attends-moi, je serai bientôt près de toi. L.

Lily sursauta en entendant klaxonner. D'un bond elle s'arracha à ses coussins. Elle tourna l'angle de la maison et courut jusqu'à la barrière.

« Je ne peux pas me garer ! » Penché par la vitre baissée, Nick regardait la place qu'elle lui avait laissée. « Elle est à qui, cette voiture ? »

Lily regarda, bouche bée, le capot poussiéreux de la Renault 5 de Grae. Les deux Renault étaient toutes proches l'une de l'autre, garées en biais selon le même angle exactement : on aurait dit des jumelles.

« Ta voiture s'est clonée », dit sèchement Nick, et Lily regarda fébrilement autour d'elle pour lui ménager une autre place.

« Le mieux, c'est que tu descendes jusqu'au bac, suggéra-t-elle. Tu passes devant le pub et, juste là, il y a un parking. Désolée, lui lança-t-elle, lorsqu'il commença à faire demi-tour. Tu continues toujours tout droit.» « Mon Dieu, mon Dieu, mon Dieu», marmonnat-elle. Elle faillit se faire renverser par une famille de cyclistes qui prenaient le virage en roue libre.

Assise sur le banc de la Pelouse, elle attendait Nick qui aurait dû revenir d'un moment à l'autre. Mais qu'est-ce qu'il fabriquait ? Elle se retourna, se tordit le cou et, n'y tenant plus, descendit vers le port, à sa rencontre. Elle passa devant le *Ship*, parcourut du regard le grand parking, partagée entre l'agacement et l'inquiétude. Il n'avait pas pu se perdre, quand même ! Et tout à coup, elle l'aperçut près de la camionnette du marchand de glaces, en arrêt devant le panneau où étaient présentés les bâtonnets à l'eau et les cornets, les esquimaux et les *99*. Juste devant lui, Em et Arrie faisaient la queue. Lily se tapit dans l'ombre, près de la digue, et regarda les petites filles commander, payer puis repartir en léchant leur bâtonnet à l'orange.

« Lily !» Il lui fit signe avec la bouteille d'eau qu'il tenait à la main. « J'ai battu mon record ! Deux heures, vingt-sept minutes. » Il allongea le pas pour la rejoindre et l'embrassa. Ce fut plus fort qu'elle : elle regarda alentour pour s'assurer que personne ne les avait vus. Mais Em et Arrie lui tournaient le dos et n'étaient plus que deux petits points colorés qui gravissaient la pente blanche des dunes.

Lily conduisit Nick dans le jardin.

« C'est sympa comme tout, dis-moi !» Il ne bougeait plus, surpris, et elle lui expliqua que, la maison voisine étant désormais vide, elle avait le jardin pour elle toute seule.

« J'imagine qu'il y aura bientôt un nouveau locataire, dit-elle, et, pour éviter que la conversation ne dévie sur le

« voisin qui cogne sa femme », elle lui demanda comment avançait son travail.

« Ça va, soupira-t-il. Mais on a sans arrêt des problèmes. On vient de s'apercevoir qu'il n'y pas moyen de poser la poutrelle bien à plat contre le plafond, alors maintenant, les clients... » Il s'interrompit et hocha la tête. « Enfin, bon... » Il s'assit sur le tas de coussins. « ...on a eu le contrat, on ne va pas se plaindre.

– Et Holly ?

– Holly ? » Ils se dévisagèrent pendant quelques secondes.

« Elle va bien, oui... » Il se mit à arracher des brins d'herbe. « Heureusement qu'on l'a. » Quand il releva la tête, il paraissait calme.

« Et toi, tu bosses toujours, à ce que je vois ? lui demanda-t-il en désignant du menton sa pile de feuilles. Tu devrais pourtant déjà avoir rendu ton dossier, non ?

– Exact. Mais ils m'ont dit que si j'avais besoin d'un peu plus de temps, je pouvais le remettre au début du trimestre prochain. »

Nick s'allongea, posa la tête sur un coussin et examina l'écran de son téléphone portable. Il le tenait à bout de bras et le déplaçait d'avant en arrière. « On ne capte pas de signal, ici ?

– Je ne sais pas. Dans la maison peut-être ?

– Il y a encore moins de chances, à mon avis. » Nick se leva, contourna le jardin, traversa la cuisine et ressortit dans la ruelle.

« Tu peux essayer de téléphoner de la cabine, remarque », dit-elle en le suivant. Elle se mordit la lèvre pour réprimer un sourire.

Nick était planté au milieu de la Pelouse, les yeux toujours rivés à son téléphone.

« C'était important, ton coup de fil ? »

Nick la regarda en plissant les yeux. « D'accord, tu

marques un point. Je vais essayer la cabine. Tu as de la monnaie ? »

Lily courut jusqu'à la maison. Elle jubilait tellement qu'elle en fut stupéfiée : elle ne s'était pas rendu compte qu'elle était véritablement en état de guerre. Elle ramassa toute la monnaie qui traînait, écuma la doublure de son sac, vida son porte-monnaie, jusqu'à tenir en main une bonne récolte de pièces de dix et de vingt pence, et de petites pièces de cinq pence légères et argentées comme des écailles de poisson. Quand elle revint, Nick était déjà au téléphone.

« Bien sûr, bien sûr... » Il avait renoué avec le monde réel. « Dis-leur qu'on va le faire. » Elle posa une pile de pièces devant lui sur la tablette, et au même moment, le bras de Nick passa autour d'elle pour attraper le petit papier de la cabine. « Oui, je sais, bien sûr », dit-il plus calmement. Lily le regarda lire le mot. *Appeler le 999. Attendre près de la digue...* Tandis qu'il essayait de le déchiffrer, elle remarqua que le message avait été modifié depuis la dernière fois. La croix qu'elle y avait dessinée était entourée d'un cercle, et le L suivi d'un R. Lily sortit de sa poche un stylo et écrivit « Salut » en haut de la feuille. Nick, toujours en grande conversation, la regarda en haussant les sourcils quand elle remit le papier sous son caillou. « Dis-leur qu'on a un contrat. » Nick se tourna. « Ils n'ont qu'à le relire, s'ils ne savent plus où ils en sont. Écoute, Tim, s'il te plaît – les pièces de cinq pence étaient avalées à mesure qu'il les introduisait dans le taxiphone –, je serai au bureau lundi matin, et sinon tu peux m'appeler quand tu veux... Euh, si je ne réponds pas, laisse un message et je sortirai du village pour interroger ma boîte vocale. Oui... Il y a des interférences, ici, à cause de la centrale nucléaire, j'imagine... Ouais, Lily n'en parle jamais, mais il y a un énorme réacteur nucléaire le long de la côte, une horreur... Elle est dans le déni total ; partout où elle regarde, elle ne voit que des "espaces naturels" d'une "stupéfiante beauté". » Il partit d'un grand éclat de rire qui fit tressauter ses épaules. Lily l'imagina passant le reste du week-end à aller et venir entre le village et l'autoroute A12 pour aller écouter les messages de Tim.

« Tu sais de quoi j'ai une envie folle ? » Nick prit Lily par la taille.

« Non. » Lily déglutit nerveusement, tandis qu'il lui murmurait à l'oreille : « Il manquerait quelque chose à mon séjour, si je n'allais pas boire un demi dans ce pub extraordinaire. »

Ils emportèrent leurs verres dans le jardin où les chiens eux-mêmes somnolaient paresseusement dans les derniers rayons du soleil. Dans un coin couvert de gravillons, un groupe d'hommes et de femmes, occupés à quelque jeu, riaient et s'esclaffaient.

« Qu'est-ce qu'ils font ? » demanda Lily.

Le patron, sanglé dans son corset, s'appuyait au grillage séparant le terrain du reste du jardin. Derrière lui, sur le muret, s'alignaient des chopes de bière brune.

« Ils jouent à la pétanque. »

Il y eut un silence, puis un grand gaillard se courba pour lancer sa boule. Il balança le bras trois fois de suite au ras du sol, avant de lâcher la boule argentée qui décrivit un arc de cercle, atterrit, roula... Un murmure d'approbation s'éleva, en même temps que plusieurs « Bien joué, Alf ».

« Ah, c'est Alf. »

Lily se démancha le cou pour le voir. Sans sa casquette, Alf avait grande allure, avec sa tignasse blanche toute frisée.

« C'est qui, Alf ? » demanda Nick, mais le barman grommela d'un ton railleur : « Elles m'ont l'air un peu rouillées, tes boules ! » Alf répondit du tac au tac, comme un gamin : « Rouillées ? » Il se redressa. « Elles m'ont fait souffrir le martyre toute ma vie. » Et les autres d'éclater de rire et de pousser des vivats.

Lily et Nick étaient assis à une table en bois, à côté d'une haie taillée assez bas, par-dessus laquelle ils voyaient la mer. Ils se sourirent, trinquèrent en faisant tinter leurs verres et continuèrent à regarder les boulistes.

« Tu peux me le pousser un peu plus loin ? » Alf voulait qu'un des joueurs ajuste la place du cochonnet. Aussitôt, un autre homme lança à la femme qui se trouvait à côté de lui : « Voilà un truc que tu as dû lui demander plus d'une fois, pas vrai Cassie ?

– Ah, ça, tu peux le dire ! » Cassie toisa Alf de loin, on entendit une sorte de grognement, puis un sifflement, et ils continuèrent leur partie.

« Tu as l'air en forme, dit Nick en saisissant la main de Lily.

– Oui, ça va. C'est sûrement grâce aux rayons bienfaisants de la centrale nucléaire. » Elle lui adressa un petit sourire froid, et Nick soutint son regard.

« Lily, sérieusement, tu es sûre que tout va bien ?

– Oui », répondit-elle. Et elle fut surprise de sentir des larmes brûlantes lui monter aux yeux. « Je vais très bien. » Mais tout son être frémissait de colère. Alors qu'elle n'avait guère le droit de ressentir autre chose que de la culpabilité, elle le savait. « Ça va parfaitement bien. » C'était comme si toutes ses blessures, ses rancunes s'étaient réveillées, toutes les déceptions des trois dernières années. « Pourquoi, ajouta-t-elle, en devenant toute rouge, pourquoi ne m'as-tu jamais dit que tu m'aimais ? »

La main de Nick sursauta dans celle de Lily. « Quoi ? »

Lily baissa les yeux. Elle n'allait tout de même pas répéter la question.

« Écoute... bredouilla Nick. Ça tombait sous le sens, non ? Quand je t'ai suppliée d'entrer dans notre société... Quand je t'ai demandé de venir t'installer chez moi... »

Lily s'efforçait de maîtriser les commissures de ses lèvres, prêtes à céder à son envie de pleurer.

« Ce n'était pas... – lui aussi était en colère, à présent –
...ce n'était pas clair ?

– Non, ce n'était pas clair. Depuis quand une phrase
telle que « Tu peux ranger tes vêtements dans ce placard »
veut-elle... veut-elle dire plus que ça ?

– Alors, c'est donc ça ? C'est pour cette raison que tu
es partie ? Que tu es venue t'enterrer ici ? Tu t'es exilée
dans ce trou paumé uniquement pour t'éloigner de moi ?

– Non, répliqua-t-elle, sur la défensive. NON. Mais
j'en ai marre d'attendre, c'est tout.

– Mais... » Elle prit soudain conscience qu'il ne
comprenait vraiment pas. « D'attendre quoi ?

– D'avoir le droit... Je ne sais pas... » Elle essuya ses
larmes. « D'avoir le droit... »

Nick lui offrit ses deux mains. « Je ne comprends pas
de quoi tu parles... » Sa voix n'était plus qu'un murmure,
et il avait pâli. Lily se souvint qu'elle l'aimait et en fut
bouleversée.

« Je voudrais avoir le droit de... – elle déglutit – ...de
rêver un peu, de faire des projets, d'avoir une vague idée
de ce que sera l'avenir. Mais je n'en ai jamais eu le droit.
Je ne pouvais même pas prononcer le mot « Noël » jusqu'à, eh bien oui, pratiquement jusqu'à la veille de Noël.

– O.K. » Nick fit la grimace, comme si on le forçait à
parler. « Quand je pense amour... passion, je pense au
moment présent. J'ai attendu que tu deviennes mon asso-
ciée, Lily, que tu commences à vivre, que tu arrêtes de
faire n'importe quoi de ta vie.

– Je ne vois pas comment j'aurais pu faire ! » Elle
essaya de retirer sa main. « Puisque je ne savais pas si j'aurais le droit de... » Elle ne voulait pas avoir à le dire.

« Mais le droit de quoi, enfin ?

– Depuis des milliers d'années, peut-être même plus
longtemps, je ne sais pas, les femmes se marient, ont des
enfants, fondent un foyer. Et tout à coup, moi, je n'ai pas
le droit d'avoir cette envie-là. Je devrais même avoir honte

de l'évoquer. Je suis censée faire comme si c'était le dernier de mes soucis.» Lily sentait son visage la brûler. Elle arracha sa main à celles de Nick. Elle aurait voulu ne jamais avoir à dire tout cela. «Écoute, je ne sais pas si je veux un enfant, je ne sais pas si je veux me marier, mais je voudrais au moins avoir le choix. Et qu'est-ce que j'ai, à la place? Le travail, le travail, et encore le travail, et avec un peu de chance, on finit par travailler tellement qu'on n'a même plus le temps de respirer!»

Nick s'adossa et la regarda droit dans les yeux. «Mais enfin, Lily, tu n'as que vingt-sept ans! Rien ne presse! De nos jours, les femmes font leur premier enfant à quarante-deux ans.

– Je me fous de ce qui est à la mode.» Elle lui lança un regard noir. «Tu n'es pas le seul à lire des magazines people, figure-toi. J'essaie simplement d'être sincère. Merde... – elle sentit sourdre une poussée de rage –, j'étais sûre que tu me ferais culpabiliser.» Elle soupira bruyamment. «Je déteste la vie qu'on mène tous les deux, elle est tellement froide. Jamais besoin l'un de l'autre, pour quoi que ce soit.» Des éclats de rire jaillirent du terrain de boules. Lily regarda autour d'elle, effarée à l'idée que quelqu'un eût pu l'entendre.

«Écoute, si tu la détestes tant que ça...» Nick avait du mal à respirer. Il soupira et glissa le long du banc pour aller chercher un autre demi. Un des joueurs, penché en avant pour lancer sa boule, essayait de contrôler la position de ses épaules.

«Excellent!» Le patron s'inclina pour vérifier les scores. «La distance?» Tout le monde se contorsionna pour voir, et Cassie mit son pouce et son index horizontalement à un centimètre l'un de l'autre. «Quinze centimètres» annonça-t-elle, et tous les hommes hurlèrent de rire.

Ils pouffaient encore lorsque Nick revint. «Pourquoi ils se marrent?» Il avait pris un autre demi et un verre de vin blanc pour Lily.

« Pour rien. C'est idiot et même pas drôle », mais elle ne put s'empêcher de sourire en prenant son verre.

Ils burent en silence. Au-dessus d'eux, la lune était pleine, aussi blanche qu'un nuage, et lentement, tandis qu'ils s'attardaient dans ce jardin, au milieu des nuées de moucherons, devant les verres vides qui s'accumulaient, la nuit tomba. Comme personne ne venait débarrasser, chaque fois que l'un ou l'autre rapportait sa tournée du bar, il fallait repousser les chopes vides, si bien qu'au bout de quelques heures, un énorme essaim de cercles de verres couvrait la table. Les fenêtres du pub éclairaient suffisamment le terrain pour que le jeu de boules puisse continuer. Une équipe finit par l'emporter, et les joueurs, gagnants et perdants confondus, se dispersèrent en se donnant de grandes claques amicales dans le dos. Nick et Lily se levèrent en titubant. Il lui prit le bras et elle s'appuya contre lui, reconnaissante, ivre et épuisée, comme si ces quelques larmes l'avaient vidée de sa moelle.

Le long du chemin, loin des lumières du pub, régnait une obscurité soyeuse. La lune brillait, énorme. « Quelle nuit ! » dit Nick. Il serra très fort la main de Lily en claudiquant à côté d'elle, le long de la Pelouse. Ils se brossèrent les dents ensemble dans la salle de bains, sans mot dire, et se couchèrent, chacun dans son lit. « Bonne nuit », dit-elle, en lui souriant par-dessus l'abat-jour, avant de s'endormir dans un tourbillon. Quand elle se réveilla au petit jour pour boire un verre d'eau, elle entendit la pluie. Une pluie fraîche et guillerette, à en juger par la façon dont elle battait les carreaux. Lily vida son verre et retourna se coucher.

« Oh, bon Dieu ! » Ce fut Nick qui la réveilla.

« Qu'est-ce qu'il y a ? » Il se prit la tête à deux mains.

« Tim, grommela-t-il. J'ai oublié d'interroger ma messagerie. C'est ta faute, ajouta-t-il en souriant imperceptiblement, avec tes idées révolutionnaires. Ton discours

antiféministe. Ta revendication du droit à faire la vaisselle...

– Arrête, je n'ai jamais dit ça. » Mais elle avait le cœur
léger quand elle tira les rideaux qui laissèrent apparaître le
voile gris de la pluie.

« Tu as une fuite », dit Nick qui se tenait toujours la
tête. En se retournant, Lily vit une tâche de sang sur sa
chemise de nuit.

« J'allais te demander de venir ici... – il se rallongea –
mais finalement... »

Lily se fit couler un bain. Une fois dans l'eau, elle imagina Grae dans sa cabine de plage, ses filles en train de
fabriquer de petites balles de laine qu'elles faisaient danser
sous le nez de Guinness pour l'inciter à sauter d'une couchette à l'autre. Elle s'immergea complètement la tête et
sentit ses pensées lâcher prise. Tout un nouveau mois de
liberté devant elle. Soulagement. Déception, soulagement.
Elle avait toute la vie pour faire plus attention. « Mais ils
ne peuvent quand même pas passer tout l'hiver là-
dedans... » Elle essaya de réfléchir, et quand elle ressortit,
Nick était au-dessus d'elle qui la regardait. Il était nu, un
pied en l'air, prêt à tester la température de l'eau.
« Qu'est-ce que tu disais ?

– Rien, rien, je parlais toute seule », répondit-elle en
remontant ses genoux sous son menton, pour lui faire de
la place.

Il y avait un parapluie dans l'armoire. *Parapluie.* Avec
une étiquette : *Ne pas utiliser.* Lily était bien trop supersti-
tieuse pour l'ouvrir dans la maison : elle le passa par la
porte d'entrée.

« C'est mieux que rien », lança-t-elle à Nick, en regardant à travers les trous de la toile. Ils partirent sous la
pluie. « On pourrait monter jusqu'à la nationale avec ma
voiture ? » proposa-t-elle en constatant que la Renault de

Grae était partie. « Tu auras peut-être même un signal dès l'église, si ça se trouve.

— Non, ça va. Je peux marcher. » Nick examina ses chaussures de cuir fin. « D'ailleurs, il faut que j'aille chercher mon sac de voyage, il est resté dans le coffre. »

Avant même d'arriver sur le parking, ils comprirent qu'il se passait quelque chose d'anormal. Un groupe d'hommes, les joueurs de pétanque de la veille, faisaient cercle autour de la voiture de Nick. C'était la seule qui restait sur le parking, et à côté d'elle, Grae regardait à l'intérieur. Lily eut un coup au cœur en l'apercevant.

« Qu'est-ce qui se passe ? » demanda Nick. Les hommes se retournèrent.

« C'est votre voiture ?

— Oui. » Nick accéléra le pas. « Il y a un problème ? »

Lily croisa le regard de Grae et détourna les yeux.

« Il y a eu une forte marée, la nuit dernière. » C'était le champion de pétanque, Alf, qui s'était détaché du groupe. « Elle est montée vers minuit. On a fait le tour du patelin pour que les gens déplacent leur voiture, mais celle-ci, on ne savait pas à qui elle était. » Se tournant vers Lily, il lui sourit. « On a vu la vôtre là-haut, bien en sûreté, mais on savait pas que votre ami était venu avec la sienne. »

Nick jeta un coup d'œil dans sa voiture. Il y avait des algues accrochées au volant, des grains de sable accumulés dans les vide-poches des portières et, au fond des sièges, des flaques d'eau de mer boueuse.

« Vous n'irez pas bien loin avec ça », dit Alf, et les autres renchérirent avec force hochements de tête et commentaires.

Nick mit la clef dans la serrure du coffre qui s'ouvrit dans un sinistre grincement. Son sac de voyage baignait dans plusieurs centimètres d'eau ; une ligne ondulée blanche marquait déjà le cuir.

« Ça arrive une fois tous les deux ou trois ans, continua Alf, la marée qui monte, la rivière qui déborde. C'est pour ça qu'on a toutes ces digues et ces ouvrages de protection : pour l'empêcher de monter trop haut. »

Lily sentit une main humide se glisser dans la sienne. « Bonjour ! » C'était Emerald, en imperméable bleu ciel. « Ça va ? » Lily se pencha vers elle. « Vous avez été inondés ? Comment avez-vous fait, dans la cabine ?

— On a pas eu de problème, répondit la fillette. Et de toute façon, Papa le savait. Il avait garé la voiture ailleurs, dans un endroit sûr, et il avait barricadé la porte de la cabine avec des planches. »

Lily jeta un coup d'œil vers Grae qui regardait Arrie patauger dans une flaque de boue.

« Ça n'arrive que quand il y a la pleine lune, poursuivit Em. Papa dit que si on se concentre, si on surveille bien les marées... » et elle lâcha la main de Lily pour aller sauter à pieds joints dans la flaque, ce qui fit gicler une gerbe d'eau dans les bottes de sa sœur.

Son sac dégoulinant posé à ses pieds, Nick fermait la voiture à clef.

« Je vais appeler une dépanneuse, dit-il, stoïque, en adressant un hochement de tête aux hommes.

— Vous n'irez pas bien loin avec ça, répéta l'un d'eux, pas longtemps en tout cas. » Et comme si cela leur avait procuré un certain plaisir, ils hochèrent la tête en chœur.

« Quel putain de bled paumé ! maugréa Nick aussitôt qu'ils se furent éloignés du groupe.

« Mais tu seras couvert par ton assurance... risqua Lily. Tu dois être assuré contre les catastrophes naturelles, non ?

— Ce qui me fait chier, c'est d'être obligé de me faire remorquer jusqu'à la maison. »

Lily l'attendit dehors quand il téléphona de la cabine. La pluie avait cessé, le ciel se dégageait, comme si une couverture se soulevait sur les bords pour faire place à une immense coulée de bleu.

« Ils seront ici dans une ou deux heures », annonça Nick.

Ils s'assirent côte à côte sur le banc. « Tu pourrais aussi rentrer en train ? risqua-t-elle. Ou prendre ma voiture. » Mais il lui lança un regard tellement noir qu'elle n'insista pas.

Ils restèrent une heure sur le banc à attendre la dépanneuse. Lily apporta du thé, de l'eau, de l'aspirine, une assiette de toasts. Nick fouilla dans son sac de voyage tout imbibé.

« Tiens, j'allais oublier, dit-il en glissant la main dans une poche intérieure, je t'ai apporté ça. » Il lui tendit une feuille de papier pliée. « Quelqu'un me l'a envoyé par e-mail et j'ai pensé que tu ferais bien de le lire. »

Lily déplia la feuille. SÉCURITÉ DES FEMMES : QUELQUES CONSEILS. Tandis qu'elle lisait, le soleil sortit de derrière un nuage et le gazon devint vert vif. SI ON VOUS JETTE DANS LE COFFRE D'UNE VOITURE, CASSEZ LES FEUX ARRIÈRE À COUPS DE PIED, PASSEZ LA MAIN À TRAVERS ET FAITES SIGNE. BIEN DES GENS ONT ETE SAUVÉS AINSI.

Lily leva les yeux vers Nick.

« Ça vient des États-Unis. » Il continua à scruter la route.

LES TROIS CAUSES LES PLUS FRÉQUENTES D'AGRESSION :

1. L'IMPRUDENCE : Sachez toujours où vous allez et restez sur vos gardes.

2. L'ATTITUDE PHYSIQUE : Marchez la tête haute, d'un pas assuré. Tenez-vous droite.

3. LE MAUVAIS ENDROIT, LA MAUVAISE HEURE. Ne marchez jamais seule la nuit.

« Merci ! » Elle n'en croyait pas ses yeux, n'osait pas demander s'il s'agissait d'un canular.

COMMENT ÉVITER D'ÊTRE VICTIME D'UNE AGRESSION ?

Préférez toujours l'ascenseur aux escaliers. Il n'y a pas mieux qu'une cage d'escalier pour commettre un crime. Si le

308

prédateur a un revolver et qu'il ne vous menace pas encore, courez. Le prédateur n'a que 4 chances sur 100 de vous toucher et, même si c'est le cas, il n'atteindra pas forcément un organe vital. COUREZ.

Si vous êtes garée près d'une fourgonnette, entrez dans votre voiture par le côté passager. La plupart des tueurs en série attaquent leurs victimes quand elles regagnent leur voiture et les embarquent ensuite dans leur fourgonnette.

Dans le parking, regardez bien dans votre voiture. Si un homme seul est assis à la place du conducteur, rebroussez chemin, retournez dans le centre commercial.

Je pensais n'envoyer ceci qu'à vous, mesdames. Mais vous, les gars, si vous aimez votre mère, votre femme, votre sœur, votre fille, faites passer ce tract. Mieux vaut prévenir que guérir. MIEUX VAUT DEVENIR PARANO QUE MOURIR.

Lily se mit à glousser. « C'est incroyable ce truc... » et elle relut le courriel.

Nick eut l'air vexé. « Je l'ai imprimé exprès pour toi.

— J'aurais préféré des fleurs...

— Écoute, repartit Nick en se tournant vers elle, je n'ai rien dit pour ne pas t'inquiéter, mais la nuit où j'ai voulu te faire une surprise, quand tu étais partie dans ton camping... ou je ne sais où... j'ai vu... – Nick frissonna – ...j'ai vu un type traverser la Pelouse. Je crois qu'il venait de la cabine téléphonique. D'abord, j'ai cru rêver, mais il s'est arrêté près de la voiture. C'était une espèce de vagabond. Il avait des habits moulants tout déchiquetés. Il m'a regardé et... je ne sais pas, il m'a fait peur, et quand je pense que tu ne fermes jamais ta porte à clef...

— O.K., acquiesça Lily. Ça va. »

Mais à ce moment, la dépanneuse tourna au coin de la rue. Nick se leva d'un bond et gesticula en criant au chauffeur qu'il lui fallait tourner vers la mer.

Mieux vaut devenir parano que mourir. C'est vrai, ça ? se demanda Lily. Elle plia quand même soigneusement le tract qu'elle glissa dans la poche de son jean.

Chapitre 33

Max se tenait au milieu du terrain communal sous une pluie battante. Impossible, même, de prendre des notes. Il considérait attentivement le muret en silex, une super-position de galets bleus et de galets bruns, en se disant qu'il ne devait pas oublier ceux qui étaient si joliment disposés en haut, pour former une arête, tout au long du mur. À l'arrière-plan, les maisons aux fenêtres sombres et austères avaient quelque chose de fantomatique. Il faudrait pourtant qu'il les représente baignées de soleil, comme toutes les autres, s'il voulait qu'elles s'intègrent à sa frise. Il retourna chez Gertrude par un raccourci, un chemin étroit, détrempé, bordé de joncs et d'herbes folles qui formaient un arceau à la hauteur de sa taille. Il arriva trempé et fut surpris de trouver Gertrude assise à la table en train de dessiner son pied. Elle avait enlevé son bas et allongé sa jambe sur une chaise.

« Bonjour, dit-elle en rougissant mais sans bouger son pied.

– Je te dérange ? » Max déroula son cylindre de papier.

« Pas du tout. Mais je n'ai pas l'habitude de te voir ici à cette heure de la journée. » Elle ôta son autre bas et changea de pied.

Avant que la vue de ces orteils n'eût effacé dans sa tête l'image du muret, Max se hâta d'esquisser au crayon les rangées de silex, les cheminées, l'alignement de lucarnes et le chemin. Il peignit le ciel d'un lavis bleu très lumineux, oubliant la dernière vision qu'il avait eue de ces maisons, froides et sinistres sur fond de ciel noir.

« Tu seras là, samedi ? demanda-t-elle. Pour dîner, je veux dire.

— Oui », répondit Max. Savait-elle que, toutes les nuits, il profitait du vacarme que faisait la bourrasque pour sortir en douce ? « Je serai là, bien sûr.

— Je vais faire un dîner réconfortant... » Elle se parlait à elle-même. « Une soupe, je pense. Potage aux champignons ou minestrone. Une tourte à la volaille. Un crumble, peut-être... on pourrait finir les dernières pommes ? »

Max acquiesça en silence. Il voulait revenir à son mélange de couleurs. Le soleil éclatant et le vert-jaune de l'herbe juste avant la pluie.

« Tu feras la connaissance de Thomas Everson. C'est idiot mais... »

Mais Max avait déjà commencé à peindre un à un les galets du muret. Il savait qu'elle parlait, il percevait le bourdonnement et l'écho de sa voix, mais le sens de chaque mot lui échappait maintenant qu'il s'était replongé dans son travail.

Lorsqu'il releva enfin les yeux, Gertrude avait fini de dessiner ses pieds et remis ses bas. Elle contemplait son croquis. Chaque pied, qui était l'image de l'autre en miroir, se dressait comme une chaîne montagneuse, dont les orteils représentaient les différents pics. Max déroula et lissa ce qu'il restait de son rouleau de papier : le dernier tronçon vierge atteignait à peine le bout de la table.

« Tu as presque fini... » Gertrude contourna la table pour lui faire face. « Plus que six ou sept maisons, c'est ça ? »

Il la regarda. Ainsi, elle avait compté, elle attendait qu'il termine, et il vit que son visage et son cou portaient les couleurs de tout un été ensoleillé. « Je n'ai pas oublié notre arrangement... »

Gertrude secoua la tête. « Ne t'inquiète pas pour ça.

– Mais j'ai promis...

– Aucune importance. » Elle avança sa main vers lui.
« C'est moi qui avais promis. J'avais promis à Kaethe de
trouver de quoi t'occuper.

– Oui.

– Et j'y suis arrivée. » Elle avait les yeux malicieux, et
il regarda bien vite ailleurs.

« Merci », dit-il. Un ange passa.

« Mon jeune ami artiste, reprit-elle, m'a donné des
cours de dessin d'après nature, et je... » Elle rayonnait
d'un bonheur irrépressible, semblait plus heureuse qu'elle
ne l'avait jamais été depuis la maladie de Kaethe. « Je l'ai
aidé à mettre de l'ordre dans ses affaires. Trier, jeter, étiqueter. À tel point qu'il sera bientôt gagné par la manie
qu'ils ont, dans ce village, de tout étiqueter. Si cela continue, il faudra que je trouve autre chose pour l'aider. »
Gertrude pouffa de rire, comme une petite fille. « Ce
matin, pour la première fois depuis un mois, il portait
deux chaussettes assorties ! »

Le silence régnait dans la maison lorsque Max s'engouf-
fra dans la nuit. La pluie était plus légère, mais un vent
violent secouait les branches et faisait valser dans l'obscurité des feuilles, des oiseaux et de minuscules insectes incapables de lui résister. Il se glissa hors de la véranda,
remonta l'allée non sans mal. Le vent soufflait par rafales,
comme pour le forcer à reculer. En se tenant aux murs,
aux haies, en avançant de biais dans la bourrasque, il mit
vingt minutes à atteindre le port. Là, le vent tourna et
l'entraîna avec lui dans sa course vers la mer. Max avait
l'impression qu'en tendant les bras, il aurait pu tournoyer
comme un fétu de paille. Il s'agrippa au parapet du pont.
Toutes les maisons alentour étaient barricadées et désertes.
Le salon de thé avait été fermé pour l'hiver, et les volets
des appartements clos jusqu'au printemps. Un rai de

lumière jaune pâle cligna vers lui depuis la Maison mer, une bougie salvatrice. Max se mit à courir. La force des rafales le faisait vaciller, le sol était tellement gorgé d'eau que les flaques se rejoignaient pour former de petits lacs. « Elsa ! » appela-t-il en même temps que la porte-moustiquaire se refermait violemment derrière lui.

Elsa était au lit. En train de feuilleter un livre de photos. *Israël : naissance d'une nation.* Un cadeau d'un ami reçu le matin même. Max enleva son pardessus et sa veste. Il commençait à ôter son chandail de laine lorsqu'il surprit Elsa en train de l'observer, comme s'il faisait un striptease.

« Oui ? » Gêné, il enleva son pantalon et ses chaussettes, et prit entre ses mains encore gelées le corps alangui d'Elsa.

« Dans trois jours, dit-elle, il sera là.

– Dans trois jours. Oui. » Max fit voler les couvertures et se mit à embrasser chaque surface plane, chaque creux, chaque fente de son anatomie, pénétré d'un désir doux comme le miel, du grondement de son sang dans ses tympans. « On n'a pas une minute à perdre.

– Tu as raison. » Elle riait, et son visage se divisait en plusieurs croissants, ses yeux, ses paupières et sa bouche. Amour, j'aime, ich liebe, liebe, amour, il chantait pour elle de tout son corps, et ce n'est que bien plus tard qu'il comprit ce qu'elle avait dit.

Trois jours et deux nuits, dont une qui s'achevait. Il se leva et s'habilla dans la lumière grise de l'aube. Ses vêtements étaient humides et il tremblait de chagrin. Il repartit, tête baissée, dans le mauvais temps, sortit ses couleurs et ses pinceaux, relia les maisons par une volute noire de neige fondue. Lorsque Gertrude descendit à l'heure du petit déjeuner, elle le trouva là, en train d'esquisser la grande maison en briques qui donnait sur la rivière.

« Tu es déjà sorti ? » s'enquit-elle en remarquant que le

bas de son pantalon était tout mouillé. Pour toute réponse, il remit son pardessus et fila sous la pluie.

Il passa toute la journée en allées et venues, mémorisant à chaque fois quelques détails de la maison. Les deux fenêtres basses de part et d'autre de la porte d'entrée, les cactus alignés sur leurs appuis. Il y avait une maquette de bateau posée sur le perron et un collier en coquillages tout poussiéreux sous la véranda. Elsa le trouva, en fin d'après-midi, près des cabanes de pêcheurs. « On avait dit – elle était plantée devant lui –, qu'il n'y avait pas une minute à perdre ! »

Max la dévisagea. Deux jours, pensa-t-il, dans deux jours... Il croulait sous le poids de son entêtement, incapable de le secouer. Il haussa les épaules en désignant le mauvais temps et prit la mesure des maisons, en les fixant de l'œil et en s'aidant d'une main, afin d'être en mesure de jeter sur le papier de justes proportions à son retour. Elsa finit par s'en aller. Elle rentra la tête entre ses frêles épaules drapées de noir pour trouver son chemin entre les flaques. Non. Il la regarda s'éloigner. Ne pars pas. Reste. Mais il ne fit pas un geste pour la suivre, et sa voix resta murée dans sa tête.

Max travailla jusqu'au soir. Il avait renoncé à la lumière du soleil et finalement décidé de peindre le mauvais temps. C'était un vrai plaisir de mélanger les noirs et les gris, de donner le bon angle à la pluie qui tombait si finement.

« Au fait, que t'a conseillé Elsa Lehmann ? lui demanda Gertrude, tout occupée à faire une réussite sur le petit guéridon placé près de l'âtre.

« Elsa... » Max attrapa son nom au vol.

« Tes lettres. Elle t'a indiqué un éditeur à qui les envoyer ?

– Non. » Cela lui rappela qu'il avait laissé les lettres de

Henry sur la table de la Maison mer et n'en avait pas eu besoin pour peindre la dernière partie de sa frise.

« Non, répondit Max, elle y réfléchit encore.

– Ah bon », fit Gertrude avec un hochement de tête avant de retourner à ses cartes.

Depuis son lit, Max regardait la pluie ruisseler sur les carreaux. Sa lèvre inférieure saillait tristement à la pensée qu'il s'était imposé à lui-même cette solitude. À cet instant il aurait pu se trouver avec Elsa, il aurait pu la tenir serrée contre lui, au chaud, dans le creux de son corps. Au lieu de quoi il avait rajouté une courtepointe sur son lit et, malgré toutes ces épaisseurs de couvertures qui pesaient si lourd, il grelottait encore. Il avançait les pieds centimètre par centimètre entre les draps glacés, pour gagner peu à peu du terrain, et soudain il s'endormit, rêva, s'élançant dans les flaques, espérant accoster sur le rivage de Hiddensee, mais à chaque fois les vagues le remportaient vers le large. Halte, halte ! Son tiroir flottait à quelques mètres de lui. Il se jetait brusquement en avant pour l'attraper et voyait le Renoir, intact. Il le poussait jusque chez lui, le montait non sans mal dans la pièce où se trouvait sa table et le glissait dans sa cachette. Ses jambes étaient à présent dans une étuve. Il essaya de les bouger, de rejeter la courtepointe, mais déjà il était revenu chez le marchand d'œuvres d'art de Cork Street. Il transpirait à grosses gouttes en l'écoutant expliquer que le marché n'était pas bon, qu'il ne tirerait pas grand-chose de ce Renoir médiocre, étant donné la quantité de tableaux orphelins qui étaient proposés à la vente. Il disait cela comme s'il y avait eu quelque chose de mystérieux dans cette soudaine émergence d'œuvres d'art qui n'auraient appartenu à personne : négligence, peut-être, ou bêtise ? Puis le portrait de Kaethe le toisa du haut du mur du palier, chez eux. « Je suis seul » lui disait-il à travers le plafond, et enfin, au prix d'un énorme effort, il se réveilla.

Gertrude étalait sa pâte en insistant dans l'angle du moule. Elle était si fière de sa consistance, à la fois souple et dense, qu'elle en gloussait de satisfaction. « Alf ? » Il lui semblait avoir entendu la porte d'entrée couiner. « C'est toi ? »

Assis sur le banc, le petit garçon enlevait ses bottes. Il avait les cheveux collés sur le crâne, la frange toute dégoulinante. « La, la la la la la la laaaa. » Il chantait. Un montée parfaite de la gamme.

Gertrude l'observait : sous l'effort qu'il faisait pour tirer sa botte, les notes allaient crescendo. « La, la la la la la la laaaa. »

« Comment va Miss Cheese ? » lui demanda-t-elle. Mais Alf leva vers elle un visage muet.

Gertrude versa de la compote de pommes dans le plat à tarte et abaissa la boule de pâte qui devait la recouvrir. « Tu veux bien mettre le couvert ? »

Alf sortit les serviettes de table du tiroir du buffet et passa les carrés d'étoffe à travers des ronds de serviette. Il disposa les couteaux du plus grand au plus petit, et la cuillère à soupe à leur droite.

« Merci. » Gertrude souleva le rond de pâte et le posa par-dessus les pommes, comme une couverture. Elle festonna les bords, les badigeonna de lait et mit le tout en attente, dans le garde-manger. « La, la la la la la la laaaa », chantait à son tour Gertrude tout en faisant revenir le poulet et en versant la farine dans le beurre pour la béchamel. Ça fait beaucoup de tourtes, s'inquiéta-t-elle. Tant pis, il était trop tard pour recommencer. Elle avait voulu acheter du poisson, mais, en raison des intempéries, les bateaux de pêche ne sortaient pas. « Quatre flets la semaine dernière, lui avait dit un pêcheur, c'est tout ce qu'on a pris », et il était retourné dans la salle Gannon pour attendre.

À dix-neuf heures trente précises, Thomas Everson arriva. Il avait un parapluie noir muni d'une poignée en

317

rotin, et il ne manquait pas un bouton à sa chemise. Gertrude, quand elle lui ouvrit, constata que le temps avait changé. La pluie avait cessé, le vent était retombé, et la lune, que l'on n'avait pas vue depuis une semaine, était pleine. « Max », appela-t-elle du bas de l'escalier et, subitement agacée de ce qu'il ne l'entendît pas, elle monta les escaliers quatre à quatre, frappa à sa porte. « Nos invités arrivent », cria-t-elle. Elle se blinda mentalement contre ce qu'elle risquait de voir et entrouvrit la porte.

Max était agenouillé par terre, incapable de bouger à cause de sa frise qui occupait toute la pièce. Partant de la porte – la maison de Gertrude, avec ses murs couleur framboise, était la première représentée –, elle courait d'un bout à l'autre du village, passait par-dessus le lit de Max, revenait sur le sol, se croisait près du port à l'embouchure de la rivière où étaient rassemblés des goélands. Il y avait là le triangle vert de la Pelouse, l'atelier de poterie, la rangée de maisons aux toits rouges qui épousait l'angle de Palmers Lane. Il y avait des toitures bleues et des murs orange, de généreuses bouffées de feuillage et de fines aiguilles de fleurs. Max avait déroulé le dernier rouleau sous la fenêtre et se retrouvait coincé derrière la porte.

« J'ai fini. » Il leva les yeux vers Gertrude, qui tendit une main pour l'aider à sauter par-dessus sa frise.

« C'est une merveille. » Gertrude regardait, médusée, les cheminées, toutes étonnamment différentes, les girouettes, le motif compliqué des briques. Il y avait des hirondelles sur les fils télégraphiques, le chien des Dunnit, la tête posée sur ses pattes avant, leurs poules, blanches et grises qui grattaient la terre. « Si on l'exposait ? Tout de suite ? Thomas est en bas... Nous pourrions...

– NON ! » Max se précipita vers la porte, mais Gertrude tenait la poignée.

« Alors laisse-moi la regarder encore. » On voyait l'affiche annonçant l'Exposition d'histoire naturelle punaisée à la vitrine de l'épicerie, ainsi que celle qui avait été apposée pour la fête du dernier week-end d'août. Punch et Judy. Jeu de massacre. Bibelots et jeux divers. Il y avait la salle Gannon, dont le revêtement en bois, rongé par les intempéries, avait tant besoin d'être réhabilitée. Mais Gertrude fut surtout étonnée par les personnages. Un petit garçon faisait rouler son ballon sur le chemin du moulin, et deux femmes, dont une avec un bébé dans une poussette, papotaient en traversant la Pelouse. Devant le *Ship*, trois hommes, allure désinvolte, tenue estivale, discutaient et plaisantaient.

« Max... » Elle lui passa un bras autour de l'épaule. Elle pensait que la vision que Max avait du village ne serait que silence, silex, brique et pierre. « C'est la plus belle chose que j'aie vue cette année.

– Merci. » Il ferma la porte et ils descendirent ensemble.

Elsa était là, dans l'entrée, qui tendait la main à Thomas en lui souriant.

« Je vois que vous avez fait connaissance, intervint Gertrude.

– Thomas Everson, Elsa Lehmann, et voici » – elle se tourna comme si elle allait leur présenter une jeune recrue de l'armée royale – mon hôte de l'été, Max Meyer.

– Bonjour, bonjour. Bonsoir. » Thomas rougit et Gertrude servit du xérès à tout le monde.

« Et que faites-vous ici à Steergorough ? » dit Elsa en se tournant à nouveau vers Thomas. Celui-ci expliqua que sa marraine, décédée quelques mois plus tôt, lui avait laissé Fern Cottage en héritage.

« Excellent choix, commenta-t-elle.

– Oui. J'ai perdu mon père à l'âge de sept ans, et depuis, je dois dire que les gens ont été très gentils avec moi. » Suivit un silence poli, pendant lequel chacun but une gorgée de xérès.

« Pendant la guerre ? reprit Elsa, et Thomas répondit

319

que non. Que son père était mort d'une pneumonie un mois avant le début des hostilités.

– Pensez-vous que nous devons attendre ? » Gertrude regarda vers la porte. « La tourte pourrait se garder un peu... » En fait, la tourte était déjà passablement avachie, son couvercle de pâte commençait à sombrer dans la sauce.

« Attendre Klaus ? fit Elsa, comme si son mari lui était sorti de la tête. Oh, non ! Il a bien dit que nous devions commencer sans lui. Je l'attends depuis l'heure du déjeuner. Il a dû être retardé sur la route. »

Gertrude apporta la soupière et commença à servir le potage.

« Merci », murmura Max, mais ce soir, il avait la tête ailleurs. Ses oreilles étaient pleines de bruits. Crépitements, gémissements, sifflements. Serais-je en train de perdre l'équilibre ? se demandait-il en regardant vaciller sa cuillère. Pour faire cesser le vertige, il se répéta, j'ai fini ma frise, ma frise, ma frise.

« Je te ressers ? » Gertrude se penchait vers lui.

Oui, bien sûr, mais il n'avait pas envie de rester là, immobile. Il aurait voulu partir en courant dans la nuit, noyer ses oreilles dans la tempête qui faisait rage, plonger les yeux dans les masses phosphorescentes de la mer. Il fit pourtant comme il convenait : il mangea, enfourna bouchée après bouchée la pâte, le poulet en sauce, la crème anglaise, les fruits. Enfin ils purent se lever de table, mais ce fut pour rester plantés devant la cheminée éteinte.

« Il est peu probable que Klaus arrive ce soir, dit Gertrude.

– C'est vrai, admit Elsa.

– Vous laissez tout ça, Betty débarrassera demain matin, dit Gertrude en s'étirant pour leur signifier que la soirée était finie.

– Bon, eh bien... » Elsa prit son écharpe et son manteau. « Je vais y aller, au cas où... »

· Je vous raccompagne, je vais dans la même direction que vous », proposa Thomas en avançant vers elle.

Max faillit trébucher lorsqu'il vint se placer de l'autre côté d'Elsa. « Non, dit-il beaucoup trop fort. C'est moi qui vous raccompagne. » Après un bref silence, tout le monde rit.

« Je devrais peut-être venir aussi ? » suggéra Gertrude, tout en poussant les deux hommes vers la véranda. « Si tu n'es pas rentré à minuit, lança-t-elle à Max au moment où ils s'engageaient dans l'allée, je t'envoie l'équipe de sauvetage en mer. » Elsa se retourna pour lui faire un petit signe d'adieu et la remercier pour tous les plats chauds.

« Les plats chauds ! » grommela Gertrude dans un hochement de tête moqueur. Elle débarrassa elle-même la table.

À l'angle de la Pelouse, Max prit congé de Thomas.

« Bonne nuit, dit-il en lui serrant la main, pour lui signifier que leurs chemins se séparaient là. Il s'éloigna rapidement avec Elsa. La lune, haut perchée dans le ciel, était brillante, pourtant dès le bas de la pente qui descendait vers le port, ils commencèrent à patauger dans l'eau qui leur arrivait jusqu'aux chevilles. « Je suis vraiment désolé. » Max voulut la porter dans ses bras, mais elle se dégagea et préféra traverser seule les nappes d'eau de mer, en s'agrippant de loin en loin aux squelettes des digues. Max la suivait tant bien que mal, le plus près possible, en dépit du vent violent qui soufflait de face et lui rabattait l'écharpe d'Elsa dans les yeux. Parvenus sur la véranda de bois, ils ouvrirent la porte et furent littéralement projetés à l'intérieur par une rafale. « Je suis navré », répéta-t-il, et Elsa lui posa un doigt sur les lèvres. Elle regarda autour d'elle. La pièce était vide. Elle courut jusqu'à l'échelle et y monta. « Non », s'écria-t-elle en lui souriant enfin, et Max, ivre de soulagement, la rejoignit en haut.

321

Il faisait froid, dans la pièce. Les fenêtres tremblaient
Max bourra le poêle et attendit que le feu prenne. Lorsqu'il se retourna, Elsa s'était mise au lit toute habillée.
« Viens », dit-elle en lui tendant un bras. Max la rejoignit. Il frotta ses pieds chaussés de laine contre les orteils
d'Elsa prisonniers de ses bas. Il glissa un doigt entre deux
boutons de son chemisier. Elle enfonça ses mains de force
dans les manches de Max et fourra son nez dans sa chemise. « Tu m'as manqué. »

Il la serrait si fort que le manteau de laine écossais
d'Elsa commença à dégager de la vapeur. Le poêle ronflait
à présent, et, avec le corps brûlant d'Elsa étroitement collé
au sien, Max avait l'impression de fondre sous les couvertures. Ils étaient comme emballés dans un même cocon,
les doigts enchevêtrés dans les coutures et les fentes des
vêtements de l'autre, fouillant à tâtons entre chemises de
corps et porte-jarretelles, le sang en ébullition. La sueur
perlait au front d'Elsa, son visage était horriblement
rouge.

« Qu'est-ce que c'est que ça ? » demanda-t-elle soudain
alors qu'ils soufflaient enfin, les couvertures rejetées au
bout du lit, le poêle presque éteint. Max se tourna vers
Elsa et vit qu'elle avait peur.

« Ça ne peut quand même pas être lui qui arrive...

– Chut ! » Elsa lui agrippa le bras. « Ça recommence ! »
Elle se leva pour aller regarder par la trappe. « Oh, mon
Dieu. » Elle se tourna vers Max, et c'est alors qu'il sentit :
la maison tremblait comme si elle avait été heurtée par
quelque chose. Il rajusta son pantalon sans même prendre
le temps d'enfiler les deux bretelles, s'accroupit près d'Elsa
et regarda en bas : juste au-dessous d'eux, les meubles
flottaient dans un mètre d'eau. La table, le banc, les
chaises à hauts dossiers se tamponnaient. Il posa un pied
sur l'échelle, mais Elsa le retint par sa chemise. « Non ! »
hurla-t-elle, et au même moment, la partie haute du vaisselier bascula en arrière. Les tasses, les soucoupes, les

assiettes semblaient embarquées à bord d'un bateau qu'ils virent dériver, sous leurs yeux et percuter le pied de l'échelle.

D'un bond Max et Elsa s'éloignèrent de la trappe. « Dieu du Ciel ! » s'écria-t-elle en se précipitant vers la fenêtre. Ils étaient au milieu de la mer, entourés d'eau de toutes parts. « AU SECOURS ! » cria-t-elle, et la pièce trembla une nouvelle fois, sous l'effet d'une autre secousse. Max la prit par l'épaule et lui montra du doigt quelque chose. La coque blanche du salon de thé bougeait. Détaché de ses pilotis, il voguait vers l'intérieur des terres. Ils le regardèrent sautiller élégamment sur l'eau, avec ses rideaux de dentelle aux fenêtres et un géranium dans un pot vernissé. Lentement il s'éloignait d'eux, emporté vers la bouche noire de l'estuaire. « AU SECOURS ! » crièrent-ils ensemble. Max leva la tête vers le toit pour voir quel pourrait être leur prochain refuge. Little Haven s'était mise elle aussi en mouvement : elle tanguait aux côtés de sa voisine, une maison basse, peu résistante qui filait vers la berge.

Elsa et Max coururent à l'autre fenêtre qui donnait vers le large. La mer avançait, vague par vague, submergeait déjà les dunes, se répandait dans le marais. Au rez-de-chaussée, le niveau de l'eau avait encore monté. Les chaises flottaient sur le dos, la table était en train de couler ; seul le bas du buffet, toujours debout, se balançait d'avant en arrière. Max l'examinait, se demandant s'ils ne pourraient pas l'utiliser comme radeau, lorsqu'il vit passer une bouteille. Il s'accroupit sur les barreaux de l'échelle et il se pencha pour l'attraper, tout en se tenant d'une main au plancher de l'étage.

« Du whisky ! » Il tendit la bouteille à Elsa. Elle la décapsula et en but une longue gorgée qui lui brûla la gorge. « Je l'ai gagné à la fête. » Max s'en versa une rasade dans la bouche, et à chaque secousse, à chaque tremblement, ils en avalaient un peu plus.

« Draps, couvertures, oreillers et gilets de sauvetage ! »
se souvint Elsa. Ils se jetèrent sur l'armoire qui faisait face
au lit et trouvèrent les gilets piquetés de rouille sur une
étagère. Ils les enfilèrent, incapables de s'y retrouver vraiment dans les boucles et les lanières, tant ils riaient, et de
retour à leur poste d'observation, ils constatèrent que leur
maison était la seule qui restait.

« Regarde la vue qu'on a, maintenant ! » Il n'y avait
plus rien entre eux et la terre ferme, que de l'eau, une
immense étendue sombre. Max voulut prendre la bouteille, mais Elsa le retint. « Je veux que tu saches... – elle
posa une main sur son ventre – ...je crois... je suis presque
certaine – des larmes roulèrent de ses yeux – ...que tu m'as
donné un enfant. »

Max la serra contre lui. Si seulement le sens de la marée
avait pu s'inverser, entraîner la maison au large, les mener
jusqu'à quelque langue de terre ignorée. Les embarquer
pour la Hollande ou la Belgique, les emporter vers l'Australie, où ils auraient pu entamer en paix la seconde moitié
du siècle.

Chapitre 34

Un petit attroupement s'était formé autour de la dépanneuse qui hissait la voiture de Nick sur son crochet. « Vous pouvez rester au volant, lui dit le conducteur, ou alors vous montez avec moi. » Nick lança son sac sur le siège de la cabine, comme on réserve une place dans le train. Lily lui prit la main. « Tu ne peux vraiment pas rester ?

— Tu sais... quand ta voiture va être remorquée sur cent soixante kilomètres, tu n'as pas tellement la tête à t'amuser.

— Disons que c'est toi qu'on est venu dépanner, alors ? » Elle était soulagée, maintenant, de savoir qu'il partait. Son sourire s'afficha dans les lunettes de Nick. « Tu vas rater la fête du village, dit-elle, et l'exposition du jubilée.

— Je m'en remettrai. » Il l'embrassa avec chaleur. « Et, s'il te plaît, Lily, arrête de détester notre vie. » La remorqueuse se ranima en vrombissant. Ses damiers jaunes et noirs faisaient penser à un nid de frelons géants conçu pour un décor de théâtre, et la voiture de Nick, suspendue à l'oblique, semblait presque penaude.

Lily les suivit très lentement jusqu'en haut de la montée. *Qu'est-ce que je vais faire, maintenant ?* Tout à coup elle prit conscience qu'il ne restait que deux semaines jusqu'à l'expiration de son contrat de location. « Je ne peux vraiment pas le prolonger ? avait-elle demandé à la dame de l'agence. Celle-ci l'avait regardée d'un air surpris. « Je vous l'ai dit, elle n'est disponible que jusqu'au premier septembre. » Lily avait dû ressortir pour lire les offres dans la vitrine : fermes et cottages, cabines de plage et granges aménagées, tout était à vendre, et à des prix qu'elle n'imaginait même pas être un jour à portée de sa bourse.

Deux semaines, se dit-elle en essayant de s'imaginer de retour chez elle. Elle entendit le cliquetis métallique que faisait la porte en se refermant. Elle se vit traîner ses bagages dans le vestibule, en prenant garde de ne pas laisser tomber la moindre chaussette. Puis elle entra dans la chambre et comprit, au malaise qui la saisit devant l'immense penderie impeccablement rangée, qu'elle ne pourrait pas y retourner. Peut-être son ancien studio était-il libre ? Mais supporterait-elle le petit sourire narquois de son propriétaire le jour où elle emménagerait ? « Toujours aussi attachée à vos toiles ? » lui lancerait-il, en la voyant monter avec ses tableaux. En définitive, il serait moins coûteux et plus facile de rester dans le Suffolk, d'y trouver du travail et une autre maison à louer. Celle de Grae était toujours vacante... Elle lorgna vers ses fenêtres sombres, mais se ressaisit et chassa cette pensée de son esprit.

Lily était allongée à plat ventre sur le canapé de Fern Cottage, les jambes relevées. Un oiseau bavard déroulait ses trilles par la fenêtre ouverte, et Lily contemplait d'un œil mi-clos les reflets irisés des motifs qui ornaient les angles des petits carreaux. Que faire ? Un court instant, elle se revit avec sa mère, à la maison. Agenouillée à côté d'elle, elle faisait des colliers de perles, des coloriages, des découpages, enroulait de la laine autour de deux ronds de carton pour faire des pompons qu'elle ne savait jamais comment utiliser. Si seulement sa mère n'avait pas quitté cet appartement, elle aurait pu retourner chez elle, et soudainement, une ombre s'encadra dans la porte et fondit sur elle. Elle se redressa, hébétée, rassemblant ses forces pour se lever et se retourner, voir de qui il s'agissait, lorsqu'un poids la plaqua sur le canapé. Son menton heurta la paroi rugueuse de l'accoudoir, et sa jambe se tordit d'un côté. Elle se débattit, le visage enfoui dans le coussin moelleux plein de poussière, et, clouée dans cette position, elle hurla à se casser la voix. Courez. Même s'il est armé, une chance sur quatre, quatre sur une, quatre chances sur cent. Elle eut l'idée de dégager son coude, le fit pivoter vers le sol pour prendre de l'élan et le releva de toutes ses forces.

« Ahhhhhhh. » Grae gisait sur le tapis en se tenant les côtes, là où il avait reçu le coup.

« Mon Dieu ! » Elle rampa jusqu'à lui. « Grae, mon Dieu, mais qu'est-ce que tu fais ? »

Il se tordait de douleur.

« Grae... » Elle s'assit près de lui, lui caressa les cheveux, huma son odeur de tabac froid.

« Ce que je fais ? » Son regard était glacial. « J'essayais de t'embrasser. » Il pivota pour s'éloigner d'elle et se releva en gémissant. « Décidément, j'ai le chic pour les choisir ! » Il sortit, les lèvres pincées par l'amertume.

« Grae... » appela-t-elle d'une voix trop faible. Elle resta assise par terre. « Mon Dieu, qu'est-ce que j'ai fait ? » Elle tira de la poche arrière de son jean le cadeau de Nick *Sécurité des femmes : quelques conseils* et le déchira.

La dernière lettre de Lehmann se trouvait dans sa pile de livres, près de la porte. On arrivait à peine à lire le cachet de la poste. Novembre 1953. *Elsa. Tu avais raison. La route est bloquée, à moitié noyée et envahie par le limon que l'eau a arraché aux champs alentour. J'ai dû rebrousser chemin. Je ferai une nouvelle tentative demain. Je tenais cependant à t'envoyer cette lettre, au cas où le facteur, lui, aurait la chance de pouvoir passer, mais surtout, je te l'envoie par habitude, pour te dire que, quoi qu'il arrive dans cette vie, ou dans la prochaine, je penserai toujours à toi. Je veux que tu saches que je regrette toutes les choses que nous n'avons pu faire ensemble, les endroits où nous ne sommes pas allés, les gens que nous avons quittés, les petits que nous avions conviés et qui ont choisi de ne pas venir. Mais plus encore, je suis heureux de ce que nous avons vécu. Ne sois pas triste, jamais. Tu m'as aimé, et c'était là tout ce que je souhaitais.* Lily relut la lettre. Klaus Lehmann, 1900-1953. Savait-il qu'il allait mourir ? Elle plongea la main dans l'enveloppe : aucun autre indice. Elle monta s'asperger le visage, dans la salle de bains. L'étoffe rugueuse du canapé lui avait râpé le menton, pendant la bagarre, et ses yeux étaient rouges. Très lentement, elle commença à se brosser les cheveux. Lehmann au volant de sa voiture sur les routes inondées de l'East Anglia, le limon et les alluvions dévalant en travers de sa route. Était-ce arrivé ainsi ? Ou bien était-il malade ? Puis vint une certitude et, en même temps, le choc de s'apercevoir qu'elle en avait toujours douté. Ce n'était pas Grae qui battait sa femme. Elle croyait le savoir, mais prenait brusquement conscience qu'elle n'en avait jamais été vraiment convaincue. « Je lui dois des excuses. » Ses cheveux, qu'elle continuait à brosser, se hérissaient peu à peu sous l'effet de l'électricité statique, au point qu'elle eut bientôt l'air d'un clown et fut obligée de les mouiller pour les aplatir.

Lily se rendit chez Grae par le chemin le plus long. Le temps de retrouver son calme et de se défaire du rictus consterné qui lui venait dès qu'elle repensait à la violence de son coup de coude. Elle enjamba le pont et longea la rivière, dans l'intention de rejoindre l'alignement des digues puis de couper par la plage jusqu'à la cabine de Grae. Mais une fois dans le marais, au lieu de bifurquer elle continua, attirée par un champ de chardons en fleurs, immense édredon en duvet blanc, puis par le chemin en planches revêtu d'un grillage qui adhérait au bois comme de la mousse. Des images de Grae s'imposaient à elle par dizaines. Ses yeux bleus la regardant furtivement à travers la fenêtre de la voiture inondée, sa bouche réprimant un sourire. Elle le voyait travailler dans le jardin de Fern Cottage, scier et clouer, avec son bonnet enfoncé jusqu'aux oreilles et sa chemise à carreaux constellée de gouttelettes de pluie. Et puis son visage rieur tout près du sien, ses couleurs, le bleu et le doré, les lobes soyeux de ses oreilles. Un éclair de désir la traversa, lui coupa les jambes et, aussitôt, ce pénible souvenir qui lui fit porter la main à son coude en faisant une grimace. Elle ferma les yeux en imaginant la douleur et gémit de regret.

Elle approchait du moulin. Ce terrain lui était désormais aussi familier qu'autrefois le trajet de chez elle à l'école, où elle connaissait chaque centimètre carré de bitume, chaque bordure de trottoir. Elle s'agenouilla pour caresser les lances argentées des herbes qui poussaient au bord de la rivière et en cueillit une pour chasser les essaims de moucherons en suspens dans l'air.

Les grandes marées de la nuit avaient fait monter le niveau d'eau dans le moulin. Au moment où, debout sur le seuil, Lily jetait un coup d'œil à l'intérieur puis regardait le ciel par le toit crevé, elle eut le pressentiment de n'être pas seule. Arrête, s'ordonna-t-elle, sans pouvoir chasser de son esprit la maudite liste des conseils pour la sécurité, mais déjà l'angoisse lui glaçait la peau et son pouls s'affolait. Prudemment, silencieusement, elle se retourna. Rien d'autre qu'un marécage bourbeux et un grand ovale de ciel. Elle sortit, tourna la tête et les vit alors, Bob le Gueux et A.L. Lehmann, qui se débattaient en tournoyant, un peu comme s'ils dansaient. Ils avaient le même profil, les mêmes sourcils en broussaille saillant au-dessus des orbites.

« Je te dis de prendre ça », siffla Albert Lehmann toujours aux prises avec l'autre homme. Lily le vit lui mettre de force de l'argent dans la main. Bob recula en chancelant, les billets fichés dans les entailles noires de son bras, puis il s'immobilisa complètement et laissa Albert le serrer contre lui et l'embrasser.

Lily tourna discrètement l'angle du moulin et partit à toutes jambes. Elle fila comme une flèche sur le chemin de planches, remonta en courant la piste tapissée d'herbe, sauta par-dessus les ornières, jusqu'à ce qu'elle fût enfin parvenue dans les bois. Plus lentement, elle escalada la barrière. Il y avait devant elle le raccourci qui menait à la mairie du village et, comme elle s'y attendait, la Morris grise, garée à cheval sur le fossé. Elle s'arrêta pour reprendre haleine, s'appuya sur le capot terni et décida d'attendre.

« Excusez-moi. » Une heure au moins s'était écoulée. Albert Lehmann fourrageait avec sa clef dans la serrure de sa portière. Lily, toujours assise contre la roue de secours, se leva maladroitement.

« Que lui est-il arrivé ? » demanda-t-elle.

Lehmann s'assit au volant. « C'était un accident, grommela-t-il. Ce n'est pas lui qui a mis le feu.

– Le feu ? » Penchée près de la portière, Lily le regardait à travers la vitre.

« Il voulait la protéger. La maison dessinée par notre père. Enfin, par Lehmann. Depuis des années il n'y avait rien qui comptait plus au monde, pour lui, que cette maison. » Albert tourna le démarreur. « Et puis, quand il a découvert... enfin... ça a été dur pour lui. Il avait vécu dans cette maison. Mais c'était un accident. » Il dévisagea Lily avec dureté. « Il a même appelé les pompiers quand il a perdu le contrôle de la situation, mais il venait d'y avoir un incendie criminel sur le terrain communal, des gosses qui avaient mis le feu aux ajoncs, et le temps qu'ils arrivent, la maison était en flammes et lui, il attendait, simplement, près de la digue. »

Lily avait du mal à suivre. « Quand il a découvert quoi ?

– Rien, rien. »

La voiture démarra dans un hoquet et sortit du fossé en rugissant. « Mais, je parlais de votre père : que lui est-il arrivé en 1953 ?

330

– Ce n'est pas sa faute, si c'est arrivé. » Il secoua la tête d'un air affligé et s'éloigna sur le chemin.

Lily acheta au marchand ambulant quatre glaces qu'elle emporta vers la plage. Quand elle les vit commencer à fondre elle accéléra le pas, dans le sable. Elle arriva triomphalement devant les cabines de plage avec les quatre glaces entières. Mais la cabine était déserte, les volets bouclés, et Lily trouva la porte cadenassée. La table était toujours dehors avec ses trois chaises. Elle s'y assit et commença à lécher, sur chaque cornet tour à tour, les gouttes qui coulaient.

« Notre père, répétait-elle. La maison dessinée par notre père. » Ainsi A.L. Lehmann et Bob le Gueux étaient frères. Robert et Albert. Bob et Bert. Et elle se souvint de la photo de cette femme, le regard perdu, tenant dans ses bras deux jumeaux emmaillotés.

Chapitre 35

Au presbytère, Gertrude distribuait des couvertures et des boissons chaudes, tandis que Betty Wynwell, le nez collé à la fenêtre, attendait des nouvelles d'Alf. « Ne vous en faites pas pour lui. » Gertrude la força à prendre une tasse de thé au lait, rehaussée d'une goutte de whisky. « Mabbs est avec lui, il n'a rien à craindre. » Mais elle eut tout de même une crispation d'angoisse en scrutant la nuit noire à travers la vitre, aux côtés de Betty.

C'était Alf qui l'avait réveillée. « Miss Jilks ! » Une voix familière qu'elle n'avait pourtant jamais entendue. « Il y a une tempête. » Il la secouait par l'épaule. « Vos amis sont sortis. » Alors seulement elle comprit qu'elle ne rêvait plus. Elle se leva et ouvrit les rideaux. La crue léchait le bord de la pelouse.

« Je vais réveiller Max. » Mais Alf lui dit qu'il n'était plus là, qu'il était déjà levé.

Le jeune garçon avait attendu qu'elle s'habille. Elle avait enfilé ses vêtements par-dessus sa chemise de nuit et avait chaussé des bottes en caoutchouc. Main dans la main, ils s'étaient hâtés en direction du port. Ils avaient marché courbés en deux, aveuglés par le vent, en prenant garde de ne pas trébucher sur les branches cassées. Enfin ils avaient tourné à la hauteur du *Ship*. Gertrude s'était attendu à devoir dévaler la pente, contre la bourrasque, à franchir le pont pour redescendre vers le marécage, à zig-zaguer le plus vite possible entre les pilotis écaillés des maisons pour atteindre enfin les dunes. Mais là, presque deux kilomètres plus haut que d'habitude, il y avait la mer. Une gigantesque houle grise s'étendait à leurs pieds. « Alf ? » Elle s'était tournée vers lui et avait désigné l'horizon où brillait une lumière. La Maison mer – seule, sans ses voisines, une ombre, un cube noir dont tout le bas était immergé.

Ils la fixaient, hébétés, lorsqu'étaient survenus un groupe d'hommes, Klaus Lehmann en tête, trempé jusqu'aux os, défiguré par l'inquiétude. Les hommes traînaient une barque. Ils la mirent à l'eau, et avant que l'un d'eux ait pu l'arrêter, Alf laissa là Gertrude et se hissa à bord. Dick Mabbs prit les rames, aboya à Klaus l'ordre de s'asseoir et, en dépit des appels de Gertrude qui voulait qu'on le fasse descendre, Alf se tourna vers le large et ne quitta plus des yeux la petite lumière.

« Klaus, hurla-t-elle, passez-le moi. » Mais Klaus avait le dos tourné. Les hommes restés sur la berge hochaient la tête en plissant les yeux, comme s'ils comprenaient. L'un d'eux signala ensuite à Gertrude qu'on avait besoin d'elle au presbytère pour s'occuper des gens que l'inondation avait chassés de leur maison.

« Oui, j'y vais tout de suite. » Pourtant, la peur l'en empêchait. Elle ne pouvait détacher les yeux de la petite barque qui plongeait en avant, se soulevait, tanguait sur les vagues, mais les hommes l'avaient regardé avec tant d'insistance qu'elle avait fini par tourner les talons et gravir la côte en haut de laquelle le presbytère brillait de mille bougies. L'Association des femmes au grand complet s'y affairait déjà, courant en tous sens pour distribuer des serviettes-éponges.

« Il ne tardera pas à revenir, ne vous faites pas de souci. » Elle passa un bras autour des épaules de Mrs Wynwell, qu'elle sentit respirer avec application pour ne pas pleurer.

Derrière elles, la porte s'ouvrit et l'on fit entrer une famille de cinq personnes. Le bungalow qu'ils avaient loué pour les vacances s'était échoué près du pont de Bailey. Réfugiés sur le toit avec leur bébé enveloppé dans un duvet, il avaient dû attendre que deux hommes d'Eastonknoll leur portent secours en barque. L'aîné des garçons, qui grelottait des pieds à la tête, racontait son incroyable histoire : ils avaient vu la rivière s'enfler brusquement, emportant les bateaux, les garde-fous des pontons, et même un homme cramponné à quelque chose qui ressemblait à une porte. Cet homme avait crié, les avait appelés au secours en passant devant eux à une allure vertigineuse. Des poules, il avait vu des poules, et le cadavre d'une vache. Tandis qu'il parlait, sa mère regardait tour à tour ses autres enfants, avec hébétude, comme si elle ne parvenait pas à croire qu'ils eussent survécu.

À la fenêtre de la Maison mer, Elsa et Max s'attendaient que les pilotis se détachent d'un moment à l'autre. Pas une lumière sur la côte : la tempête avait dû provoquer une coupure d'électricité. D'après ce qu'ils voyaient, l'eau était montée jusqu'au pub et bloquait les habitants de Steerborough au-dessus la Pelouse.

« Regarde », murmura Elsa, en se dégageant du bras de Max qui lui enserrait l'épaule. Elle l'obligea à se retourner : là-bas, au loin, une barque bravait la tempête pour venir jusqu'à eux. Une minuscule embarcation, à peine visible ; ses rames soulevaient des gerbes d'eau, sa proue se cognait dans les creux chaque fois qu'elle retombait de la crête d'une vague. Il y avait trois personnes à bord, têtes baissées pour se protéger des embruns, et elles se dirigeaient courageusement vers la Maison mer.

Elsa força Max à s'accroupir avec elle sous la fenêtre. « Le bébé est peut-être de Klaus. » Elle le regarda droit dans les yeux et, après une nouvelle rasade de whisky, se pencha et appela au secours dans le vent furieux.

Elsa descendit la première. Max la regarda sauter dans la barque et se jeter dans les bras de son mari. Il leur tourna le dos, embarqua lui aussi, et ce n'est que quand le pêcheur fit demi-tour qu'il reconnut la troisième personne. « Alf ! Ça va ? » lui demanda-t-il en prenant sa main humide. Alf acquiesça, tout en regardant la silhouette de la Maison mer disparaître à mesure que la marée les ramenait à terre.

Lehmann était trempé et grelottait si violemment qu'Elsa, même en le serrant dans ses bras, ne parvenait pas à calmer ses tremblements. « Il a essayé d'aller vous chercher à la nage, lui dit Mabbs. Il a fallu le repêcher et lui promettre de sortir avec un bateau. »

« Klaus, elle avait posé la tête sur son bras, tu avais promis d'être prudent. » Puis, évitant le regard de Max : « Ta mère avait raison de ne pas me faire confiance.

– Non. » Lehmann bégayait de froid. « Il ne faut pas dire ça. » Max se pencha pour lui tendre la bouteille de whisky. Il la prit, sans même remarquer qui la lui donnait. Les quelques gouttes qui restaient au fond coulèrent à côté, tant ses dents s'entrechoquaient sur le goulot. Instinctivement, Elsa et Max l'aidèrent à maintenir la bouteille. Combien de temps leur faudrait-il ? Il scruta l'obscurité, mais l'on ne savait pas où finissait l'eau et où commençait la terre.

Gertrude et Betty Wynwell pliaient des couvertures lorsque la porte s'ouvrit brusquement. « On les a sauvés. » C'était Alf. « Ils ne seront pas noyés. » Ses yeux, sa bouche, ses dents, ses cheveux, même, rayonnaient de fierté. Sa mère laissa tomber sa couverture. Elle le souleva de terre, et, oubliant, l'espace d'un instant qu'il était l'un des deux secouristes, Alf enfouit son visage dans son cou.

Dick Mabbs, Max et Elsa eurent bien du mal à faire entrer Klaus. Il semblait avoir perdu l'usage de ses jambes, son visage était d'un blanc crayeux. Ils l'allongèrent devant la cheminée. On le déshabilla, on lui apporta des vêtements secs et on l'emmaillota dans des couvertures comme un enfant. Gertrude voulut lui faire boire du thé sucré, mais il toussa, s'étrangla et le liquide dégoulina partout. « Il faut appeler un médecin », murmura Elsa, mais on venait d'apprendre qu'Eastonknoll était cernée par les eaux. Une femme et son petit garçon s'étaient noyés, et trois vieilles dames avaient disparu alors qu'elles essayaient d'échapper à la montée de l'eau.

« Buvez du thé, vous aussi », dit Gertrude à Elsa qui ne cessait de pleurer. Mais à peine eut-elle porté la tasse à sa bouche, qu'elle eut un haut-le-cœur. Elle rougit de honte et Max, qui était resté planté près d'elle comme une sentinelle, se détourna si soudainement que même Lehmann, prostré entre eux deux, parut tressaillir.

« Pardon, pardon. » Elsa posa la tête sur la poitrine de son époux. Gertrude imagina que ses larmes coulaient dans les poumons gorgés d'eau de Klaus. « Il est en feu, s'écria-t-elle, il est brûlant. »

Gertrude et elle l'éloignèrent de l'âtre. Elles lui couvrirent le visage et les bras de gants de toilette mouillés, tamponnèrent sa nuque et la pliure de ses coudes, malgré ses efforts pour repousser leurs mains.

« Qu'est-ce qu'on peut lui donner ? » demanda Elsa.

Gertrude regarda autour d'elle. Il n'y avait aucun médicament ici. Rien que des biscuits, du thé et des couvertures. Si elle avait eu son livre de recettes de liqueurs, elle aurait pu concocter quelque chose pour faire tomber la fièvre. « Max ? » De mémoire, elle ne connaissait qu'un remède contre la toux, un breuvage au vinaigre et au miel, et un autre contre l'eczéma, un mélange de racine de patience et de lard. Gertrude se fraya un chemin parmi les gens qui mangeaient, dormaient, bavardaient, certains bien remis de leurs émotions, d'autres encore sous le choc ; elle alla jusqu'à la porte où elle l'avait vu en dernier lieu. « Max ? » appela-t-elle dans l'obscurité. Mais il était parti.

« La mer se retire ! » Pour fêter la bonne nouvelle, on redistribua du thé, des tranches de cake aux fruits confits et des crêpes bien chaudes.

Chapitre 36

Lily était toujours assise devant la cabine de plage, lorsqu'elle entendit des bribes de musique en provenance de la Pelouse. Elle se leva, s'étira et, ce faisant, donna un coup de pied dans les cornets de glace vides qui atterrirent entre les roseaux. Où était Grae ? Elle lorgna du côté de l'horizon. Craignait-il une nouvelle tempête ? Un autre coup d'œil au ciel bleu limpide, au-dessus d'elle, et elle s'éloigna sans hâte à travers les dunes.

La Pelouse s'était transformée en fête foraine. Des enfants maquillés – papillons, tigres, chats et clowns, monstres, abeilles, princesses – couraient d'un stand à l'autre. Certains tentaient leur chance au jeu de quilles ou au lancer d'anneaux, d'autres visaient des noix de coco posées sur des socles qui basculaient quand on les touchait. Les plus petits s'essayaient à la pêche aux canards ou achetaient des billets de tombola à dix pence. Derrière une table, deux femmes et un homme surveillaient une coupelle de fruits. Lily observa de loin un petit garçon : il donna son argent et prit une cloche. Aussitôt que celle-ci tinta, les adultes se bandèrent les yeux et se mirent à tourner les bras en tout sens, très vite ; au deuxième tintement de cloche, ils plongèrent les mains dans la coupelle.

« Perdu. » L'homme sourit en relevant son bandeau. « Deux bananes et une poire. » Et comme lot de consolation pour n'avoir pas gagné contre ce robot humain cueilleur de fruits, le parieur malchanceux se vit offrir un bonbon.

Il y avait un gâteau dont il fallait estimer le poids. Une poupée qui attendait que quelqu'un devine son nom. Puis, la musique qui avait attiré l'attention de Lily reprit. Un orchestre jouait juste devant chez elle. La chanteuse, au micro, n'était autre que la passeuse du bac, encore en tenue de travail, grosses bottes, jean, T-shirt à manches courtes qui laissait voir la pliure lisse et bronzée de ses bras. Un garçon aux cheveux blancs scintillants était aux claviers et un autre, plus brun, jouait du saxophone.

Tu dis maintenant que tu regrettes,
Maintenant que j'en aime un autre que toi
Mais tu peux pleurer des rivières...
Pleurer des rivières...
J'en ai pleuré à cause de toi...

Au mot « rivière », la chanteuse leva les yeux et sourit, et tous les gens présents sur la Pelouse aussi.

Lily fredonnait la chanson tout en fouillant dans un tas de fripes. Elle en extirpa des tabliers à pois, des robes à fleurs de taille 46 ou plus, des chemises bayadères aux poignets lustrés, et une veste de velours kaki avec de grands revers, comme on les faisait dans les années 1970.

« Une livre le tout, lui cria Ethel, dont on voyait tout juste la tête derrière la pile de vêtements, et plutôt que de remettre ses trouvailles sur le tas, Lily chercha la monnaie.

Un peu plus loin, sur deux tables mises bout à bout étaient exposés des abat-jour, des ronds de serviettes, des nappes et des jattes. Par terre, de chaque côté des tréteaux, des chaises longues et un vieux vélo rouillé. Lily ramassa une petite casserole en fer blanc dont l'intérieur était formé de compartiments disposés comme les pétales d'une fleur. Lily n'avait pas la moindre idée de ce qu'était cet ustensile, mais elle le trouvait irrésistible. Trente-cinq pence, disait l'étiquette, et Lily tendit l'argent à l'homme qui tenait le stand.

« Non, non, protesta-t-il. La casserole à œufs pochés, elle était déjà là à la dernière fête. Je vous la fais à vingt-cinq pence. »

La fenêtre de Fern Cottage n'était pas complètement fermée. Lily n'eut qu'à la pousser pour y glisser ses emplettes. Qu'est-ce que je vais bien pouvoir faire de tout ça ? se demandait-elle. Elle céda pourtant à l'envie de retourner chercher d'autres choses.

Tout au bout de la Pelouse, on tirait la tombola. Un haut-parleur annonçait les numéros et les prix correspondants – un panier d'osier de chez Stoffer, une bouteille de whisky, un dîner pour deux au *Ship* ! Il y eut ensuite un coup de sifflet, et des enfants convergèrent de tous les coins de la Pelouse jusqu'à la scène installée pour le spectacle de marionnettes, Punch et Judy. Ils s'assirent en tailleur sur plusieurs rangées et levèrent les yeux vers le marionnettiste qui sortait de derrière son castelet. Il était grand et maigre, avec une veste à rayures et un nez crochu qui ne pouvait mieux convenir à son rôle. Les enfants le regardaient, rayonnants de joie, et quand ils furent totalement sous le charme, il passa derrière le castelet. Lily s'approcha. Bing, Punch donna un coup de poing. Aïe, cria Judy. Grr, fit le chien. Hourrah, s'écrièrent les enfants quand apparut le policier. Bing, Punch donna un coup de poing. Ouin, cria le bébé. Lily chercha des yeux Em et Arrie dans la foule, mais elle aurait eu bien du mal à les reconnaître parmi tous ces enfants maquillés, même en scrutant attentivement les plus ébouriffés d'entre eux.

Chapitre 37

Le vent était retombé. Il semblait presque chaud, et Max regardait, hébété, les branches d'arbres cassées, les cheminées renversées, une cabine de plage couchée sur le flanc, au milieu de la Pelouse. Il croisa deux pêcheurs portant un vieil homme dans un fauteuil et un autre qui guidait sa femme aveugle. Il pensait que l'eau se serait retirée, mais la mer était encore là, au niveau de la cabane en bois des Wynwell qui s'était légèrement déplacée sur son remblai. Max leva les yeux vers le soleil, un disque d'un vilain orange dans un ciel gris ardoise. Et là, juste au-dessous, la Maison mer, posée sur les flots, intacte.

Il remonta lentement Mill Lane, et tourna dans l'allée qui menait chez Gertrude. La porte d'entrée était ouverte et toute la maison plongée dans l'obscurité. Il monta dans sa chambre, enjamba sa frise, s'assit au milieu pour rassembler ses affaires – vêtements et chaussures, peintures, chapeau. Il chercha des yeux le porte-documents contenant ses lettres et se rappela qu'il pouvait désormais s'en passer.

Dans la rue, il croisa des gens qui le saluèrent d'un signe de tête en filant d'un pas pressé. Il passa devant le presbytère : ses cheminées vomissaient des masses de fumée et ses chandelles n'éclairaient plus que faiblement. Il passa devant l'église, continua tout droit sur la route, sans bifurquer vers la gare, et quitta le village.

Chapitre 38

Sur la façade de la mairie, une banderole annonçait l'exposition du jubilée. Lily paya vingt pence et entra. Dans le hall, on avait monté tout un mur de panneaux couverts de grandes photos. La toute première montrait Lily, devant Fern Cottage, sa clef à la main.

Ce n'était pas une photo d'elle, mais de la maison. *Panorama photographique de Steerborough*, disait la légende. Et sur l'enfilade de panneaux qui serpentait d'un bout à l'autre du hall, toutes les maisons du village étaient représentées. Lily passa de l'une à l'autre avec une joie insensée : pour une fois, elle avait le droit de les contempler, sans se cacher. Il y avait là Marsh End, sombre et secrète, avec la Morris de A. L. Lehmann garée dans les hautes herbes. Lily suivit le virage de Mill Lane, regarda, derrière les barrières en fer forgé, des pelouses bien tondues, un jardin de statues, des chiens rassemblés sur un perron. Plus loin, il y avait la photo du chantier de maçonnerie, au tout début. Prise de haut, elle révélait, autour des quatre murs en construction, une haie tout en fouillis et noire de suie. Ses branches étaient encore là, comme si elles avaient été aspergée d'eau juste à temps ; en revanche ses feuilles avaient disparu et les brindilles du pied étaient calcinée à ras. C'était peut-être l'emplacement de Hidden House, la « maison cachée », songea tout à coup Lily. Mais comment aurait-elle pu être cachée à pareil endroit ? Plus loin, elle tomba en arrêt devant un

345

cabanon en bois, dans Church Lane. Au-dessus s'étendait un ciel turquoise, et le vieux qui l'habitait guignait à travers une rangée de roses trémières hautes d'au moins trois mètres. À côté, un autre jardin faisait concurrence au premier, avec ses capucines et ses coquelicots émaillés de myosotis aussi bleus que le ciel. Si seulement elle pouvait passer encore un an ici... Il fallait vraiment trouver un moyen. Elle pourrait donner des cours de dessin ? Se remettre à peindre ? Ou, pourquoi pas, tailler, dans les tissus qu'elle venait d'acheter, des housses de coussins, des serviettes de table, des vêtements d'enfants qu'elle vendrait, ainsi métamorphosés, à la prochaine fête du village ? Elle pourrait même faire tout cela en plus de son travail de serveuse à l'hôtel d'Eastonknoll.

Lily allait partir, quand elle remarqua une flèche indiquant une autre salle. *Exposition spéciale.* Elle y jeta un coup d'œil : des gens étaient penchés au-dessus d'une vitrine. Un homme tournait une manivelle et, à chaque tour, les visiteurs s'approchaient, souriaient, hochaient la tête, murmuraient d'admiration. Lily s'avança et vit défiler, sous le plateau de verre, comme un film au ralenti, un tableau du village. Chaque tour de manivelle faisait apparaître les maisons, les ruelles, les barrières et les haies, à peine différentes d'aujourd'hui. Il y avait là des animaux et des panneaux indicateurs, des arbres et des fleurs, certains minutieusement dessinés au crayon et à l'encre, d'autres figurés par des aplats de couleurs.

« Qui a peint ça ? s'enquit-elle.

— Quelqu'un qui a séjourné dans le village. Un artiste. Max Joseph Meyer. » Le préposé à la manivelle continuait à tourner. « L'un des rares artistes qui aient eu la chance d'avoir pour maître Cuthbert Henry. Meyer a passé un été ici, en 1953. » L'homme leva les yeux vers Lily. « Pour autant que l'on sache, il n'y est jamais revenu. » Il tourna la manivelle, et Fern Cottage apparut à côté de la maison voisine abandonnée par Grae. « Il y a eu récemment, à

Londres, une exposition Meyer. Le premier regain d'intérêt pour son œuvre depuis sa mort. »

Ils parcouraient à présent la rue principale, passaient devant la maison au toit de chaume, déjà vert-mousse à l'époque, puis tournaient dans Mill Lane. Lily retint son souffle. Hidden House ! Enfin elle allait la voir, dans les moindres détails, toute en couleurs. Hélas, il n'y avait rien à cet endroit. Elle leva les yeux pour poser la question, mais l'homme était tout occupé à tourner. La cabane du passeur, la jetée, le passeur lui-même.

« Le fils de Cuthbert Henry a trouvé tout un stock de dessins, ainsi que quelques bonnes toiles. Il les a exposées dans une galerie de Londres. Thomas Everson, vous le connaissez peut-être ? Il habite le village. Eh bien, il a organisé un voyage, avec visite guidée de cette exposition. Oui, et les frères Lehmann, pourquoi, je n'en ai aucune idée, ont hérité de Meyer de terres en Australie, ce qui n'a pas eu l'air de leur faire très plaisir, du reste ! En tout cas, toutes ces histoires m'ont rappelé l'existence de la frise. J'ai honte de le dire, mais pendant des années, en fait depuis la démolition de l'ancienne salle Gannon, elle était reléguée dans une caisse, sous la scène. » Tenez, on voit très bien à quels endroits les rouleaux raccordent. Lily regarda attentivement à travers le plateau de verre. Le papier avait été marouflé sur une toile très fine cousue à tout petits points. « Elle fait trois mètres soixante dix de long », annonça l'homme avec fierté, tout en continuant à tourner.

Il y avait le *Ship*, avec la cabane en bois en contrebas, et plus loin, dispersées à l'emplacement de l'actuel parking, des maisons blanches sur pilotis. En les regardant défiler cran par cran, Lily se demanda ce qu'elles étaient devenues. Elle aurait bien aimé que ce charmant salon de thé avec ses rideaux en vichy existât encore. Et soudain elle vit la Maison mer, gonflée comme une voile. Beaucoup plus grande que les autres, elle s'en distinguait en outre par ses planches d'un blanc argenté et ses marches grenelées de sable. Il y avait une pancarte sur la véranda. *À louer. Meublé.* Lily étouffa un cri. « Merci », dit-elle à l'homme qui tournait la manivelle, avant de sortir en courant.

Elle se trouva prise dans la foule des visiteurs qui flânaient devant les plantes et les livres exposés sur le parvis de la mairie. Elle commença à pousser frénétiquement, mais les gens se retournaient sur elle d'un air tellement surpris qu'elle dut ralentir. Ils ont raison, se dit-elle, rien ne presse, mais à ce moment elle se trouva bloquée par un jeu de tir à la corde. Une corde était tendue en travers de la Pelouse et Alf, au milieu, donnait des coups de sifflet pour organiser la division des enfants en équipes. Prise au piège, Lily observa la scène : les participants étaient comptés, puis répartis en deux camps.

« HO ! HISSE ! » Un coup de sifflet, et Alf se mit à marcher à grands pas de l'un à l'autre camp en hurlant à chacun des encouragements. En avant, en arrière, ils ondulaient comme un serpent géant, jusqu'à ce qu'enfin le fanion accroché à la corde franchisse la ligne de craie, entraînant à sa suite une grappe d'enfants. « OUAIS ! » Un cri s'éleva du camp vainqueur, et Alf jeta en l'air une poignée de bonbons. « Encore, hurlaient les enfants, en sautant autour de lui. Encore, encore, encore ! »

Lily enjamba la corde abandonnée. Elle ramassa un bonbon au citron dont personne n'avait voulu et fila en direction du port.

À louer. La pancarte était toujours là. Suivait un numéro de téléphone à Londres. 8306 2506. Elle n'avait pas de stylo. 8306 2506, se répéta-t-elle, et pour la première fois de sa vie elle regretta de ne pas avoir de télé phone portable.

Chapitre 39

Cher Max, écrivait Gertrude, deux jours avant le nouvel an 1954. *Je suis navrée d'avoir à t'annoncer la mauvaise nouvelle, mais Klaus Lehmann nous a quittés cette semaine, mardi après-midi, à seize heures. Il était sorti de l'hôpital d'Ipswich et rentré à Hidden House, qu'il adorait et où nous pensions tous qu'il allait se rétablir. Mais son état a empiré et son cœur a lâché. Son cœur ! Alors que, depuis le début, tout le monde croyait qu'il souffrait des poumons. Je t'écris pour te prévenir qu'il y aura une messe, et aussi parce qu'Elsa, dans l'état critique où elle se trouve — savais-tu qu'enfin, après toutes ces années, elle attend un enfant ? — a besoin du soutien de tous ses amis. Je lui ai demandé de t'écrire, mais elle est dans le plus profond désarroi. Elle dit qu'elle ne veut pas de cet enfant, qu'elle ne le voulait que pour Klaus. Je suis sûre qu'elle changera d'avis quand il sera né, mais dans le cas contraire, si la nature ne se révèle pas plus forte que son désespoir, je lui ai proposé de m'en occuper. J'espère prouver, si j'en suis capable, que même le plus malchanceux des bébés peut devenir un adulte heureux.*

J'attends de tes nouvelles et espère te voir la semaine prochaine. Et merci encore de nous avoir laissé ta frise.

Les bagages de Max étaient déjà bouclés. Il avait en poche son billet pour l'Australie, ainsi qu'une lettre de l'Association Hay qui l'accueillerait à son arrivée.

Hé ! C'est la joie, le bonheur.
Plus question que tu meures.
Bien vêtu, bien nourri.
T'as vraiment pas de soucis.

Non, se dit-il, elle ne m'aime pas. Il ne reviendrait pas sur sa décision.

Chapitre 40

8306 2506. Lily composait le numéro pour la quinzième fois, et en attendant que quelqu'un décroche, elle regardait la Pelouse. Le soir approchait, et les stands étaient maintenant démontés, les jeux remballés, les tables pliées. De deux choses l'une : ou bien Em avait été chargée du ramassage des papiers ou bien quelqu'un de très méticuleux avait pris sa place. En tout cas, pas un papier gras, pas un gobelet en plastique ne traînait, plus la moindre trace de la fête. En revanche, l'herbe était plus jaune que verte après le passage de ces centaines de pieds qui cumulait ses effets à ceux d'un été ensoleillé. Lily se sentait singulièrement attachée à cette Pelouse, un peu comme à une amie, et elle espéra, pour elle, une semaine de pluie.

« Thomas Everson, bonsoir. »

Pendant quelques secondes, Lily ne se souvint plus qui elle avait appelé.

« Ah oui. Je vous appelle au sujet de la Maison mer. »

Thomas Everson parut surpris. « C'est rare qu'on demande à la louer à cette époque de l'année.

– Oui... » Lorsqu'elle lui demanda s'il était d'accord pour la lui louer sur le long terme, il hésita. « Je vais y réfléchir. Si c'est pour quelques mois, nous pourrons nous arranger. J'aime autant qu'elle soit habitée. Vous connaissez la maison ?

– Oui. Je suis dans le village, en ce moment.

– Alors, vous savez sans doute qu'il y a parfois des

inondations importantes. Bien sûr, aujourd'hui on a des digues, des systèmes d'alerte, toutes sortes de protections, des patrouilles le long de la côte, mais il y a des gens que cela inquiète. Bien qu'il y ait une barque amarrée en dessous, naturellement. Combien pouvez-vous y mettre ? »

Combien elle pouvait y mettre ? Elle avait le vertige.

« Est-ce que trois cent livres par mois, ça vous irait ? C'est ce que je demande en général hors saison. Plus les frais de téléphone.

– Oui, c'est parfait. » Elle arriverait bien à gagner cette somme en travaillant à mi-temps comme serveuse, et il lui resterait encore au moins quatre jours pour peindre.

– Bon, eh bien vous pouvez aller chercher la clef chez Mrs Cobbe qui habite Church Lane. Elle ira faire un brin de ménage avant que vous ne vous installiez. Euh... encore une chose...

– Oui ?

– Il y a quelqu'un... Comment vous dire ? Quelqu'un, un ami de la famille, qui aime bien dormir dans la barque. Ne vous inquiétez pas, il ne vous fera aucun mal, et si ce n'est pas trop vous demander... pourriez-vous lui offrir une tasse de thé et un sandwich de temps en temps ?

– Oui.

– Tout le monde, dans le village, essaie de s'occuper un peu de lui. Vous comprenez ?

– Oui. » Lily avait la gorge serrée. « Bien sûr. Je ne savais pas... »

Thomas Everson soupira. « Bon, eh bien c'est entendu, et le principal est que la maison ne reste pas inoccupée.

– Merci infiniment. » Lily avait l'impression d'avoir déjà la clef en poche. « Merci encore. »

Le lendemain matin, tôt, elle descendit voir sa maison. Une fois sur la véranda, elle colla son nez à la vitre. Tout y était extraordinairement bien rangé. Il y avait une théière avec sa douillette, une spatule, une cuillère en bois et une brosse à vaisselle, chaque ustensile était suspendu à un crochet muni d'une étiquette. Il y avait d'ailleurs des étiquettes partout, dont une collée à côté du réfrigérateur. Lily plissa les yeux pour la lire : *frigo*. Mais sur la frisette peinte en blanc étaient accrochés des tableaux, des natures mortes de fleurs, dont les couleurs vives contrastaient avec les lignes régulières des planches rainurées. Lily se rapprocha encore du carreau, afin de tout examiner en détail, lorsqu'elle sentit quelque chose lui effleurer les jambes. Elle fit un tel bond qu'elle faillit basculer par-dessus la rambarde. C'était le chat de Grae.

« Guinness. » Elle s'agenouilla pour lui gratter l'arrière des oreilles. « Où sont les autres, hein ? » Guinness miaula et ronronna. Le dessus de sa tête, tout blanc, frémissait de plaisir. « Viens », lui dit-elle. Ils partirent ensemble vers les cabines.

Ils prirent le chemin creux, derrière la plage. Le chat la devançait de quelques pas, la queue en l'air, cette queue si droite dont le bout tout blanc faisait penser à un périscope. Passée la rivière, ils revinrent à travers les roseaux d'où ils ressortirent au pied des dunes. Lily sentit son estomac onduler, mais la cabine était fermée à clef, la table vide, les cendres du feu une simple salissure grise sur le sable. « Où est-il ? » Elle était contrariée. « Où était-il cette nuit ? » Elle fourragea vainement dans sa poche à la recherche d'un stylo puis commença à écrire dans le sable, du bout de sa sandale : *O ù e s-t u n o m d e...* Mais elle effaça ces mots et préféra tracer un point d'interrogation géant.

Guinness la suivit jusque chez elle. Il entra en trottinant dans la cuisine et la supplia du regard, tandis qu'elle préparait du thé. Que pouvait-elle lui donner ? Elle avait lu quelque part que le lait était mauvais pour les chats, alors elle ouvrit une boîte de thon et en mit un peu sur une soucoupe. Cette pauvre bête est affamée, songea-t-elle, doublement furieuse après Grae. Guiness eut droit aussi à un reste de pâtes de la veille qu'il dévora avec la sauce tomate et le fromage, tout en ronronnant. Quand il ne resta plus rien sur l'assiette, il s'éloigna nonchalamment vers le séjour, se coucha en rond sur les papiers de Lily et s'endormit.

Lily était assise devant sa tasse de thé. La maison, le jardin, la Pelouse, tout semblait plus silencieux que d'habitude. Elle posa son menton entre ses mains. Comment Nick avait-il vécu cela ? Elle eut honte, rien que de l'imaginer en train de l'attendre dehors toute la nuit. Il y avait une pile de feuilles sur la table ; elle en prit une et commença à faire une en-tête.

La Maison mer
Steerborough
Suffolk

Elle ajouta un croquis de la maison, son escalier, ses pilotis, et la terrasse, au-dessus, avec une minuscule silhouette regardant au loin.

Cher Nick,
Je suis désolée que ce week-end... se soit passé comme ça. Elle regarda par la fenêtre. Était-elle désolée ? Sans qu'elle comprenne bien pourquoi, il lui sembla tout à coup que Nick n'était pour rien dans tout cela. *J'espère que ton voyage de retour ne s'est pas trop mal passé. Si ça se trouve, tu as sympathisé avec le gars du dépannage ? J'ai repensé à ce que tu disais...* Elle mordilla son crayon. *Vivre au présent. Laisser faire le temps. En tout cas, je ne sais pas pourquoi, et je ne te demande pas de comprendre, mais j'ai décidé d'essayer de vivre au présent. Ici même. J'ai loué une autre maison, au moins jusqu'à Noël. Un endroit fantastique* – elle dessina une flèche jusqu'en haut de la page – *avec vue sur la mer et sans le moindre objet marron. Tu vas sûrement me demander de venir chercher mes affaires... Je suis navrée, je te*

promets que tout cela n'était pas prémédité, mais il faut vraiment que nous fassions le point. Lily resta un long moment les yeux rivés sur sa lettre. Elle éprouvait une douleur au milieu de la poitrine. *Il faudra aussi qu'on s'arrange pour l'argent. Je ne pourrai pas continuer à payer deux loyers.* Elle éprouvait, sans pouvoir se l'expliquer, une grande tendresse pour Nick. Elle sentait, pour ainsi dire, la chaleur de ses épaules, la dernière fois qu'il l'avait enlacée. Pourquoi avoir résisté ? Pourquoi avoir laissé son esprit ressasser avec autant d'amertume ce qu'il avait dit ou omis de dire ? Peut-être était-elle mieux seule. *Merci pour ta patience, Nick. On se parlera très bientôt.* Elle compléta son dessin par deux goélands dont la forme des ailes dessinait des baisers dans le ciel. *Tu n'es pas obligé de m'écrire. Je t'appellerai. Baiser tendre. L.*

Le mardi matin, elle alla en bicyclette à Eastonknoll et s'y promena à pied. Elle vit une annonce demandant un livreur de journaux, homme ou femme, entre 13 et 73 ans. Le magasin de vêtements cherchait une vendeuse à plein-temps. En revanche, l'annonce qu'elle avait vue sur la porte de l'hôtel n'y était plus. Lily entra. Elle fut tout de suite frappée par cette odeur caractéristique des hôtels, les toasts, les rideaux, la moquette. Il y avait deux jeunes filles assises derrière une sorte de comptoir assez bas.

« Je voulais savoir, leur dit-elle, si vous ne cherchez pas une serveuse. J'avais vu une annonce... dans la vitrine. »

Une des deux filles sourit. « Pas pour l'instant. Mais nous avons pas mal d'étudiantes qui partent à la fin de la semaine prochaine, et il y aura sûrement du travail à ce moment-là.

— Je reviendrai, alors, à moins que je puisse déposer ma candidature dès maintenant ?

– Si vous voulez. » Elle prit un stylo. « Avez-vous de l'expérience ?

– Oui. » Lily se pencha par-dessus le comptoir. « J'ai travaillé dans un restaurant de Covent Garden pendant quatre ans.

– À Londres ? » demanda la jeune fille, impressionnée. Lily savait que c'était idiot, mais elle en était assez fière. « Service en salle ?

– Oui.

– Jour ou nuit ?

– Pardon ?

– Quelle équipe préférez-vous ?

– Ça m'est égal. Non. Plutôt le soir. » Elle se disait que ce serait merveilleux de rentrer à bicyclette à minuit, de passer le pont à tout vitesse et de faire signe à Bob le Gueux, quand il la croiserait furtivement, dans la pénombre.

« Vous pouvez revenir lundi prochain, le directeur vous donnera tous les renseignements que vous voudrez. » La jeune fille lui sourit avant de se tourner vers un couple âgé extrêmement élégant qui peinait à descendre l'escalier.

De retour à Steerborough, Lily s'arrêta à l'épicerie pour acheter de la nourriture pour chat. Elle ne résista pas à l'envie de redescendre par le chemin de terre et retraversa le pont jusqu'à ce que les cabines de plage fussent en vue. Elle s'attendait à trouver l'endroit toujours aussi désert, mais avant même de les voir, elle entendit Em et Arrie bavarder.

« Bonjour ! » Lily s'efforça de calmer le tremblement de sa voix. Elles ne levèrent que brièvement les yeux, trop occupées par leur tas de ficelle et de bouts de bois. « On est en train de fabriquer un cerf-volant », dit Arrie. Em entreprit de coller une forme en plastique sur l'armature. Lily s'accroupit près des fillettes, l'estomac noué, brusquement terrifiée à l'idée de voir Grae. Quand elle releva les yeux, elle le vit debout, appuyé contre la porte.

Elle s'avança en tremblant. « Je voulais te dire... je suis vraiment désolée, pour l'autre jour, tu m'as fait peur, c'est tout.

– Désolée ? » Son regard était froid. « Me faire attaquer, je ne supporterai pas ça.

– Évidemment. » Lily avala sa salive. « Pourquoi devrais-tu le supporter ? »

Il la dévisagea, en manière d'avertissement. « Je ne comprends pas ce que tu veux dire. »

« Papa ! » Les filles sautillaient autour de lui. « Montre-lui ce qu'on a trouvé. Montre-lui ! » Elles se mirent à fouiller dans la poche de son pantalon, mais Grae fut plus rapide qu'elles. Il en sortit un galet plat. Il y avait un visage dessiné dessus à l'encre, et au-dessous les quatre lettres de son nom : Lily.

« C'est incroyable. » Lily prit le galet et ses doigts effleurèrent une seconde la paume de Grae. « Parmi tous les galets qu'il y a sur la plage, trouver celui-ci ! » Le visage, toutefois, n'était pas le sien. Rond, avec une frange légère et des yeux ourlés de cils épais.

« On l'a trouvé à Minsfurd. » Em glissa sa main dans la sienne. « Tu sais, il y avait une exposition de cordes à linge, et quelqu'un vendait ça sur son stand. On a demandé à papa de l'acheter.

– C'était super, ajouta Arrie. La corde à linge qui a eu le meilleur prix, elle représentait un cheval, et c'était les rênes en fil de fer qui servaient de corde à linge. Papa a décidé d'exposer, lui aussi, l'année prochaine, pas vrai papa ? »

Grae ne répondit pas.

« Maman dit qu'elle l'aidera. Si nous retournons à la ferme. Elle faisait des tas de choses, avant... » Elle leva les yeux, pleine d'espoir. « Avant de nous avoir, je veux dire.

– Oh, allez, papa, poursuivit Arrie. Maman dit qu'elle t'a fait ses excuses. » Elle avait attaché une queue au cerf-

volant et courait sur la plage. « Uggleswade, Uggleswade !
On va habiter à Uggleswade !
— Uggleswade, Uggleswade... » Em la suivit. « Lance-le
en l'air, Arrie ! Allez... lance-le ! »

Ils regardèrent les petites filles sauter, crier, courir après
leur cerf-volant qui monta en décrivant un arc de cercle,
tournoya puis piqua du nez vers le sol.

« Alors... dit Lily, tu fais une nouvelle tentative. » Elle
lui rendit le galet.

Grae le mit dans sa poche. Il acquiesça d'un signe de
tête, son bonnet à moitié relevé sur les oreilles, le regard
fuyant. Au dernier moment, il lui attrapa la main.

« Lily, murmura-t-il. Excuse-moi. » Les filles crièrent :
le cerf-volant remontait. « Il faut que j'essaie à nouveau
avec Sue, tu comprends.

— Oui, dit-elle. O.K. »

Il l'embrassa très doucement, et à ce moment Em et
Arrie revinrent en gambadant, le cerf-volant flottait juste
au-dessus d'elles, avec sa queue qui tournoyait.

Grae lui lâcha la main.

« Au revoir », dit Lily en se penchant pour embrasser
les filles. « Au revoir », dit-elle plus bas à Grae. En passant
devant la cabine, elle jeta un coup d'œil à l'intérieur :
leurs affaires étaient déjà emballées.

Sa bicyclette l'attendait là où elle l'avait laissée, couchée
sur la dune, avec la boîte de Whiskas dans le panier. J'ai
oublié de leur dire que j'avais Guinness. Elle fixa cette
boîte, sachant que si elle y retournait, elle allait pleurer,
mais de retour à Fern Cottage, elle trouva le chat si profondément endormi devant le rideau à fleurs, que même
si elle avait voulu, elle n'aurait pas réussi à le déloger.

Chapitre 41

Bien cher Max,
Merci de m'avoir communiqué ton adresse. Cela t'intéres-
sera sans doute de savoir qu'Elsa a donné naissance à des
jumeaux ! Un peu prématurés, mais hors de danger. Ils sont
nés le 22 mai. Elsa s'est incroyablement bien remise, et
comme elle a grand besoin d'aide (n'ayant plus aucune
famille), elle est venue vivre avec moi à Marsh End. Les bébés
se portent à merveille. Elle les a prénommés Albert L. et
Robert L., et ce sont des amours. J'aurais voulu t'écrire avant,
mais entre une chose et une autre, je n'en ai pas trouvé le
temps. Je t'en prie, écris-nous pour nous raconter ta nouvelle
vie.
Bien chaleureusement, Gertrude Jilks.
P.S. Alf est comme un frère pour les deux petits.

Chapitre 42

Lily s'était levée tôt. Elle mettait la dernière touche à son premier tableau de ciel, quand le facteur frappa à la porte.

« Bonjour. » Il lui tendit un paquet, et elle le remercia avec tant de chaleur qu'il rougit et s'en alla bien vite.

Ma parole, songea-t-elle, la solitude doit me monter à la tête, et pendant un moment elle resta plantée dans l'entrée, sidérée.

C'était un paquet de Nick. *Chère Lily...* La peinture qu'elle avait sur les doigts laissa des empreintes sur la lettre quand elle renversa le contenu du colis sur la table. Il y avait deux paquets entourés de plusieurs couches de papier absorbant. Lily palpa leurs formes irrégulières tout en continuant à lire. *Je t'en prie, Lily, ne viens pas chercher tes affaires. J'ai réfléchi à ce que tu as dit : tu as raison de vouloir faire des projets. Commençons par Noël. Nous pourrions aller quelque part avec l'argent que ce travail va me rapporter, ou bien je pourrais venir dans le Suffolk. Je veux bien aller n'importe où, je t'assure, pourvu que le canapé ne soit pas marron. Mais avant, j'ai besoin d'entendre le son de ta voix. Ouvre ton cadeau (il est déjà chargé), prends ta voiture et va jusqu'à l'A12. Quand tu capteras un signal de réseau, appuie sur 1 pendant trois secondes, écoute et ensuite, s'il te plaît, appelle-moi.*

Lily sentit son cœur battre à se rompre quand elle déballa très lentement le téléphone portable. Il était petit et argenté. Elle l'emporta avec précaution dans la voiture, le posa sur le siège du passager. Elle le surveillait du coin de l'œil, pour voir quand les barrettes de signal de réseau apparaîtraient. Elle s'arrêta devant l'enclos à cochons. Ils avaient encore eu des petits. Ou bien s'agissait-il d'autres truies ? En tout cas, elles étaient vautrées dans la boue, devant leurs cabanes, leurs bébés rose saucisse agglutinés autour d'elles. Lily avait les doigts qui tremblaient quand elle appuya sur la touche 1. Elle la maintint enfoncée en approchant le téléphone de son oreille.

« Vous avez un nouveau message », lui dit une voix impersonnelle, puis ce fut celle de Nick. « Lily, c'est moi. Je voulais te dire quelque chose. » Il parla plus bas et Lily eut froid puis très chaud. « Je t'aime, Lily. Tu as entendu ? Je t'aime. » Il rit. « Tu as raison, ce n'est pas si difficile que ça. Je t'aime, je t'aime. J'ai envie de te le dire depuis le soir où nous nous sommes rencontrés. »

« Vous n'avez aucun nouveau message », interrompit la voix féminine, mais Lily garda le téléphone contre son oreille.

Pendant un long moment, elle resta plongée dans la contemplation des truies. Elles souriaient, c'était sûr, malgré les douze cochonnets qui se bousculaient et se chamaillaient le long de leur flanc.

« Nick ? » Son cœur tambourinait. « J'ai bien eu ton message. Merci. Merci beaucoup. Euh... » Non, elle ne pouvait pas dire cela à un répondeur. « Viens me rejoindre. Je t'attendrai à la Maison mer samedi soir. Viens, je t'en prie. Ce sera ma première nuit là-bas. Alors... je préparerai un dîner spécial. Si la marée est haute, gare-toi devant le *Ship*, je viendrai te chercher en barque. » Elle abaissa la voix. C'était effectivement comme une drogue. « Et Nick, merci. Je ne peux pas le dire maintenant... mais... » Elle inspira un grand coup. « À plus tard. »

Remerciements

Je tiens à remercier Otto Samson et A.W. Freud qui m'ont envoyé leurs mémoires, « Moorfred » et « Before the Anticlimax », lesquelles m'on énormément aidée. Je voudrais remercier également Sandra Heidecker et Katharina Bielenberg pour leur traduction de nombreuses lettres de mon grand-père, Ernst Freud. Je dois beaucoup aussi à Wally Webb qui m'a parlé de la frise et à Richard Scott qui me l'a montrée et a attiré mon attention sur la correspondance entre John Doman Turner et son maître, Spencer Gore. Je suis extrêmement reconnaissante à Frederick Gore de m'avoir permis de lire ces lettres, grâce auxquelles j'ai pu créer le « grand artiste » Cuthbert Henry, ainsi qu'à Karl Kolwitz qui m'a accueillie à l'improviste sur l'île de Hiddensee et a pêché une anguille qu'il a cuisinée pour moi. Un grand merci à Shawn Slovo qui m'a procuré un endroit calme où travailler, et comme toujours, à David Morrissey pour ses encouragements et son soutien.

Oddone Camerana : *Les Passe-Temps du Professeur ; La Nuit de l'Archiduc.*

Andrea Camilleri : *La Concession du téléphone ; La Saison de la chasse ; Un filet de fumée ; Le Roi Zosimo ; Le Cours des choses.*

Rossana Campo : *L'Acteur américain ; À la folie.*

Rocco Carbone : *Le Siège.*

Varlam Chalamov : *La Quatrième Vologda ; Récits de Kolyma.*

La Chanson des Niebelungs, traduite, présentée et annotée par Jean Amsler.

Jerome Charyn : *Capitaine Kidd.*

Mikhaïl Chichkine : *La Prise d'Izmaïl.*

Cyril Connolly : *Le Tombeau de Palinure ; Ce qu'il faut faire pour ne plus être écrivain ; 100 Livres clés de la littérature moderne.*

Contes tchétchènes, traduits par Philippe Frison et Bernard Outtier, préfacés par Bernard Outtier.

Joseph Conrad, Ford Madox Ford : *L'Aventure.*

Julio Cortázar : *Les Gagnants.*

Osamu Dazai : *Mes dernières années.*

David Davidar : *La Maison aux mangues bleues.*

Francisco Delicado : *Portrait de la Gaillarde andalouse.*

Diego De Silva : *Ces enfants-là ; Je veux tout voir.*

Benjamin Disraeli : *Tancrede ou La nouvelle croisade.*

Andreï Dmitriev : *Le Fantôme du théâtre ; Le Livre fermé.*

Alfred Döblin : *Hamlet ou La longue nuit prend fin ; Wang-loun,* avec un essai de Günter Grass.

Milo Dor : *Mitteleuropa, Mythe ou réalité ; Vienne, chemises bleues ; Un monde à la dérive ; Morts en sursis ; La Ville blanche.*

Iouri Droujnikov : *Des anges sur la pointe d'une aiguille.*

Aris Fakinos : *La Citadelle de la mémoire ; La Vie volée ; Le Maître d'œuvre.*

J.G. Farrell : *Le Siège de Krishnapur ; Hôtel Majestic ; Une fille dans la tête ; L'Étreinte de Singapour.*

Lion Feuchtwanger : *Le Faux Néron ; La Guerre de Judée ; Les Fils ; La Sagesse du fou ou Mort et transfiguration de Jean-Jacques Rousseau ; Le jour viendra ; Simone.*

Francis Scott Fitzgerald : *Carnets.*

Marcello Fois : *Nulla.*

Eleonore Frey : *État d'urgence.*

Mavis Gallant : *L'Été d'un célibataire ; Ciel vert, ciel d'eau ; Poisson d'avril.*

Jane Gardam : *Un amour d'enfant ; L'Homme Vert ; L'été d'après les funérailles.*

Jerzy Giedroyc, Witold Gombrowicz : *Correspondance, 1950-1969.*

Juan Goytisolo : *Paysages après la bataille ; Chroniques sarrasines ; Chasse gardée ; Les Royaumes déchirés ; Les Vertus de l'oiseau solitaire ; L'Arbre de la littérature ; À la recherche de Gaudí en Cappadoce ; La Longue Vie des Marx ; La Forêt de l'écriture ; État de siège ; Trois Semaines en ce jardin ; Cogitus interruptus ; Foutricomédie ; Et quand le rideau tombe.*

Grimmelshausen : *Les Aventures de Simplicissimus.*

Gunnar Gunnarsson : *Frères jurés.*

Erich Hackl : *Le Mobile d'Aurora.*

Zbigniew Herbert : *Monsieur Cogito et autres poèmes.*

Russell Hoban : *Elle s'appelait Lola.*

Alan Hollinghurst : *La Ligne de beauté.*

Shifra Horn : *Quatre mères.*

Pico Iyer : *Abandon.*

Narendra Jadhav : *Intouchable.*

Henry James : *L'Américain ; Roderick Hudson.*

Francesco Jovine : *Signora Ava ; La Maison des trois veuves.*

Roberto Juarroz : *Poésie verticale.*

Ismail Kadaré : *Les Tambours de la pluie ; Chronique de la ville de pierre ; Le Grand Hiver ; Le Crépuscule des dieux de la steppe ; Avril brisé ; Le Pont aux trois arches ; La Niche de la honte ; Invitation à un concert officiel et autres récits ; Qui a ramené Doruntine ? ; L'Année noire,* suivi de *Le cortège de la noce s'est figé dans la glace ; Eschyle ou l'éternel perdant ; Le Dossier H. ; Poèmes, 1958-1988 ; Le Concert ; Le Palais des rêves ; Printemps albanais ; Le Monstre ; Invitation à l'atelier de l'écrivain,* suivi de *Le Poids de la croix ; La Pyramide ; La Grande Muraille,* suivi de *Le Firman aveugle ; Clair de lune ; L'Ombre ; L'Aigle ; Spiritus ; Mauvaise Saison sur l'Olympe ; Novembre d'une capitale ; Trois chants funèbres pour le Kosovo ; Il a fallu ce deuil pour se retrouver ; L'Hiver de la grande solitude ; Froides Fleurs d'avril ; Vie, jeu et mort de Lul Mazrek ; La Fille d'Agamemnon ; Le Successeur ; Un climat de folie,* suivi de *La Morgue* et *Jours de beuverie ; Œuvres complètes* (12 vol.).

Yoram Kaniuk : *Mes chers disparus ; Encore une histoire d'amour ; Il commanda l'« Exodus » ; Le Dernier Berlinois ; Ma vie en Amérique.*

Mark Kharitonov : *Prokhor Menchoutine ; Netchaïsk,* suivi de *Ahasvérus ; La Mallette de Milachévitch ; Les Deux Ivan ; Un mode d'existence ; Étude sur les masques ; Une journée en février ; Le Gardien ; Le Voyant ; Retour de nulle part ; Le Professeur de mensonge ; L'Esprit de Pouchkine ; L'Approche.*

Danilo Kiš : *La Leçon d'anatomie ; Homo poeticus ; Le Résidu amer de l'expérience ; Le Luth et les Cicatrices ; Les Lions mécaniques et autres pièces.*

Jerzy Kosinski : *Le Jeu de la passion.*

Édouard Kouznetsov : *Roman russe.*

Hartmut Lange : *Le Récital,* suivi de *La Sonate Waldstein ; Une fatigue,* suivi de *La Promenade sur la grève ; Le Voyage à Trieste* suivi de *Le Marais de Riemeister ; L'Immolation ; Le Houx ; L'Ange exterminateur d'Arthur Schnitzler.*

Halldor Laxness : *Gens indépendants.*

Le Tasse : *Rimes et plaintes.*

Hugo Loetscher : *Si Dieu était suisse... ; La Tresseuse de couronnes ; Un automne dans la Grosse Orange ; Le Coq prêcheur ; La Mouche et la Soupe ; Saison.*

Russell Lucas : *Le Salon de massages et autres nouvelles.*

C. S. Mahrendorff : *Et ils troublèrent le sommeil du monde ; La Valse des anges déchus.*

Luigi Malerba : *La Planète bleue ; Clopes ; Le Feu grégeois ; Les Pierres volantes ; La Vie d'châtiau.*

Thomas Mann : *Les Buddenbrook ; La Montagne magique ; La Mort à Venise,* suivi de *Tristan.*

Gregorio Manzur : *Iguazú.*

Dacia Maraini : *Voix.*

Monika Maron : *La Transfuge ; Le Malentendu ; Rue du Silence, n° 6.*

Stelio Mattioni : *Les Métamorphoses d'Alma ; La Plus Belle du royaume.*

Predrag Matvejevitch : *Bréviaire méditerranéen ; Épistolaire de l'Autre Europe ; Le Monde « ex » ; L'Autre Venise.*

Vladimir Maximov : *La Coupe de la fureur.*

Mary McCarthy : *Cannibales et Missionnaires ; L'Oasis et autres récits ; Le Roman et les Idées, et autres essais ; Comment j'ai grandi.*

Piero Meldini : *La Bienheureuse aux vertiges.*

Migjeni : *Chroniques d'une ville du Nord,* précédé de *L'Irruption de Migjeni dans la littérature albanaise,* par Ismail Kadaré.

Czeslaw Milosz : *Visions de la baie de San Francisco ; Milosz par Milosz,* entretiens de Czeslaw Milosz avec Ewa Czarnecka et Aleksander Fiut ; *Empereur de la terre ; L'Immoralité de l'art ; Terre inépuisable,* poèmes ; *Chroniques,* poèmes ; *De la Baltique au Pacifique ; Abécédaire.*

Karl Philipp Moritz : *Anton Reiser.*

Clare Morrall : *Couleurs.*

Erwin Mortier : *Marcel ; Ma deuxième peau ; Temps de pose.*

Vladimir Nabokov : *Ada ou l'Ardeur ; Regarde, regarde les arlequins ! ; La Transparence des choses ; Machenka ; Littératures I* (Austen, Dickens, Flaubert, Stevenson, Proust, Kafka, Joyce) ; Littératures II

(Gogol, Tourguéniev, Dostoïevski, Tolstoï, Tchekhov, Gorki) ; *Littératures III (Don Quichotte)* ; *L'Homme de l'URSS et autres pièces.*

Kenji Nakagami : *Mille Ans de plaisir ; La Mer aux arbres morts ; Sur les ailes du soleil ; Hymne ; Le Bout du monde, moment suprême.*

Nezâmi : *Les Sept Portraits.*

Edna O'Brien : *Un cœur fanatique ; Les Filles de la campagne ; Les Grands Chemins ; Qui étais-tu, Johnny ? ; Les Victimes de la paix ; Lanterne magique ; Vents et Marées ; Nuit ; La Maison du splendide isolement ; Les Païens d'Irlande ; Tu ne tueras point ; Le Joli Mois d'août ; Décembres fous ; Dans la forêt.*

Fernando del Paso : *Palinure de Mexico ; Des nouvelles de l'Empire ; Linda 67. Histoire d'un crime.*

T.R. Pearson : *L'Heure de l'Évangile.*

Leo Perutz : *Turlupin ; La Neige de saint Pierre ; La Troisième Balle ; La nuit, sous le pont de pierre ; Où roules-tu, petite pomme ? ; Le Maître du Jugement dernier ; Nuit de mai à Vienne.*

Alexeï Peskov : *Paul Ier, empereur de Russie ou Le 7 novembre.*

Romana Petri : *La Guerre d'Alcina.*

Valéri Popov : *Troisième Souffle.*

James Purdy : *Dans le creux de sa main ; La Tunique de Nessus ; L'Oiseau de paradis.*

Barbara Pym : *Crampton Hodnet ; Jane et Prudence ; Comme une gazelle apprivoisée.*

Peter Rosei : *Comédie*, suivi de *Homme & Femme S.a.r.l.* ; *Les Nuages*, suivi de *Quinze Mille Âmes* ; *L'Insurrection*, suivi de *Notre paysage : descriptif.*

Herbert Rosendorfer : *Stéphanie et la Vie antérieure ; Les Saints d'or ou Colomb découvre l'Europe ; Suite allemande ; Grand Solo pour Anton ; L'Architecte des ruines.*

Anatoli Rybakov : *Sable lourd.*

David Samoïlov : *Pour mémoire.*

Diego de San Pedro : *Prison d'amour.*

Francesca Sanvitale : *Le Fils de l'Empire.*

Alberto Savinio : *Souvenirs ; Hermaphrodito ; La Maison hantée ; La Boîte à musique.*

Serge Schmemann : *Échos d'une terre natale. Deux siècles d'un village russe.*

J. G. Schnabel : *L'Île de Felsenbourg.*

Ingo Schulze : *Histoires sans gravité ; 33 moments de bonheur.*

Leonardo Sciascia : *Mots croisés ; Petites chroniques ; Œil de chèvre ; Monsieur le député, suivi de Les Mafieux ; La Sorcière et le Capitaine ; 1912 + 1 ; Portes ouvertes ; Le Chevalier et la Mort ; Faits divers d'histoire littéraire et civile ; Une histoire simple ; Heures d'Espagne ; En future mémoire ; Portraits d'écrivains ; Noir sur noir ; Œuvres complètes* (3 volumes).

Richard Sennett : *Les Grenouilles de Transylvanie ; Une soirée Brahms.*

Kamila Shamsie : *Kartographie.*

Jenefer Shute : *Folle de moi ; Point de rupture.*

Lorenzo Silva : *Au nom des nôtres.*

Francisco Sionil José : *Po-on ; À l'ombre du balete ; Mon frère, mon bourreau.*

Alexandre Soljénitsyne : *Œuvres complètes* (version définitive). Tome 1 : *Le Premier Cercle* ; tome 2 : *Le Pavillon des cancéreux, Une journée d'Ivan Denissovitch et autres récits* ; tome 3 : *Œuvres dramatiques* ; tome 4 : *L'Archipel du goulag*, vol. 1 ; *Les tanks connaissent la vérité ; Les Invisibles ; La Roue rouge* (version définitive) – *Premier nœud : Août 14* – *Deuxième nœud : Novembre 16* – *Troisième nœud : Mars 17 ; Ego, suivi de Sur le fil ; Nos pluralistes ; Les tanks connaissent la vérité ; Les Invisibles ; Nos jeunes ; Comment réaménager notre Russie ? Réflexions dans la mesure de mes forces ; Le « Problème russe » à la fin du XXᵉ siècle ; Le Grain tombé entre les meules ; La Russie sous l'avalanche ; Deux Récits de guerre ; Esquisses d'exil.*

Muriel Spark : *Intentions suspectes ; Ne pas déranger ; Une serre sur l'East River ; Les Célibataires ; Les Consolateurs ; Les Belles Années de mademoiselle Brodie ; Demoiselles aux moyens modestes ; Droits territoriaux ; L'Image publique ; Rêves et réalité ; Ouvert au public.*

Domenico Starnone : *Via Gemito.*

Luan Starova : *Le Temps des chèvres ; Les Livres de mon père ; Le Musée de l'athéisme.*

Christina Stead : *L'Homme qui aimait les enfants.*

Patrick Süskind : *Le Parfum ; Le Pigeon ; La Contrebasse ; Un combat et autres récits.*

Wislawa Szymborska : *De la mort sans exagérer ; Je ne sais quelles gens.*

Korneï Tchoukovski : *Journal. Tome 1 : 1901-1929 ; tome 2 : 1930-1969.*

Anthony Trollope : *Les Tours de Barchester.*

Dubravka Ugresic : *Le Musée des redditions sans condition.*

Albert Vigoleis Thelen : *L'Île du second visage.*

Sebastiano Vassalli : *Le Cygne.*

Luis Vélez de Guevara : *Le Diable boiteux.*

Maks Velo : *La Disparition des « Pachas rouges » d'Ismail Kadaré.*

Yvonne Vera : *Papillon brûle ; Les Vierges de pierre.*

Gore Vidal : *En direct du Golgotha ; L'Histoire à l'écran.*

O.V. Vijayan : *Les Légendes de Khasak.*

Ernst Weiss : *Georg Letham, médecin et meurtrier ; Le Séducteur ; L'Aristocrate.*

Urs Widmer : *Le Paradis de l'oubli ; Le Siphon bleu ; Les Hommes jaunes.*

Christa Wolf : *Adieu aux fantômes ; Médée ; Ici même, autre part.*

Adam Zagajewski : *Solidarité, solitude ; Coup de crayon ; Palissade. Marronniers. Liseron. Dieu ; La Trahison ; Mystique pour débutants ; Dans une autre beauté.*

Theodore Zeldin : *Le Bonheur ; De la conversation.*

Achevé d'imprimer en septembre 2006
*par **Bussière***
à Saint-Amand-Montrond (Cher)

35-67-2990-6/03

ISBN 2-213-62790-8

Dépôt légal : septembre 2006.
N° d'édition : 79002. – N° d'impression : 063253/4.

Imprimé en France